D1245204

Littérature d'Amérique

Collection dirigée par
Normand de Bellefeuille et
Isabelle Longpré

Les Déliaisons

Du même auteur

Proust épistolier, Presses de l'Université de Montréal, 2003, « Espace littéraire », 228 p.

Martin Robitaille
Les Déliaisons

roman

QUÉBEC AMÉRIQUE

Catalogage avant publication de Bibliothèque et Archives nationales
du Québec et Bibliothèque et Archives Canada

Robitaille, Martin
Les déliaisons
(Littérature d'Amérique)
ISBN 978-2-7644-0645-8
I. Titre. II. Collection: Collection Littérature d'Amérique.
PS8635.O269D44 2008 C843'.6   C2008-941095-5
PS9635.O269D44 2008

 Conseil des Arts **Canada Council**
du Canada **for the Arts**

Nous reconnaissons l'aide financière du gouvernement du Canada par
l'entremise du Programme d'aide au développement de l'industrie de
l'édition (PADIÉ) pour nos activités d'édition.

Gouvernement du Québec – Programme de crédit d'impôt pour
l'édition de livres – Gestion SODEC.

Les Éditions Québec Amérique bénéficient du programme de subvention
globale du Conseil des Arts du Canada. Elles tiennent également à
remercier la SODEC pour son appui financier.

Québec Amérique
329, rue de la Commune Ouest, 3ᵉ étage
Montréal (Québec) Canada H2Y 2E1
Téléphone : 514 499-3000, télécopieur : 514 499-3010

Dépôt légal : 3ᵉ trimestre 2008
Bibliothèque nationale du Québec
Bibliothèque nationale du Canada

Mise en pages : André Vallée – Atelier typo Jane
Révision linguistique : Diane-Monique Daviau et Diane Martin
Direction artistique : Isabelle Lépine

Imprimé au Canada

À mes parents,
qui ont toujours aimé les histoires,
et qui savent si bien les raconter.

Déliaison : jeu qui existe entre les pièces d'un navire. Se dit aussi du processus qui pousse les êtres humains à se défaire, malgré eux, des êtres chers. Au pluriel, *déliaisons* prend le sens d'une catastrophe inéluctable. Les pièces se détachent, le navire prend l'eau. Généralement, il coule.

Chapitre 1– Le colloque

Ce sont les professeurs qui ont mis le désordre dans le monde.

Tchouang-tseu

L'autre soir, je regardais la télé. Que des conneries. Je zappais comme un malade. Du trente chaînes à la minute, au moins. Tout à coup, je suis tombé sur un vieux film érotique. Le gars avait une coupe de cheveux pas possible, genre membre du groupe Kiss. Il portait un pantalon qui lui moulait bien la queue, et une veste en jeans ouverte sur des pectoraux glabres. Il descendait de voiture, devant une propriété huppée, alors que deux jeunes femmes, en minirobes au ras des fesses, sortaient de la maison. La brune laissait la blonde discuter avec le gigolo. Elle montait à la terrasse pour mieux observer le couple. La caméra prenait alors le relais de son regard, comme dans une scène de voyeurisme kitsch. L'homme et la fille marchaient en contrebas, dans l'herbe. Travelling de la caméra. Ils échangeaient des propos insignifiants. J'ai eu un début d'érection. Je m'attendais à une scène *hot* en pleine nature, entrecoupée de plans sur la brune en train de se caresser, le tout dans un va-et-vient dionysiaque. J'ai baissé mes bobettes, et au même moment est apparu le mot

«Fin». Le noir total. C'était quoi, cette merde? J'ai appuyé sur le bouton «Menu» de la télécommande, piqué au vif. Le texte du service satellite indiquait : «*Le Genou de Claire*, un film d'Éric Rohmer». J'étais scié. Je n'avais jamais vu ce *classique*, un *conte moral* français. Il s'était bien fait plaisir, le petit Éric, avec Laurence de Monagham, la Claire en question. J'en aurais fait un tout autre film, moi, de sa gogosse à la Marivaux, avec cette fin en queue de poisson. Quelque chose de résolument hard, avec coït et tout, les genoux de la blonde en sang, le gars qui se transperce les yeux, la brune qui saute du balcon et reste figée dans le sol, les jambes en l'air, comme un automate désarticulé. Du Sophocle actualisé. Quelque chose d'anti-rohmerien. J'aurais dû être scénariste. Non, réalisateur : les scénaristes ne deviennent jamais célèbres.

~

De toute façon, un écrivain est un mort en sursis. Tout le monde sait ça. En tout cas *moi* je le sais, puisque ça fait des années que j'essaie d'écrire, sans succès. Maintenant, je suis au moins convaincu d'une chose : on noircit du papier pour ne pas péter les plombs trop vite. Des fois, ça ne change rien. Comme pour Artaud ou Nelligan. Comme pour Dan Brown, l'auteur du *Da Vinci Code*. Vous ne me croyez pas pour Dan Brown? Ce n'est pas lui. Je veux dire : celui qu'on voit dans les médias. Le vrai s'est éteint en 1984 : il a sauté une coche avec cette histoire de descendance de Jésus. Il ne s'en est jamais remis, Dan. Pauvre Dan. Le Fils de l'Homme n'a pas eu de descendance. On sait par contre qu'il a cloné toute une série de papes. Il y a bien eu un peu de contrefaçon, à Avignon, mais c'est de l'histoire ancienne. Des chinoiseries. Aujourd'hui, il n'y a qu'un pape. Dieu merci! Tout le monde veut lui expliquer ses torts, aussi. À l'écrivain, je veux dire. Pas au pape, qui n'a jamais tort. Tout le monde sait ça. Les torts de l'écrivain : il a dit ceci, mais pensait cela ; écrit cela, alors qu'il voulait dire ceci ; s'est tu, alors qu'il aurait dû parler ; a parlé, alors qu'il aurait mieux valu pour lui qu'il se taise ; a vécu telle vie idiote, alors que son œuvre est sublime ; a écrit telle idiotie, alors que sa vie est sublime. On y perd son latin (qu'on n'apprend plus de toute façon). Et puis l'Auteur est mort. Tout le monde sait ça (aussi). Mais l'écrivain, lui ? Car il y a bien quelqu'un qui écrit, non ? Peut-être pas, au fond. Peut-être bien que tout est programmé sur le Rouleau céleste. On pense qu'on influe sur le cours du temps, mais c'est réglé comme du papier à musique. Dieu fait semblant de jouer sur son orgue immense, avec des tuyaux gros comme la tour CN à Toronto. Mais c'est même pas lui. Il fait du play-back. Alors, question : qui est derrière, à la régie ? Maman Dieu ? Mystère. C'est comme le Big Bang : on en fait tout un plat, mais il y avait quoi avant le Big Bang ? Il est né de quoi et dans quoi, le Big Bang ? Mystère. Ce qui est sûr, en tout cas, c'est que je suis né dans un siècle formidable : celui qui a enfanté la bombe atomique, le sida et tous les avatars de la Star-Académie. Les trois plus grandes calamités jamais recensées sur notre belle planète. Les guerres ? Il y en a toujours eu, il y en aura toujours. Les autres épidémies mortelles ? Elles ne se transmettent pas avant tout par le sexe. Les catastrophes naturelles ? Il n'y en a pas de plus grandes que celles qui peuplent les émissions de télé-réalité. C'est à pleurer de désespoir pour la race humaine. Vraiment. Bien pire que le réchauffement climatique. J'en parle parce que c'est un sujet à la mode, c'est tout. Aujourd'hui, on n'en a que pour le réchauffement climatique. Et la santé. Avant, on parlait du mystère de l'île de Pâques, du bloc de l'Est ou du secret des Japonais qui se font hara-kiri. Mais les baby-boomers deviennent frileux, ils ont mal aux articulations, alors on parle du climat, des bobos. Le *troisième âge* exige des bisousbobos. Et on s'étonne, après, que les jeunes se suicident. « Mais pourquoi tant de jeunes se suicident-ils ? » demandent les médias. Mais parce qu'ils sont entourés de fous qui parlent du climat et de leurs bobos à longueur de journée. En boucle. Ne cherchez pas plus loin. On se tire une balle pour moins que ça.

∼

Tout a commencé, pour moi, à ma naissance. Mais non, je blague. Je vais partir d'un colloque en littérature française à Toronto, ce sera plus simple (je sais, c'est difficile à croire). C'est à partir de ce colloque que tout s'est mis à déraper. Je ne savais plus très bien où j'étais, cette nuit-là. Je me suis rappelé avoir tiré les rideaux avant de m'endormir et réglé le réveil fourni par l'hôtel. Il s'est mis à chanter du Wagner à deux heures du matin ; une suite de sons discordants et boursouflés tout à fait horripilants. Je ne trouvais pas le bon bouton ; j'ai arraché le fil. En pleine nuit, seul dans un lieu qui ne me disait rien, j'avais tout de suite pensé au début de *À la recherche du temps perdu*, alors que le narrateur se demande dans quelle chambre il est, que siffle au loin un train normand (ou breton ?), et que dans son rêve une femme naît de sa cuisse. Rêve *fucké*, comme tous les rêves. Et puis je me suis souvenu de ce que je faisais *là*, dans cette chambre-là. Le cauchemar intégral au-dessus de moi, comme un nuage de *cartoon*, avec de la pluie et des éclairs : j'étais professeur de Lettres. J'ai sommeillé, très mal, jusqu'à six heures. Je me suis fait un café en me levant. Un truc indigeste, avec une odeur âcre. Le soleil se levait à peine. Je n'avais pas terminé ma communication. Un truc sur Céline, mon dada d'alors, après des années passées à travailler sur Proust. Tout ça me sortait par les oreilles. J'en avais des nausées. J'aimais toujours autant le lire, Céline, quoique avec moins d'enthousiasme poétique que les premières fois, sans doute, mais je ne supportais plus d'en parler. Je ne me supportais plus moi-même. Je venais de me réveiller à Toronto, donc. Pour un autre colloque. Je me suis remis à la tâche, jusqu'au petit déjeuner. Je peux vous dire une chose : ça pensait fort.

∼

Ce matin-là, je me souviens d'avoir commandé, au restaurant de l'hôtel, l'«assiette du camionneur», *the trucker's breakfast*. C'était stupide, je n'avais même pas faim. La serveuse m'a demandé comment je voulais mes œufs. C'est sorti spontanément : «*Mirror, please.*» «*Could you repeat that, sir?*» J'ai rougi. «*You know, not turned...*» J'en perdais mon anglais. Elle a eu un petit sourire, en se grattant l'oreille. Elle était plutôt mignonne, pour une Ontarienne. «*Oh! You mean sunny side up!* – Oui. Voilà! S'il vous plaît.» Je lui ai répondu en français; il paraît que ça les excite. Elle est repartie en pivotant très rapidement sur elle-même. En regardant ses jambes, dans leurs longues chaussettes *Life Saver*, je me suis passé cette réflexion : presque quatre cents ans de vie commune, et on ne peut toujours pas intégrer leurs expressions sur les œufs. Ce n'était même plus «deux solitudes», maintenant. Plutôt deux entêtements, deux plantes bien enracinées sur le bouclier canadien. Un des deux végétaux aurait bien aimé étouffer l'autre, mais sans y paraître, petit à petit. Alors qu'il y a tant d'espace. J'étais perdu dans mes réflexions sur notre merveilleux pays et je n'avais pas remarqué l'arrivée d'un collègue. «Salut Raphaël. Tu permets?» J'ai failli dire non. «Mais je t'en prie Edmond, je t'en prie... Tu as vu notre belle serveuse? – Ah non. Où ça? – Arrête, elle revient. Avec ses chaussettes multicolores, je me sens comme le serpent Ska dans *Le Livre de la jungle*. Je pourrais peut-être le lui dire, non? «Mademoiselle, j'aimerais m'enrouler à vos jambes, remonter les lianes de votre jungle, hypnotiser votre petite chatte.» – T'es con ou quoi! Elle comprend peut-être le français… – Mais non, t'as vu ses traits? Belle *straight* coincée, avec une touche de folie pour la forme.» N'empêche, elle me plaisait bien. Je n'arrivais pas à détacher mes yeux de ses lèvres, de son petit nez en trompette. J'adore voir les femmes rougir lorsqu'elles se sentent observées. Edmond commanda un yaourt avec toutes sortes de noix et de petits fruits, dans un anglais impeccable, ce qui m'énerva d'autant plus. Il s'était *mis sur son trente-six*. Avec son nœud papillon à motif paisley, sa chemise blanche à rayures bleu royal, ses lunettes rondes cerclées d'argent et son Dupont dans la poche poitrine de son veston, il correspondait parfaitement à l'image qu'on se fait chez nous, quand on n'est pas universitaire, de l'érudit prétentieux, complètement déconnecté, avec les babines en cul-de-poule. Il me fatiguait, avec ses théories vaseuses, sa recherche du mot juste, constamment, même au petit déjeuner. Il prenait des cuillerées de son yaourt en choisissant chaque petite graine, chaque bleuet, pour créer la sublime harmonie. Tout ça roulait longuement dans sa bouche. On pouvait même distinguer, de temps en temps, une noix de Grenoble remonter la paroi interne de sa joue, poussée par une langue que j'imaginais bien fourchue. Ça me donnait des haut-le-cœur. « Ta communication est prête ? – Quelques détails à régler », me dit-il. Avec de grosses *barniques* fumées, c'était Karl Lagerfeld en personne. « C'est sur quoi déjà ? – Toujours Duras. J'explore les voix sous-jacentes au discours proliférant dans le cycle de *L'Amant*. J'ai intitulé ma communication *Marguerite Duras, ou les voix tremblantes aux effets de réel dans un monde disloqué*. Il attendait ma réaction, les mains jointes, en me regardant droit dans les yeux. J'ai dit : « C'est beau. » Je vous jure que ça m'a tout pris. Il m'a remercié en se trémoussant, très fier, puis il a pris un air vraiment fâché : « Jean Ricoux sera là, tu sais. Je l'attends bien avec ses questions, ce salaud ! » À côté de nous, des hommes-cravates discutaient de stock-options et de marge de profit. À une table de biais, un couple projetait un voyage à Cuba. Ils étaient déjà bronzés. Bruit des couverts, bourdonnement des humains… J'ai un coffret de Glenn Gould sur les voix du Grand Nord. Au cours de ses voyages pancanadiens, le pianiste avait enregistré, pendant des heures, les paroles, les bruits, les voix de tout un tas de gens. Pépites sonores, piaillements humains. Dans un restaurant quelconque, à Iqaluit, j'aurais sans doute perçu ces mêmes bruissements de la langue qu'à Toronto, mêlés aux sons des assiettes et des verres qui se percutent. À quoi tient la spécificité d'un discours ? De quoi parle-t-on, ailleurs, pendant qu'on discute, ici? Et de tout ce *bubbling* de mots, par quelle magie certains se trouvent-ils changés en actes, en événements ou en objets concrets? Je n'en avais rien à foutre, de la communication d'Edmond. Comme la quasi-totalité de l'humanité. Et pourtant, j'étais là, à l'écouter pester contre Ricoux, à justifier ses propres recherches. Mon cerveau filtrait l'information, prêt à enregistrer dans sa mémoire à court terme les quelques mots qui relanceraient la discussion, processus automatisé qui permet à des êtres d'un même milieu de *surfer* sur des coulées de phrases, pour n'en retenir que ce qui sera pertinent au bon échange des politesses, quelques bulles de salive insignifiantes, écloses sur ce tas de matière volatile qu'on appelle le langage. «Ah oui, les voix *off*... L'étrangeté narratoriale... Comment? Ailleurs que chez Duras? Je ne sais pas. Mais c'est très intéressant Edmond. Bon filon, bon filon. J'ai très hâte de t'entendre, vraiment. Tu passes à quelle heure?» Je ne savais pas du tout comment j'allais faire pour arriver au bout de la journée. J'étais loin de chez moi, loin de mes projets d'écriture, loin d'Eva. Je m'en voulais d'avoir accepté de faire le clown, une fois de plus, dans un colloque sans importance – mais quand, exactement, un colloque d'universitaires en lettres avait-il été, dans toute l'histoire du XXᵉ siècle, important? Important pour qui? Je pestais contre moi-même, contre tous ces fous furieux du Verbe dont je faisais partie et qui se prenaient pour le nombril du monde avec leurs questions futiles et leurs théories bidon. Comment avais-je pu atterrir dans ce milieu-là? En me grattant les avant-bras, je me rendis compte que je faisais une crise d'urticaire. Une de plus. La peau en pelure d'orange. Des sueurs froides. Je n'étais pas prêt.

Je cherchai du regard ma belle Ontarienne, en vain. Edmond devait retourner à sa chambre. Pour se faire vomir, sans doute. Je décidai de me promener, le temps de décompresser un peu. Toronto me laissait plutôt froid, maintenant. Ce devait être la quatrième ou la cinquième fois que j'y passais quelques jours, chaque fois pour des raisons bien différentes. Un poste que je n'ai pas obtenu (heureusement). Un petit *house-boat* qui me plaisait bien, un *Chris-Craft Aquahome* mal entretenu sur l'île en face de la métropole ; l'inspection m'avait dissuadé de l'acheter. C'était une belle journée de mai. Les canards et les oies dodelinaient entre les bateaux toujours recouverts de bâches, et je me prélassais en attendant le retour du *taxiboat*, alors que tout le monde travaillait au centre-ville, sur l'autre rive. Quelle profonde satis-faction, cette suspension du temps, quand tous les autres se démènent dans leur emploi débile ! Je n'ai jamais été fait pour un « emploi ». Je suis jaloux de tous ces rentiers qui n'avaient qu'à penser à une chose : écrire. Flaubert, Proust, Gide, Roussel, Martin du Gard, Mauriac... Avouons que c'est quand même moins difficile de pondre une bonne œuvre quand on n'a que ça à faire, sans souci de *gagner sa vie*. Je ne devrais plus parler ainsi. Je disais donc que Toronto est une ville plutôt sinistre. Oui, je sais : il est de bon ton maintenant, au Québec, de dire que Toronto est une ville *in*, vivante, raffinée. Pour moi elle est trop propre, avec ses rues parfaitement déployées, ses gratte-ciel qui puent l'argent qu'on y brasse, tous ses macaques sur deux pattes déguisés en Hugo Boss qui attendent patiemment le OK du passage piéton-nier. Une ville de cinq millions d'habitants où l'on a l'impression qu'il ne se passe strictement rien de chaud, de sale, une métro-pole qui ne sent pas le sexe, la luxure – il faut le faire. Même le quartier italien respire le conformisme, la gaieté papier glacé. C'est tout dire. J'avais un mal de tête extrême. L'air était frais en cette fin avril. « Sous la normale saisonnière. » Je me suis répété ces mots plusieurs fois, tout en marchant : « sous la normale sai-sonnière ». Les saisons n'avaient plus rien de normal, depuis quelques années. On ne savait plus comment s'habiller. Je me surpris à crier : «Y fait fret, tabarnak!» C'est fou ce que ça fait du bien de sacrer. Encore plus en pays étranger. C'est une belle soupape, les sacres. C'est tout ce qu'on avait, avant, comme système d'autodéfense. Quelques bons citoyens ontariens se sont retournés, avec leur air condescendant. J'ai bien failli aller jusqu'à la gare et rentrer chez moi. J'aurais prétexté un malaise grave, un retour d'appendicite mal soignée (est-ce que ça existe?). Mais j'avais encore ma valise à l'hôtel. Et puis, c'était trop bête, il me fallait vraiment une ligne de plus sur mon CV. C'est ainsi que je pensais, alors. J'étais un galérien, ramant un coup sur trois, laissant les autres s'emmerder avec délectation dans leurs obsessions académiques. Travaillez, mes amis, travaillez, multipliez le pain de la grande conscience intellectuelle universelle, qui porte tout haut le flambeau de l'espérance, du devoir de mémoire, la pureté sur les ténèbres, la victoire désintéressée de la vérité sur le mal propagé par la mafia de la finance et les méchants capitalistes, avides de profits. Allez, allez, il faut rappeler aux incultes tout ce que vous faites d'essentiel pour l'humanité. Colloquez! Publiez! Étalez vos productions savantes sur la surface de la Terre. Si vous ne le faites pas, qui le fera? Qui lira vraiment? Oui, qui lira, sinon l'amateur de *Harry Potter*? Éduquez! Éduquer... Traduire l'autre... Penser l'autre... Être le postier, le passeur. Oui, c'est ça, le passeur des âmes nobles, cultivées, vers une terre promise, où tout le monde s'aimera en lisant Habermas. *I have a dream.* Que ce serait beau. Mais non, que des incultes, des ignares. Ha! les abattre. Qu'ils rampent, vipères! Poursuivre la recherche du vrai. Il faut continuer. Un colloque de plus. Au millionième colloque, les langues de feu traverseront l'atmosphère, astéroïdes de lumière postmoderne, pour enfin le révéler, lui, le Savoir. Un jour, oui, grâce à la Recherche en Lettres, nous saurons. Nous verrons l'Enola Gay académique enfin lâcher sa bombe du Grand Tout Théorique. Ce jour-là, nous aurons tout compris. Le langage révélé. L'autre-en-soi dans la pensée de l'Étant, main dans la main avec le petit a du phallus de la chose. Toute douce la chose, toute douce. Un p'tit rien tout neu, bordé en bleu, comme disait ma grand-mère. Prions mes frères, mes sœurs, prions, et gardons courage : plus que neuf cent vingt-huit mille trois cent trente-trois colloques à se taper.

~

Je sortis de mon cartable le programme de la journée. Rien n'indiquait qu'il y aurait bien une pause avec muffins et café ; c'était scandaleux. J'achetai une barre granola dans un dépanneur, au cas où. Arrivé au centre des congrès, je me perdis dans les couloirs. Les directions étaient incompréhensibles, comme dans toute grande surface. On devrait lyncher les architectes de grandes surfaces, et les spécialistes de l'orientation, tant qu'à y être. Non, encore mieux : on devrait les enfermer dans leurs *centres d'achats* ou leurs tours à bureaux pour le restant de leurs jours. Folie garantie. Quelques participants, comme moi, cherchaient leur lieu de supplices. Je n'ai jamais compris ce qui peut bien nous pousser à «aller de l'avant», dans ces moments désespérés. Par quel radar interne réussit-on à se rendre soi-même au calvaire ? L'être humain n'est pas fait pour la sérénité ; il court toujours à sa propre exécution, porté par le souvenir des applaudissements innocents de l'enfance, espérant cette répétition d'amour factice, cet ersatz de l'ennui. Je pus au moins repérer des toilettes. Très utiles dans les colloques, les toilettes. J'en fis le tour. Propres. *Hightech*. Bien, très bien. C'est le meilleur endroit pour se ressaisir. On se regarde en face, dans le grand miroir des lavabos. Il n'y a plus de faux-semblants. On peut y faire le point. Quelquefois, lorsqu'on y croise quelqu'un qu'on connaît, on peut même pousser un soupir de connivence. Genre : « Qu'est-ce qu'on se fait chier ! » Sans jeu de mots. Du direct. Très important, les toilettes publiques. Eh oui, c'est là qu'on évacue, qu'on se lave de ses fausses représentations, et qu'on en remet, pour un autre tour de piste. Il y avait mon savon préféré dans ces toilettes-là, celui qui sent la résine, comme à la maternelle de mon enfance. J'ai humé mes mains, longuement, les yeux fermés. J'étais redevenu tout petit. Ça m'avait rassuré. Au bout d'une demi-heure, j'ai fini par trouver ma salle. Le premier prof à passer s'égosillait déjà. Tout le monde avait l'air sérieux. Ça colloquait déjà à fond. Tout était en place pour qu'à la fin les organisateurs se félicitent de ces journées stimulantes et oh! combien productives, qui donneraient certainement lieu à des actes, pour le profit du plus grand nombre. La communication était incompréhensible, baragouinée par un grand spécialiste de Gide sorti tout droit du fin fond de l'Autriche. Je n'écoutais jamais vraiment les borborygmes des spécialistes, de toute façon. Une forme de protection, sans doute. J'étais passé maître dans l'art de faire semblant. Remarquez, ce n'est pas bien difficile : il suffit d'étendre un bras sur le dos de sa chaise, et de regarder le plafond, de temps en temps, avec une petite moue, puis de fixer rapidement l'intervenant, en fronçant bien les sourcils, l'air de dire : «Mais je ne suis pas d'accord!» On peut aussi, à l'occasion, échanger un regard moqueur avec un collègue, pour montrer qu'on a bien compris toutes les subtilités et les nuances du propos. Un *climax* est généralement atteint lorsque toutes les personnes présentes se mettent à rire de bon cœur, mais de manière un peu «rentrée», en étouffant juste assez leur élan d'enthousiasme pour bien montrer qu'elles savent se tenir. Alors, d'un air entendu, celui qui communiquait peut reprendre sa prestation, avec l'air fier de celui qui sait divertir tout en instruisant, ce qui constitue évidemment le summum du bon goût et la preuve ultime qu'il est bel et bien *dans son élément*. De ce point de vue, je me débrouillais plutôt bien. Je paradais. Oui, je savais parader.

〜

Les autres intervenants passèrent. Une Italienne parla des rapports entre le cinéma muet et les changements de paradigme dans les romans français de l'époque, ou quelque chose du genre. Elle se tenait debout, derrière un petit lutrin en plexiglas. Dans ses moments d'extase, elle regardait au loin, sur la pointe des pieds. Visiblement, ce genre d'exercice lui procurait une belle jouissance. Ça arrive. Certains participants entrent ainsi en état de grâce, pour une formule bien tournée, un mot bien placé, une explication soi-disant révolutionnaire, le sexe des anges enfin révélé. On meurt toujours de faim en Afrique, mais que voulez-vous, il faut bien vivre, trouver un sens à tout ça. Proust a bien écrit son roman pendant la grippe espagnole – quarante millions de morts, peut-être plus. Je mélange tout, je sais. L'Art est immortel. Il transcende le contingent. Bon bon bon. J'étais le dernier de la journée. C'est le moment où tout le monde en a vraiment ras le cul et ne pense qu'à retourner à sa chambre, avant le cocktail. J'expédiai mon truc, « Céline chez les Dion », en dix-sept minutes trente-trois secondes – mon record personnel. En dessous de seize, dix-sept minutes, ça passe pour de la fumiste-rie. Au-delà de trente, pour de la masturbation incontrôlable. C'était n'importe quoi, ma communication. Il n'y eut aucune question, à part celle du président de séance, ce qui ne compte pas, évidemment. Je les regardais un par un dans la salle, avec leur sourire gêné, leurs yeux dans la guimauve. Je n'ai jamais compris ce conseil de *coaching* en croissance personnelle, qui consiste à s'imaginer les gens de l'auditoire complètement nus. S'imaginer une suite de seins et de bites qui vous observent, ça me paraît plutôt angoissant. Ce n'est, encore une fois, qu'un fantasme revanchard de vieux *twits* nouvelâgeux. Je me suis demandé, en quittant l'estrade, si je ne venais pas là de donner ma dernière communication, trente ans avant ma retraite. J'aurais bien aimé pouvoir dire ça, à la fin, en parlant de moi à la troisième personne : « Il donna sa dernière communication à l'âge de..., pour se consacrer entièrement à... » Comme Glenn

Gould avec ses concerts. Il avait tout compris, Glenn. Résultat, nous pouvons écouter, tranquillement dans notre salon, des prestations du maître qu'il n'aurait pas enregistrées s'il avait passé son temps en concerts et en représentation. C'est vraiment fascinant, quand j'y pense, cette propension des gens à vouloir s'exposer tout de suite, tout le temps, comme si leur carrière et leur vie en dépendaient. Comme si ne pas paraître était un mal à combattre, une tare d'inadapté social. Mais, au fond, on va surtout dans les colloques pour voir les autres se planter. On veut toujours être le premier de sa classe. Sur ce plan, les professeurs d'université sont vraiment les champions, loin devant les artistes de la scène. Ils ont le syndrome du A$^+$, les profs. C'est gentil, les A$^+$. Ils contemplent, impassibles, le reste de la salle, prêts à *éprouver* leur supériorité. Pourtant, ils sont morts de peur. Ils sont bouffés par la peur, par l'angoisse de la petite fêlure, de la craquelure qui gâchera leur plaisir. La faute d'orthographe, la phrase mal tournée, l'expression de travers. Ils en vomissent, de cette peur. Comme Edmond. Il était tout blanc, mon Lagerfeld des colloques. Je lui ai fait un petit coucou de la main. Il m'a renvoyé un sourire étrange. Le sourire de quelqu'un qui croyait pouvoir vaincre son monstre intérieur, mais qui n'a encore une fois rien résolu. Le sourire perplexe d'un gamin qui doit tout recommencer.

～

Le reste de la soirée se passa comme prévu. Le repas bien arrosé, les cerveaux retrouvèrent leurs couilles. Elles n'étaient pas bien loin, même pour des universitaires. Une petite virée dans les bars de la ville fut vite approuvée. Je n'avais pas le cœur à la fête. Pas du tout. Je suis retourné à ma chambre, et puis j'ai filé au terminal. J'ai pris le dernier autocar de la nuit. Un retour sans incident. Je me rappelle avoir lu un peu de Flaubert, entre deux ronflements, pour mon dernier cours de la session. *L'Éducation sentimentale* : le dernier livre dont j'avais besoin, à l'époque. Tout ce vide, cette relativité. C'est étrange qu'il n'en soit pas devenu fou, l'ermite de Croisset. Je devais prendre le train à Montréal. Une petite fantaisie de ma part, que le service des finances de mon université a vue d'un très mauvais œil, d'ailleurs. J'ai failli ne pas être remboursé. Comme je n'étais pas arrivé à temps pour le départ du matin vers le Bas-Saint-Laurent, j'ai eu une journée à tuer dans la métropole québécoise. J'en ai profité pour aller manger quelques natas achetés à la rôtisserie portugaise, boulevard Saint-Laurent. J'affectionne particulièrement ces petites tartes aux œufs, proches du flan, en plus cochon. Je me suis installé un peu plus haut, au *Laïka*, avec un bon café et un magazine sur les bateaux acheté au *Point vert*. Le bonheur. Je pouvais rester là un bon moment, avant de me faire les bouquineries de l'avenue du Mont-Royal. Je flottai toute la journée, sans incident. J'aime bien lire des trucs sur les bateaux – tous ces termes techniques, les derniers gadgets, le raffinement des tissus, le luxe à l'état pur. Je ne pouvais pas me payer le moindre *trawler*. Les plus petits commencent à trois cent mille dollars. J'avais au moins du rêve à neuf *piastres* le numéro – et puis ça impressionne toujours les gens autour. Soudainement, certaines filles te regardent avec plus d'insistance. Je me suis toujours demandé qui pouvait s'offrir des bateaux à un million, vingt millions, soixante millions.

~

Je parvins à Rimouski comateux, vers quatre heures trente du matin. On dort plutôt bien dans un train. J'avais dix taxis pour moi tout seul, à la sortie de la gare. C'est une petite ville, Rimouski, perdue sur les rives du Saint-Laurent. Il y a bien Québec, trois heures avant. Bof. Après, c'est le désert, à travers le rocher Percé, jusqu'à Nantes, en France. Le paysage est magnifique, surtout aux îles du Bic. « Riki », comme la surnomment poétiquement ses habitants, était bien dynamique, oui, pour une ville de quarante mille personnes. Il n'y avait pas de quoi fouetter un chat, tout de même. Disons qu'avec trois bons restaurants, un cinéma de répertoire, deux musées et quatre bars de danseuses, ça passait tout juste le test. On venait d'y construire une salle de spectacles, attendue depuis trente ans. Les stars pouvaient donc venir y roder leur *show* dans l'anonymat. C'était bien pratique. J'en parle avec un peu d'ironie, mais au fond j'aime bien cet endroit, franc, salubre, énergique. On a l'impression que tout y est encore possible. Enfin, c'est le sentiment que j'ai eu en m'y installant avec Eva. Jeune professeur de littérature française, prêt à tout, s'étant vu offrir une place à l'université. Il y en a qui sont prêts à tuer pour ça. Ils sont vraiment *virés su'l coco*. Eva m'avait suivi – elle m'aimait encore un peu, sans doute. Elle ne devait pas obtenir d'emploi avant des mois. Ce furent des moments angoissants, mais nous avions trouvé une demeure digne des revues de déco – enfin, disons : avec le potentiel nécessaire.

∼

L'accueil, à la maison, ne fut pas des plus chaleureux. Cinq heures du matin : Eva était encore au lit, la figure contre le mur. Elle ne se retourna même pas pour me parler. « T'es d'jà là ? – Colloque stupide. – T'aurais pu me prévenir, non ? Tu ne penses jamais aux autres. – OK, génial. Tu m'en veux pourquoi, cette fois-ci ? – Rien. Sort donc Toblerone, tant qu'à y être. » Le chien était content de me voir, lui, au moins. Nous l'avions acheté en arrivant dans la région. Un bouvier des Flandres. Je l'appelais « mon Chewbacca », comme le gros nounours dans *Star Wars*. Il courait comme un cheval, au bord de l'eau. Son jeu préféré était de mordre les vagues. L'eau salée lui donnait la chiasse. C'était de toute beauté. Il m'a regardé d'un air suppliant. J'ai donc « pris une marche» avec lui, comme on dit chez nous. To *take a walk*, en anglais. Le soleil n'était même pas levé. Il devait faire cinq degrés, pas plus. Quelques maisons étaient éclairées. «Une autre osti de semaine qui commence…», me suis-je dit. Je serais bien reparti, cette fois-là, pour je ne sais où, sans le dire à personne. Je pressentais que le vent allait tourner. Mal tourner. Enfin, c'est ce que je crois aujourd'hui, mais quand on est dans l'œil du cyclone, on manque totalement de jugement.

~

Au retour de ma marche, Eva était déjà dans la douche. J'avais besoin d'elle, de son corps cuivré, de sa vulve. Je pouvais me perdre pendant des heures dans sa vulve. Elle sentait le cuir et le jasmin. Vrai comme je vous le dis. Je n'ai jamais senti ça chez aucune autre femme. Pas que je sois un spécialiste de la chose, mais bon. Eva me tenait à distance, depuis plusieurs semaines déjà. Je ne savais même pas très bien pourquoi elle agissait ainsi. Au petit déjeuner, elle fit brûler ses toasts, comme d'habitude. Elle mangeait son pain carbonisé. L'alarme partait une fois sur deux, c'était franchement insupportable, mais dès nos premiers jours ensemble, j'avais compris que c'était une habitude que je ne pourrais absolument pas lui faire perdre. Elle avait un caractère de cochon, ma petite chatte andalouse. C'est comme ça que je l'appelais. Nous n'échangeâmes plus un seul mot. Elle embrassa Toblerone près de l'oreille, en lui susurrant je ne sais quoi, ne me regarda même pas en quittant la maison pour le travail. Je l'observais toujours en catimini depuis la fenêtre du salon, quand elle reculait la voiture. Surtout le jour des poubelles. Elle faisait souvent des *scratchs* de deux mètres sur la peinture métallique. Orientation spatiale zéro. Ce matin-là, elle s'en tira plutôt bien. Elle s'était examinée longuement dans le rétroviseur et s'était même remaquillée un peu. Elle se rendit compte que je pouvais peut-être la voir. Elle partit très vite, en faisant *crisser* les pneus. Je me retrouvai seul à la maison, avec mes devoirs d'universitaire.

~

Je n'étais pas du tout en forme pour mon dernier cours de la session, et j'ai bien failli me présenter en classe en donnant congé à mes étudiants. La journée s'annonçait radieuse. C'était un de ces rares moments du printemps, dans le bas du fleuve, où le mercure grimpe à plus de vingt degrés, alors qu'il est à quatre degrés la nuit. Je serais bien allé aux îles du Bic ; je savais qu'il n'y aurait encore personne, à ce temps-là de l'année. Même en plein été, ce n'était évidemment pas l'achalandage de la Côte d'Azur. La région n'avait tout simplement pas la *masse critique*. Les pitons du Bic, les falaises de la Gaspésie, les champs cultivés sur les trois plateaux de la côte représentaient pourtant un potentiel récréotouristique indéniable. Mais les Québécois ont besoin de chaleur. On ne peut pas leur en vouloir. Ils vont donc dépenser des fortunes en Floride, à Cuba, en République Dominicaine, au Mexique, là où ils en auront pour leur argent. La péninsule et la Côte-Nord québécoises restaient donc isolées, lunaires par endroits, même en plein été, par vingt-cinq degrés Celsius. Il y aurait toute une histoire anthropologique à faire sur la non-colonisation des rives de l'estuaire du Saint-Laurent. Pendant que des fous creusaient vers le Saguenay, vers le Témiscamingue, avalés par les ours et les maringouins. Il n'y a peut-être rien à comprendre. Je ne sais plus. C'est assez désolant, quand même, un si beau pays si peu habité. Comme si l'explosion de la population québécoise aux XIXe et XXe siècles s'était produite dans un espace trop grand, trop froid, sidéral. Comme si Montréal avait tout ravalé, dans un retentissant *burp* suicidaire. C'est peut-être un phénomène universel : au-delà de x particules humaines, les forces d'attraction opèrent à partir des points les plus denses, pour former des gigaboules de matière urbaine, qui exploseront ou imploseront à leur tour, pour redistribuer ces mêmes particules, qui s'agenceront alors en de nouvelles gigaboules, ailleurs sur la planète. Vu comme ça, ce n'est pas bien sorcier. Ça n'empêche pas d'exister, comme disait l'autre. Je pensais à tout ça en annotant *L'Éducation sentimentale*, un « roman sur rien ». Un roman sur le vide de toute vie, quoi qu'on en dise, quoi qu'on fasse. Déprimant ? Lucide. Remarquez, mieux vaut, pour la condition humaine, essayer de faire des choses plutôt que rien, sans cela on crève tous en moins de deux. Il fallait que je leur dise cela, à mes étudiants : « Sans cela on crève tous en moins de deux. » J'aurais pu leur parler des théories de Silvio Fanti, le fondateur de la micropsychanalyse, mais je me sentais las. Je n'en avais plus du tout envie, moi qui avais pourtant étudié tout ça à fond, pendant des années. C'était Silvio que je voulais revoir, pas ses théories. Le vide, le vide, le vide… Je ne savais plus quoi faire avec tout ce vide. Et si Flaubert s'était trompé ? Et si, dans sa rage antiromantique et antilyrique, lui qui pouvait être plus romantique et lyrique que tout autre, il avait détruit l'essence du romanesque ? Et si, depuis, nous ne marchions plus que sur les ruines du roman ? Le doute, l'ère du soupçon, le désenchantement, blablabla. Ça remonte à bien loin, en fait. Avant Flaubert, même. N'empêche, il a systématisé le vide, Gustave. Le vide de nos vies. Il fallait que j'ajoute ça, dans mon cours : « Il a systématisé le vide de nos vies. » La mienne l'était d'ailleurs de plus en plus. Elle se vidait de sa substance au fur et à mesure que je tentais de la retenir, de lui redonner du corps, du muscle. Je me liquéfiais. Me rendre à ce dernier cours me demandait trop de forces. Je me suis mis à pleurer, je m'en souviens. Dans un sursaut d'orgueil, j'ai collé des *post-it* partout dans mon exemplaire de *L'Éducation*, comme pour mieux montrer l'étendue de mon travail, à quel point je l'avais lu, mon Flaubert. Je le possédais très bien, mais j'avais peur que les étudiants ne me prennent pas au sérieux, qu'ils me voient comme un usurpateur, un non-spécialiste. Il fallait à tout prix être des spécialistes, à l'université. Dans ma glace, le matin, c'est ce que je me suis répété pendant trois ans : « Tu es un spécialiste. Ne te laisse pas abattre. Tu es *le* Spécialiste. Ta mission, si tu l'acceptes, sera de montrer aux autres que tu es *le Spécialiste*. » Maintenant, ça n'avait plus de sens. Je sentais bien que ça n'avait plus aucun sens. Mais que faire d'autre ? Tout lâcher ? Je n'en avais pas le courage. Et puis je craignais la réaction d'Eva.

∼

Mon cours était à seize heures. Je devais d'abord passer à mon bureau. Il était tout au bout du couloir – un couloir qui doit bien faire cent mètres. En entrant dans ce corridor, je vérifiais chaque fois, d'instinct, quelles portes de bureaux étaient entrouvertes. Elles créaient un jeu d'ombre et de lumière différent sur le sol. Il y avait des collègues à éviter. Ceux qui vous aspirent dans leur monologue, dont vous ne ressortez qu'une heure plus tard, sans avoir pu placer un mot. Ceux qui mettent toujours le même disque, jour après jour, session après session : « Je suis débordé : j'ai deux articles en retard. Je suis débordé : j'ai une pile de corrections. Je suis débordé : ma conférence n'est pas prête. Je suis débordé : mon éditeur est un incompétent. Je suis débordé... » Ceux qui cherchent toujours à savoir sur quoi tu travailles, si tu travailles. Ceux qui veulent t'avoir dans leur colloque, comme bouche-trou. Ceux qui veulent absolument te parler du dernier recueil de poèmes de machin, et comment c'est fort, comme c'est splendide, comme c'est vraiment une voix unique. Et tous les autres, les Houdini du tout-théorique, les Frankenstein de la Pensée. Il y avait bien, dans le lot, quelques figures intéressantes, amicales, débonnaires. Je précipitais le pas, alors, pour les accaparer, avant que les autres sortent de leur cage à poules ou, pire encore, m'appellent du fond de leur tanière : « Raphaël ? Oh ! tiens tiens, le Survenant. On ne te voit pas souvent, dernièrement… Que nous vaut l'honneur ? Sérieusement, il faut que j'te parle. »

~

J'ai souvent imaginé cette scène, dans mes fantasmes créatifs : je suis dans un jeu vidéo, habillé en Viking, avec une énorme massue, et j'avance dans un couloir en plein air, sans plafond. Des livres me tombent dessus et je dois les éviter, tout en assommant les profs, déguisés en ballerines, qui sortent de leur bureau pour me frapper en tournant sur eux-mêmes, une jambe en l'air. Chaque fois que j'en écrase un, ça fait *sploush* et j'ai droit à un morceau de page blanche, sur laquelle je pourrai écrire mon roman. C'est très jouissif, comme processus. J'ai aussi fait ce rêve : de chaque côté d'un couloir sans fin, d'immenses panneaux faits de draps en lin projettent des images de films violents. Des profs remontent alors les draps avec un fil, en prenant un air sadique. Je me retrouve dans une classe. Je me vois enseigner, mais aucun son ne sort de ma bouche. C'est angoissant. Je baisse un drap, devant le tableau. Il s'agit d'un film sur le débarquement en Normandie. Je veux expliquer à la classe de quoi il s'agit, mais je me mets à pleurer. Tout est sombre et triste. Les étudiants rigolent et se chuchotent, à mon propos, des choses que je ne comprends pas. J'échappe alors une pile de travaux corrigés. Je m'aperçois que j'ai oublié de calculer la note finale. Le recteur, que je n'avais pas vu, est assis à côté de moi, et me parle doucement en me disant que je suis congédié.

~

Ce jour-là, donc, il n'y avait que trois ou quatre profs au département. J'ai croisé une étudiante habillée comme une pute, qui partait. Je me suis demandé qui elle avait bien pu « rencontrer » ici. Dans mon casier, j'avais un peu de courrier, et le journal de l'université, le *BAS-Info*. Le genre de journal qui n'en est plus un, qui sert uniquement de vitrine pour l'université. Un bel outil promotionnel; un *self-help* motivateur pour les troupes. «Regardez comme on performe bien. Comme on est bons.» Toutes les universités le font, maintenant – comme dans les grandes boîtes. De la communication interne, comme ils disent. Il y avait dans la *livraison* d'alors, en première page, la tronche de David Monty, la star du département de géographie marine. Ses collègues l'appelaient affectueusement «Monty'prout». Comme sa mère quand il était jeune, sans doute. «Tu as bien étudié, mon 'tit prout?» On a de ces expressions, au Québec… On annonçait avec grande fierté l'obtention d'une mégasubvention, «la plus grosse jamais obtenue à notre université par un seul professeur». Il souriait en tendant les bras vers ce qui ressemblait à un bac de cultures, avec un *poster* de la mer en arrière-plan. D'après ce que j'avais pu comprendre de l'article, David Monty orienterait maintenant ses recherches sur l'incidence du réchauffement climatique sur les rives du Saint-Laurent. En plein dans le mille, mon David, en plein dedans. C'était on ne peut plus *up to date*. Même un vieux prof de philo sénile aurait obtenu ce genre de subvention. Bon, j'exagère un peu. N'empêche, c'était *porteur*, comme recherche, très très porteur. Alors que les sciences humaines… À moins de proposer un projet sur l'incidence du réchauffement global dans les romans néoréalistes des dix dernières années, je ne voyais pas très bien comment ma discipline pouvait faire le poids. Il n'y avait qu'à regarder les groupes de recherches en lettres, un peu partout au Québec: «Une nouvelle histoire du manuel scolaire»; «Jeux de mots intertextuels: pour un au-delà du postmodernisme»; «Les dessins d'Alain Grand-bois: une approche transdisciplinaire de l'artiste créateur»; «Les manuscrits de Jehan de Lotbinière, un trésor d'inventivité»; «Refus Global, un devoir de mémoire»; «Le théâtre de Marie Laberge. Quand les préjugés s'envolent». On était cuits. Tous

morts. Nous avions la chance, au moins, de vivre ce que les dino-
saures avaient dû ressentir à l'aube de leur extinction. C'était
beau, quand même, cette force de projection aveugle qui nous
permettait de ne pas voir le mur dans lequel nous allions être
réduits en pudding. Ce soir au menu : *Os à moelle de gens de lettres, avec purée de navets scientifiques sur son coulis de déconstruction au stade avancé.* Sublimissime. La preuve que nous n'en
avions plus pour longtemps, c'est que certains profs n'hésitaient
pas à jouer sur les acronymes avec connotation « dans le vent » :
le groupe de recherche C.L.I.N.T.O.N. (Carnets littéraires incom-
plets et notes tronquées d'œuvres néolibertines), ou bien le
D.I.C.A.P.R.I.O. (Données et informations dans le champ
d'auteurs postmodernes et recherche sur leurs intentions occul-
tes). Qu'est-ce qu'on se bidonnait. Graduellement, au cours des
quarante dernières années, les départements de sciences humaines, et particulièrement ceux de lettres, étaient devenus la risée
des scientifiques. C'est la fable de la grenouille qui veut se faire
plus grosse que le bœuf. Les professeurs de lettres se sont mis à
croire, dans les années soixante, qu'ils pouvaient, au même titre
qu'un physicien ou un biologiste, faire de la « recherche » en littérature, parvenir à des « avancées », à des « percées », à des
« découvertes » dans le champ de la fiction. Avant, quand ça
n'existait pas la Théorie littéraire, tout le monde était dans le
noir. Les lecteurs ne savaient pas qu'ils étaient des lecteurs. Le
comble, c'est qu'ils ne savaient pas qu'ils lisaient quelque chose
qui n'existe pas vraiment ; qui, en tout cas, n'est pas ce qu'ils
s'imaginaient que c'était. C'était bien triste, comme univers...
Heureusement, les profs de lettres sont là, aujourd'hui, pour
nous éclairer. Ils pensent tellement fort qu'on peut enfin voir où
elle s'en va, la littérature. Ils scrutent le passé pour mieux éclairer
l'avenir. C'est-tu pas beau, ça ? Un grand frisson a parcouru le
monde littéraire quand Derrida la pythie s'est mis à écrire, dans
ses vapeurs de surhomme. IL a montré l'erreur. IL a fait péter le
Logos, rien qu'avec la force de sa pensée. Il a enfrouapé l'Autre,

ce con. Il est fort Derrida, très fort. Aujourd'hui, on prononce son nom avec la langue bien collée sur les dents d'en avant. Dans les colloques de déconstruction, on peut sentir sa présence, parfois, à la tombée du jour. Comme s'il aidait à mieux voir, à mieux être dans le Non-Étant. Ne le dites à personne, mais certains croient l'avoir vu devant l'oratoire Saint-Joseph, à Montréal, montant les marches à genoux, main dans la main avec Heidegger et le Frère André. Saint Derrida priez pour nous, car nous n'avons pas encore assimilé toute l'étendue de votre pensée. Saint Derrida délivrez-nous de nos péchés, car nous n'avons pas encore terminé votre entreprise de purification des lettres. Saint Derrida priez pour nous, car nous ne sommes pas dignes de vous recevoir (ne résurrectionnez pas trop vite, quand même).

∼

Je commençais à disjoncter, c'était clair. J'étais seul dans mon bureau, à ressasser toutes ces belles pensées sur mon milieu, sur mon « champ de recherche ». J'avais mis de l'eau à bouillir pour un thé vert ; ça devait siffler depuis cinq ou sept minutes déjà, mais je ne m'en rendais pas compte. J'avais toujours sous les yeux la photo de Monty, avec son air crâne. Je me suis dit que s'il y avait encore des départements de lettres dans les universités, c'était tout simplement parce que ça attirait encore quelques étudiants. De moins en moins, mais assez tout de même pour ne pas mettre la clé sous la porte. Évidemment, en contrepartie, il fallait faire du recrutement, et obtenir des fonds de recherche pour leur donner des contrats, à ces étudiants – sans quoi ils finiraient par aller ailleurs, là où ça paye, là où ça brille. Les profs se devaient maintenant de fonctionner comme une PME, avec sa petite usine à fourmis. Ils passaient la moitié de leur temps à gérer, organiser, coordonner, recruter, rayonner. On formait des docteurs en lettres pour qu'ils deviennent à leur tour des petits chefs d'entreprise. Le management avait donc gagné le dernier retranchement de la pensée libre et critique. Comment sortir de cet enfer? C'est Antoine qui est venu cogner à ma porte. Un jeune passionné d'histoire littéraire. Un bon ami. « Eh, Raphaël, tu pourrais arrêter ta bouilloire? Ça ne va pas? – Si si, tout va bien. Excuse-moi, j'étais dans la lune. – Dis donc, t'es pas en cours là, normalement? – Merde!» J'avais complètement oublié. J'ai couru jusqu'à ma salle de classe. J'ai failli éborgner un doyen en poussant une porte. Heureusement, il ne saignait qu'un peu du nez. Et puis c'était bien fait pour sa gueule : il ne m'avait pas accordé de subvention de voyage, l'année précédente. J'ai poursuivi mon sprint, en lui promettant une bière pour me faire pardonner.

～

Longue suite de couloirs kafkaïens. Je n'avais plus rien à transmettre. Je me vidais de toute substance, comme les derniers rayons du soleil de l'autre côté de la rive, lorsque les tons de rouge coagulent sur la peau de la nuit. Je ne le savais pas encore, mais j'entrais dans une longue course d'ambulance, filant dans les banlieues endormies, pour aller récupérer mon corps bleu, respirant à peine, au fond du dernier des ravins, là où plus personne ne vous cherche.

～

Le cours fut une catastrophe. Certains étudiants avaient déjà quitté la salle; j'étais en retard de vingt minutes. Ceux qui étaient restés souhaitaient que je les éclaire un peu sur les «intentions» de Flaubert. Comme il n'y avait pas d'examen final, je les avais trouvés plutôt bons de rester, juste pour le plaisir de la chose. Je me suis mis à parler du vide en gesticulant beaucoup au début.

Je suais abondamment, ce qui laissait de grands cernes mouillés sur ma chemise. Je n'osais plus lever les bras ni aller au tableau. Je restais là, une fesse sur le bureau, à parler de l'existence ratée de Frédéric, le « héros » de *L'Éducation sentimentale*, en ne comprenant plus très bien moi-même ce qui était raté dans tout ça. Car, après tout, sa vie n'était pas moins riche que celle d'un prof d'aujourd'hui, par exemple. Il lui arrivait plein de choses, à Frédéric. Il ne savait tout simplement pas *quoi faire* avec. Un étudiant boutonneux leva la main : « Mais l'enseignement ne devrait-il pas être une vocation ? » Évidemment, oui, la transmission des connaissances est une mission noble, une vocation. Je ne dis pas le contraire. Mais tout le reste, franchement... Il me semble tout à fait clair que les ponts sont définitivement coupés entre le lectorat populaire et le milieu académique, par exemple. Comme on a à peu près épuisé les plus grands auteurs, on se met maintenant à réveiller des morts, à trouver « très bon, meilleur même par certains aspects », tel écrivaillon de telle époque, « pourtant tombé dans l'oubli alors que l'œuvre de Balzac, surfaite, demeure ». J'aime bien lire ces propositions de journées d'étude, du genre : « Marc Risotto a écrit une œuvre toute en nuances, avec des trésors d'inventivité pour son époque. Il mérite que nous lui consacrions toute notre attention. C'est pourquoi nous avons cru légitime, voire *crucial*, de réactiver sa pensée au cours de cette journée d'étude qui lui sera consacrée, dans un devoir d'amitié que nous lui devons tous (deux devoirs pour le prix d'un), lui qui a consacré sa vie à pourfendre la bêtise, etc. » C'est à pleurer, toute cette bigoterie pseudo-intellectuelle. Il faudrait mettre des tapis, dans les colloques en lettres ; je suis sûr que certains se mettraient volontiers à genoux, pour communier devant leurs idoles. On pourrait faire des statuettes de Derrida, ou encore des chapelets de la *lalangue* lacanienne, des nœuds boroméens plaqués or, des affiches avec cette inscription : *Postmodernism Rocks!* ou encore : *Fuck Classicism! Long life to Structuralism!* Les étudiants clonés, à l'entrée, distribueraient des muffins au pot en forme de carré sémiotique ; le café serait aromatisé aux *gender beans* (des grains féminins, des grains homos, des grains trans, aucun grain masculin, ça n'existe pas le masculin, c'est une invention de la domination du Phallus dans la tête). Chacun aurait droit à un petit sac surprise, avec un stylo déconstruit et un mode d'emploi pour qu'il puisse, éventuellement, fonctionner à nouveau, et un condom sur lequel apparaîtrait quand on le déroulerait un slogan provocateur, du style *EatMyLogos!* ou *LickMyPhenomenologicalDasein!*, pour les bites surdimensionnées (ou les gros *ego*). N'oublions pas les femmes! Elles auraient droit à un speculum biodégradable, à l'effigie de leur penseur préféré.

~

Les étudiants me dévisageaient, effarés, la mâchoire pendante. J'avais visiblement *sauté une coche*. Il y eut un grand silence. Puis ils se regardèrent tous avec de gros yeux, la tête rentrée, leur roman devant le visage, comme pour se protéger. J'étais foutu ; j'aurais droit au conseil disciplinaire. Ils ne me mettraient pas à la porte, les profs permanents sont des intouchables, mais on me ferait la vie dure. Je ne sais plus très bien ce qui m'a pris, de penser tout haut, comme ça, sans inhibitions. C'était un peu autodestructeur, sans doute. Mais bon, on ne peut plus rien dire aujourd'hui. Les générations montantes vivent dans la pornographie et la violence au quotidien, et pourtant elles sont d'une pudibonderie comme au temps de ma grand-mère. Le ressac des années soixante, probablement. Au fond, je m'en foutais pas mal. Je voulais qu'on me laisse tranquille, qu'on me tasse dans un coin. Je ne demandais plus grand-chose. Mes cours, un article ou un colloque de temps en temps, quelques comités, c'est tout. À soixante-dix mille dollars par année, je m'en tirais plutôt bien. Mais ça ne pouvait pas durer. Non, ça ne pouvait pas durer.

~

Je leur ai demandé de m'excuser. J'ai prétexté une mort dans ma famille. Ils n'y ont pas cru, évidemment. «Bon été! Reposez-vous!» Je leur ai dit un truc comme ça. La classe s'est vidée en moins de deux. Une seule étudiante est venue me voir pour me parler brièvement. Une blonde avec des tresses, pas très sensuelle. J'étais touché de cette attention, alors que je méritais qu'on me crache dessus. Elle m'a demandé : «Pourquoi restez-vous?» Je ne savais pas du tout quoi lui répondre. «Pour l'argent», ai-je dit bêtement. «Vous serez malheureux toute votre vie. C'est dommage, quand même, tout ce gaspillage.» Gaspillage de quoi? Elle est sortie lentement, attendant peut-être que je la retienne, que je l'invite à prendre un verre. Au bout de quelques minutes de vide absolu, je me suis levé et j'ai marché jusqu'à ma voiture, comme un zombie. J'ai conduit jusqu'au bord de l'eau. Le soleil se couchait sur la côte Nord. Le ciel était strié de tons vert lime, rouge cerise et prune, comme dans un mauvais film de science-fiction. J'ai balancé mon Flaubert dans le fleuve et l'ai regardé couler, puis je suis rentré à la maison, avec un scotch bon marché.

Chapitre 2 – La transmission interrompue

La plupart des êtres humains se trouvent plutôt chanceux d'être en vie, mais je n'ai jamais vraiment compris pourquoi.

Juste Lespérance

Eva voulait un enfant. Depuis plus de deux ans. Je n'étais pas contre, mais ça ne m'excitait pas outre mesure non plus. Je faisais peut-être partie de tous ces hommes qui ne concèdent la partie sur la «perpétuation de l'espèce» que par dépit, ou par accident. Dans mon cas, il devenait de plus en plus clair que j'étais stérile, ou alors nous avions un problème d'incompatibilité génétique. Ça m'arrangeait plutôt bien. Elle avait passé son test de fertilité depuis plusieurs mois. J'hésitais encore à le faire. Elle était impatiente, irascible. Je ne pouvais plus lutter longtemps.

~

Ce soir-là, après mon dernier cours raté, elle souhaitait sans doute un rapprochement. Elle était déjà en pyjama, une sorte de survêtement de jogging en *coton ouaté* léger, blanc, avec un BerryHot rouge vif inscrit sur les fesses. Elle ressemblait beaucoup à Inès Sastre, la brune parfaite, un peu hautaine. J'en étais tombé amoureux fou dès que je l'avais vue la première fois, dans un cours complémentaire d'histoire culturelle du Québec, à l'Université de Montréal. Elle étudiait en marketing. Franchement, je me demande ce qui lui avait pris de suivre ce cours. À la première séance, elle s'était installée une rangée devant moi, à ma gauche, sans même regarder l'assistance. J'ai dû me replier un peu sur moi-même, tellement ça me grouillait dans le ventre. Instantanément. Je ne sais pas pourquoi on appelle ça un coup de foudre ; ça ressemble plutôt au vertige : tu ne peux plus rien faire, tu es gelé sur place, et tu brûles en dedans. Ce n'est pas très agréable, à bien y penser. Elle relevait ses cheveux en chignon, puis les faisait retomber, régulièrement, tout en écoutant le prof. Je regardais sa nuque, extrêmement fine, sur laquelle flottaient quelques mèches mousseuses qui n'avaient pas été emportées par le mouvement des mains. Je pouvais sentir les effluves de son parfum quand elle laissait retomber sa chevelure pour noter un truc important. Elle écrivait pendant quelques minutes, laissait son stylo, croisait les bras, puis tout recommençait : les bras qui s'étiraient vers l'arrière, les seins qui pointaient, la manche courte évasée qui laissait voir l'aisselle, les doigts qui s'enfonçaient jusqu'à la racine des cheveux, le lent tourbillon du chignon, la nuque délivrée, la tête penchée légèrement sur la gauche, la suspension du temps. Je n'écrivais plus rien, je n'écoutais plus rien. Ma vie n'était plus qu'un flux tendu vers son cou. La Terre tournait au ralenti, les fleuves retenaient leur débit. Chaque révolution de ce geste qu'elle effectuait machinalement, sans savoir ce qu'il causait autour d'elle, stoppait le temps, *mon* temps. Et puis tout basculait. Elle reprenait son stylo, et ses cheveux retombaient, lentement, sur l'onde qui me séparait d'elle. C'était ça, l'éternité. C'est ça que tout le monde recherche, en fait : revivre ces quelques minutes prises sur la mort, les seules qui nous arrachent au néant. Beaucoup ne les expérimenteront jamais. Un coup de chance, ou de malchance, c'est selon. La première fois que ça arrive, c'est généralement à l'adolescence, quand tout le corps n'est qu'un réseau gonflé d'hormones, une centrale nucléaire en surchauffe. Le premier regard, le premier effleurement des mains, le premier bisou, le premier corps nu... La première baise n'est généralement pas une réussite. On réessaye, jusqu'à ce que ce soit bon. Plusieurs abandonnent en cours de route. Mais ce ne sera jamais comme la première fois, quand le cœur explose. Après, on peut mourir. Et pourtant on se fait chier pendant soixante, soixante-dix ans, sans jamais retrouver cette première sensation, parfaite, non reproductible. La plupart des hommes finissent pas se tourner définitivement vers le sport ou les voitures. Les femmes se tournent normalement vers leurs enfants. Heureusement, j'imagine.

~

Ce soir-là, donc, Eva préparait des pâtes au saumon fumé, celui des Fumets de l'Estuaire, à Métis-sur-Mer. Le meilleur du Québec, à mon humble avis. J'avais déjà enfilé deux scotchs. Toblerone me regardait avec un pétillement dans les yeux ; c'était l'heure de sa marche. Je mangeais des carottes. Eva coupait les tranches de saumon en fines lamelles. Ses cheveux lui tombaient dans le visage. Elle a eu le même geste que dans la classe, sept ans plus tôt. Aussi belle. Un ou deux kilos en plus, c'est tout. « Tu me trouves grosse ? – Mais pas du tout. J'ai eu un flash de notre première rencontre. Tu n'as pas bougé. – J'ai pas eu d'enfant, encore... – Justement, je voulais te dire que j'ai pris un rendez-vous à la clinique. » Elle n'en revenait pas. Elle s'est arrêtée net. « Monsieur se décide, maintenant ! Tu te sens près, là, t'es sûr ? T'as pas peur pour ta mâlitude ? Tu fais ça pour me faire plaisir ou quoi ? » Un poing sur une hanche, le couteau en l'air dans l'autre main. Menaçante. Comme au théâtre. « Oui, un peu, mais je m'assume. – OK ! Comme tu veux. Mais si ça ne marche pas, c'est peut-être pour le mieux. » Elle s'est remise à couper, indifférente. «Qu'est-ce que tu veux dire? Comment ça, "pour le mieux"? – On ne se cachera pas que ce n'est plus comme avant, Raphaël, hein? On pourrait attendre un peu, le temps qu'on se retrouve ou que ça pète.» J'ai senti mon ventre se tordre. Je me souviens de l'avoir longuement observée, avec ma carotte dans la main, comme un con. Son regard était dur, fermé. Elle écartait les lamelles de saumon avec la pointe du couteau, l'air absent. Et puis j'ai explosé : «Ben tabarnac! t'en veux-tu des enfants, oui ou non? Pis si c'est pas avec moi autant me l'dire en pleine face! – J'dis pas ça, je n'ai pas dit ça... – Bon, j'annule mon rendez-vous? – Mais non, vas-y. On sera fixés. Si c'est positif, ça va peut-être nous rapprocher.» Elle a balancé tout le saumon dans la crème, d'un seul coup. Je ne savais plus ce qu'elle voulait, et pour la première fois j'en ressentis une vive douleur. «Je le ferai quand tu m'enverras un autre message.» Si j'étais stérile, je n'avais pas envie qu'elle me quitte sur ce constat, c'était trop humiliant. J'aurais voulu la rentrer dans le mur. *Slugger* la casserole de sauce au plafond. Il fallait que je change d'attitude, que je joue les plus forts. «Je vais promener le chien.»

~

J'errai dans mon quartier, indifférent à la vie des gens dans la lumière blafarde de leur maison douillette. En temps normal, j'aimais bien surprendre les voisins dans leur quotidien, même si je devinais la plupart d'entre eux amorphes devant leur télévision. C'est rassurant, toute cette vie gaspillée en petits bonheurs tranquilles, en gestes insignifiants autour de l'aquarium cathodique. On peut penser que notre vie est plus excitante. C'est là, dans les quelques heures qui précèdent leur sommeil, que les êtres humains des sociétés occidentales reprennent leurs forces pour le rêve américain du lendemain, le placebo du vécu, de tout ce qui leur fait croire qu'ils mènent une vie, qu'ils la dirigent –

mais vers quoi? Au fond, on s'excite pour bien peu de chose. Naître, mourir, et entre les deux regarder de faux illuminés jouer le grand jeu sur l'écran du bonheur. C'est très bouddhique la télé, au fond. Sloterdijk a raison : allumée, éteinte, allumée, éteinte, aucune différence; de la méditation en *canne*, sans effort. La télévision est *la* grande invention du XXe siècle. Des milliards à s'oublier, quelques heures par jour. Qui ne pensent pas, pendant ce temps, à faire la guerre, à battre leurs enfants, à violer tout ce qui bouge. Un trou noir dans la vie. Une onde bienfaitrice, une hypnose de la pensée – sauf dans le cas de la téléréalité, ce raz-demarée de stupidité schizophrénique. Toblerone allait renifler chaque terrain, et je regardais tous ces poissons dans le calme de la nuit. La vie n'a absolument aucun sens, quoi qu'on en dise. Je pensais à Eva, à notre couple, et je me disais que ça n'avait peut-être, finalement, aucune importance, cette poursuite du trajet à deux, à trois. Et pourtant, que faire d'autre? J'étais piégé; je l'aimais encore. Il fallait essayer – c'est tout ce que l'être humain sait faire, essayer. Le jour où les chercheurs trouveront les hormones du bonheur, tout sera fichu : on n'aura plus qu'à s'aligner en tuyaux de poêle, enfourchés par la Science, notre nouveau dieu. Plus de quête, plus d'essais, on étouffera dans notre propre miel lymphatique. Et puis l'Homme s'éteindra, et le reste du Vivant pourra alors reprendre le dessus. La Terre sera enfin délivrée de cette espèce cancérigène, tuée dans son fantasme de puissance absolue. Nous faisons pourtant de bons pas dans la voie du bonheur maîtrisé. Je suis confiant, on y arrivera. Plus aucune souffrance, des semblants de naissances, la mort *soft*, la pilule du bonheur et la télé pour tous. Un jeu vidéo en boucle – allumé, éteint, allumé, éteint. Comme des lumières de Noël, en multicolore, aux quatre coins de la planète. C'est possible. On y est presque. Plein de petits chercheurs en rêvent, de cette existence, et le rêve, c'est l'espace-temps de nos possibilités futures. On pourra tout remballer; plus aucune surprise, plus aucune révolution, plus aucun affrontement. Des milliards de cellules-zombies sur la terre, en extase permanente dans le vide intersidéral ponctué du feu d'artifice des explosions d'étoiles.

~

Il fallait que je rentre : *24* jouait à vingt heures. J'ai repris le chemin de la maison, avec Toblerone et mon sac de crottes. Quand je suis arrivé, l'assiette de pâtes était au micro-ondes. Je n'avais plus du tout envie de manger. J'ai mis un papier d'aluminium sur le plat. J'ai pensé : «Comme ma vie. Je me sens comme une patate enveloppée d'alu. Ma femme est en train de me cuisiner. Elle va m'avaler tout rond ou me faire cuire jusqu'à la carbonisation complète.» Je me suis pris un pudding au tapioca dans le frigo. Les perles me roulaient dans la bouche. J'avais du mal à avaler. J'ai fait un tour dans la chambre. Eva était au lit, absorbée par le dernier Grisham. Je suis descendu au sous-sol, sans un mot. Et puis j'ai allumé le plasma, en pensant à la suite du monde. Jack Bauer m'a sauvé de l'implosion de mon couple. J'ai été absorbé par les dernières péripéties de la série. Jack devait atterrir en hélicoptère en plein centre-ville de L.A., et se mettre à courir après de méchants terroristes – tout allait bien. Tout allait très bien.

~

Dans les semaines qui ont suivi, nous avons évité le sujet bébé. Le printemps se pointait timidement. Dans le bas du fleuve, il arrive au moins quatre semaines plus tard qu'à Montréal. Parfois, à la mi-mai, il reste encore un peu de neige dans les sous-bois ou dans les stationnements des supermarchés. On planifiait l'aménagement du terrain, on parlait rénos, sur un ton enthousiaste-détaché. Très difficile à obtenir, le ton enthousiaste-détaché; ça prend beaucoup de pratique. Les jeunes couples en sont d'ailleurs incapables. Je devais planter dix rosiers blancs devant la maison, dans une rocaille improvisée pour couper la monotonie de la pelouse. Nous avions choisi des SnowPavement, créés spéciale-ment pour fleurir les autoroutes en Allemagne. Des trucs très résistants. L'été précédent, j'avais planté un lilas japonais, mais il avait l'air un peu piteux, tout seul. J'avais par ailleurs un muret de soutènement à redresser, sans quoi il risquait de s'effondrer sur la Audi A6 de Florent, mon voisin. Un chic type. Eva, quant à elle, avait plein de projets pour la décoration intérieure. Elle arrivait chaque semaine avec des revues différentes. Il faut dire qu'il en sortait au moins une nouvelle par mois, alors, de ces revues sur la Maison. Martha Stewart ne s'était jamais vraiment relevée de son séjour en prison, mais des dizaines de clones avaient envahi sa niche en inondant le marché d'idées déco, au moment où les baby-boomers voyaient poindre la retraite et qu'ils se lançaient tous dans la rénovation « mur à mur », leurs comptes en banque débordant de fric qui commençait à « dormir pour rien » – et leur mort se profilant, pour la première fois, à l'horizon. Les dépenses en rénovation et en décoration stimu-laient le marché, qui offrait ainsi chaque année plus de choix, plus de tendances, plus de manières de dépenser. On avait importé le feng shui dans les consciences occidentales. Les appareils ménagers étaient entièrement *relookés*, ce qui rendait ceux que les gens avaient depuis dix ou quinze ans, et qui fonc-tionnaient encore parfaitement, très tristes à regarder. Les cuisines et les salles de bains étaient proposées en kits ultrafonctionnels et modernes, pour de modiques sommes allant de dix mille à cent mille dollars, selon les budgets. On titillait aussi la fibre du chas-seur chez l'homme en lui proposant des BBQ modulables pou-vant cuire, en même temps, dix perdrix, cinq canards et un orignal. En Amérique du Nord, les mâles pouvaient ainsi obtenir leur cuisine extérieure pour trente mille dollars, environ. Ça revenait un peu cher du hamburger, mais bon, pourquoi pas, quand on a l'argent ? Eva s'était laissé imprégner par tout ce délire consumériste. Elle était prête à tout jeter par terre. « Raphaël, t'as vu cette salle de bains ? Elle me rend malade. » « Et ce canapé ! Il irait parfaitement avec le vase de maman, tu ne trouves pas ? » « J'ai pensé à cette teinte pour la cuisine : mousse de morilles, c'est *super cute*, non ? » « On pourrait ouvrir le grenier pour une mezzanine… Tu crois que c'est faisable ? » Nous n'avions pas le quart de l'argent nécessaire pour les projets qu'elle proposait, mais je n'osais pas la contrarier. J'avais l'impression que nous misions là notre dernier jeton pour la réconciliation amoureuse, que rien ne serait possible sans un *strippage* total de la maison. J'angoissais rien qu'à l'idée d'aller négocier une telle somme pour un prêt réno. Le pire, c'est qu'avec mon salaire de prof et son contrat au magazine, on était bien foutu de nous prêter tout ce qu'on allait demander. On allait faire la fortune de Réno-Dépôt – et de la Banque Laurentienne.

~

J'angoissais, mais en même temps je me disais qu'Eva était peut-être prête à s'engager plus qu'elle ne le laissait paraître. C'était un signe, toute cette effervescence féminine autour du foyer. La préparation du nid… On a beau dire, les êtres humains reproduisent malgré eux les comportements innés de l'espèce, c'est indéniable. Je pensais à tout ça en plantant mes rosiers. La naissance, la mort, la vie, l'absence de vie, le taux de reproduction minimal, la santé d'une nation, d'un peuple, sa mort annoncée, même des décennies à l'avance. À l'échelle planétaire, la survie du Québec avait une importance toute relative, presque dérisoire. À l'échelle du cosmos, ça devenait franchement surréaliste. À l'époque, ça me préoccupait encore beaucoup, tout ça. Je me souviens que je suais à grosses gouttes en creusant mes dix trous. Le temps était splendide : vingt-trois degrés, pas un pet de vent. Je regardais Eva, assise sur le perron, avec son bol de café qu'elle tenait comme un calice, les yeux au loin, perdus dans le fleuve. Les travaux de la maison allaient bon train, tout comme la marge de crédit. C'est curieux tout de même de voir comment l'endettement procure, au départ, une sensation d'euphorie. On se dit que tout est possible, que tout ira bien. On claque du fric, en espérant que tout tiendra, que tout ça prendra de la valeur. Je souhaitais vraiment que ça marche. La maison, notre couple, et peut-être, oui, un enfant ; un p'tit Québécois. Je me sentais fertile. Je ne voyais pas pourquoi ça ne pouvait pas marcher. J'en étais même venu à penser qu'il fallait planter un autre arbre, à la naissance du bébé, pour qu'ils grandissent ensemble. J'hésitais entre une aubépine toba et un cerisier. Il serait allé près de l'étang, dans lequel j'aurais mis de gros poissons rouges chinois. Le petit aurait été tout émerveillé en les voyant. J'aurais installé un module de jeux, avec balançoires, cordes, glissade et tout et tout. Je ne pensais plus à l'université. J'avais pris la résolution de ne rien foutre de l'été. Les articles attendraient, ça n'avait plus aucune importance. De toute façon, pour un potentiel de trois ou quatre lecteurs, je ne voyais vraiment pas l'intérêt. Je ne voulais plus dépendre de mon curriculum vitæ ; il n'était plus question que je me définisse par cet alignement de « réalisations » plus fictives que n'importe quel bon roman.

~

Je pris un rendez-vous à la clinique de fertilité de l'hôpital. Je devais attendre sept jours, idéalement sans éjaculer. C'était réaliste. Eva et moi ne faisions plus l'amour qu'une ou deux fois par mois environ, comme la plupart des couples de plus de cinq ans. Le problème, c'était la masturbation. Grâce à Internet, l'homme du XXIe siècle avait maintenant accès au plus grand bordel virtuel jamais imaginé, avec des milliards de photos, des millions de vidéos, des centaines de milliers de stripteases *live*. La planète n'était plus qu'un long réseau de fibres optiques pouvant propager de la porno – et des bases de données généalogiques. La *G-String Theory* (facile, je sais). Ainsi, pendant que certains éjaculaient dans le vide, en regardant des hommes et des femmes simuler les gestes de l'amour et du plaisir, d'autres remontaient la lignée de leurs ancêtres, à la recherche des produits de l'amour et du plaisir, qui furent eux aussi la plupart du temps simulés. Nous nagions tous, maintenant, dans une grande simulation cybernétique. Les frères Wakowsky avaient peut-être raison : derrière l'image, derrière la représentation de nous-mêmes, il n'y a peut-être qu'une matrice, la Matrice d'un Ordinateur Omniscient – la *MOO*. Avec Flaubert au clavier.

~

Je réussis à ne me masturber qu'une seule fois. En lisant un article en ligne du *Christian Science Monitor*, un *pop-up* est apparu, avec une simulation de deux lesbiennes blondes en déshabillé rose translucide. J'ai cliqué, juste pour voir. Elles se minouchaient contre l'encadrement d'une «porte française», à l'entrée d'une pièce-télé chic et soft. Elles devaient avoir dans la vingtaine. Tout était ferme, parfait. Juste ce qu'il me fallait, en temps normal. Après une ou deux minutes de *teasing* miaulant, celle contre le cadre de porte écartait les jambes, alors que l'autre s'accroupissait pour la lécher. Le gros plan montrait la langue qui humectait le triangle du string. On voyait bien les lèvres se gonfler. La vulve se fondait dans le tissu rose, tout en le magnifiant. La blonde accroupie écartait alors le slip avec sa langue, sans les mains, et léchait doucement le fruit offert, comme un beau cornet de crème glacée. La caméra remontait ensuite lentement le corps de la blonde debout. Elle avait les seins bien tendus. Plan d'ensemble. La tête renversée, elle écartait encore plus les jambes, pendant que l'autre arrachait tout. Une main de chaque côté de l'embrasure, elle disait : «Vas-y, défonce-moi! Vas-y. Fends-moi en deux, sale pute! Aaaaghh!» Mais en anglais. Et l'extrait s'arrêtait là, avec une bande-annonce pour le site payant. Mais je ne payais jamais pour du cul sur Internet. C'était contre mes principes. Je devais donc prendre la souris et recliquer sur le bouton *play*, jusqu'à ce que j'éjacule. J'en étais à mon cinquième jour d'abstinence; je n'eus pas à faire rejouer le vidéo plus d'une fois. Il y eut quelques gouttes sur mes feuilles d'impôt en retard. Je ne pris même pas la peine de les essuyer. J'étais là, comme un con avec mes culottes baissées et mon zizi tout flasque, devant une page Web qui m'encourageait à donner mon numéro de carte de crédit, pour un «abonnement donnant droit aux photos et aux vidéos qui vont exaucer tes fantasmes les plus fous». Il y avait une liste de possibilités : lesbiennes, trans, fétichistes, rousses, grosses queues, anal, zoophiles, *cumshots*, jeunes nubiles, pisseuses, dildos, *hardcore*. Je me demandais ce qui pouvait bien rester dans «hardcore». Tout ça me dégoûtait profondément, surtout depuis que je m'étais fait mon petit plaisir personnel. Qui y avait-il derrière ces sites? Qui étaient toutes ces femmes, tous ces hommes, beaux, laids, gros, anorexiques, mulâtres, asiatiques, slaves, Canadiens, Roumains, aux études, drogués, qu'on payait un peu, beaucoup, ou qui étaient contraints, pour avoir du sexe devant la caméra? De quels corps s'agissait-il, au juste? Comment vivaient-ils, tous ces corps, quand ils ne se faisaient pas défoncer, limer, frapper, retourner? Ils vivaient comme moi? De quoi rêvaient-ils? Rêvent-ils toujours? La dégradation de certaines femmes ou de certains hommes, mais surtout des femmes, dans les vidéos les plus *hards*, montrait peut-être l'essence même de notre animalité dépravée, de la Chute dont parle la Bible. La pomme, l'arbre de la connaissance, etc., tout ça, c'est des belles conneries bien gentilles. La vérité, c'est qu'Adam se faisait mastiquer le gland par Ève, qui avait un serpent dans l'anus, une pomme dans le vagin et un doigt dans le trou du cul de son homme. Elle est là, la Chute, la Grande Honte, que tout le monde se cache depuis la nuit des temps. Le sexe n'est, après tout, que l'envers de l'agressivité ; ce sont les deux piliers de la vie, quoi qu'on en dise. Enlevez l'agressivité, enlevez le sexe, il n'y a plus rien. La terre n'est plus qu'une grande cour de récré pour les unicellulaires. Comme l'être humain peine à maîtriser son agressivité – elle peut exploser à tout moment – il fait tout pour civiliser sa sexualité. En apparence. Derrière le rideau, c'est tout autre chose. Allez sur les sites pornos de la Toile, vous verrez. Vous comprendrez. C'est là, ici et maintenant et chez mon prochain. Pour l'éternité. Bientôt les femmes n'auront plus besoin de l'organe reproducteur de l'homme pour tomber enceintes ; elles iront sagement à la clinique pour une petite insémination artificielle, tout en lisant *Paris Match* ou *Maisons Sud*. Elles auront toujours besoin d'une bonne défonce, par contre. Sans cela elles deviennent folles. Remarquez, ça vaut aussi pour l'homme. Regardez les Chinois : quatre-vingt-quatorze femmes pour cent hommes (ratio type). Trente millions d'hommes *en trop*, donc. C'est la bombe H de demain. Ça va nous péter en pleine figure. Enfin, je m'éloigne. J'en étais à mon vide masturbatoire. Tout se passa bien jusqu'au rendez-vous à la clinique. Eva ne posa aucune question, ne me demanda aucune faveur. Elle était absorbée par son travail et rentrait exténuée le soir. Elle travaillait comme « éditrice » pour le magazine d'une compagnie de vêtements importante dans l'Est-du-Québec. C'était la période de relance des gros annonceurs. Elle devait se taper un plan marketing pour augmenter les revenus de pub. Elle était cernée, stressée, absente. C'est à peine si elle me regardait le soir à la maison. Tout ça pour des gros cons qui s'en mettaient plein les poches, juste à faire tourner des magazines féminins débiles, avec leurs pseudo-reportages, avec leur lavage de cerveau sur le *in* et le *out*, le *tendance* et le *kétaine*, le *top* et le *nul*, le *on aime* et le *on déteste*.

~

Je me voyais déjà l'attendre un soir, triomphant, avec le résultat de mon test de fertilité à bout de bras. Je la voyais sourire, m'embrasser, la larme à l'œil. On aurait passé la soirée à tirer des plans sur la comète. Elle m'aurait dit : «Essayons, tout de suite. J'ovule, je le sens!» Et un de mes braves petits spermatozoïdes se serait frayé un chemin de peine et de misère le long du dix-huit trous le plus difficile jamais parcouru par l'homme, *boosté* par ma fierté retrouvée, confiant en l'avenir. Il aurait affiché un moins dix, d'*eagle* en *eagle*, balle de feu au-dessus du tissu vaginal, avançant à l'incroyable vitesse d'un centimètre à l'heure. Au dix-huitième trou, l'Ovule l'aurait attendu, trophée sphérique incandescent, boule de vie suprême. L'albatros, trois coups sous la moyenne! Pan! Balle antitank pénétrant la cuirasse insondable du cocon guerrier. Eva réveillée en pleine nuit. L'arrivée de la vie, par division cellulaire. L'œuf qui descend la trompe. L'œuf qui s'accroche, qui mange la paroi, désespérément. Un explorateur des cavernes, pris dans les fluides hormonaux. Accroche-toi, petit, accroche-toi! Pour ta maman, pour moi. Pour la survie de mon couple! Montre-lui, à ta mère, que je suis fertile, tout-puissant! Montre-lui que je suis là, que je vis! Après, tout s'arrangera. On ira au soleil trois fois par année. Les pieds dans le sable. Tu mordras ton hochet, pendant que ta mère sera dans l'eau et que je regarderai les jeunes femmes en bikini. Tout s'arrangera. Je t'attends.

~

Mon rendez-vous à la clinique était à huit heures, ce qui partait mal puisque je ne suis pas du tout matinal. J'étais en retard, comme d'habitude. Il fallait en plus que je passe au kiosque à journaux pour me prendre un *Playboy*, au cas où ils n'auraient que de vieux trucs à l'hôpital. Je ne connaissais pas, à l'époque, l'existence de nouveaux tests de fertilité pour homme, vendus en kit à utiliser à la maison. Je devais donc en plus débourser trois cent cinquante dollars pour faire *ça* dans une pièce quelconque, pendant que l'infirmière attendait le «résultat». J'angoissais à mort. Et si je n'y arrivais pas? La dame au dépanneur m'a regardé avec un drôle d'air. Je devais forcément être un «gros cochon» pour m'acheter une telle saloperie aussi tôt dans la journée. J'ai commencé à feuilleter le magazine dans la voiture, tout en conduisant. Il y avait notamment une brune chaude, magnifique, avec des seins parfaits et une chatte incroyable. Elle était sur une table de billard, et faisait semblant de se rentrer une baguette par le gros bout. Ça m'a excité, que voulez-vous. C'est justement fait pour ça. Et puis je me sentais bien dans ma voiture, un peu comme chez moi. C'était un SUV, plus haut que les autres. Il pleuvait à boire debout. Je me suis dit que c'était peut-être la meilleure occasion, qu'après, à l'hôpital, je n'y arriverais pas. J'étais bandé comme un orang-outan. Elle était vraiment bien, cette fille. J'ai détaché ma ceinture de sécurité, j'ai baissé mon zip, et je me suis mis à me branler. J'étais sur la route des Navigateurs, celle qui longe le fleuve. Le volant dans une main, ma queue dans l'autre, avec un sentiment de toute-puissance. Le surhomme nietzschéen, maître de son destin, de son pouvoir, de son sexe. La combinaison parfaite entre l'homme et son bolide, la nouvelle figure mythique du guerrier sur son char ailé, fendant l'air, l'ennemi, le destin. J'ai joui en fermant les yeux, forcément. Vous connaissez quelqu'un qui jouit les yeux ouverts? Deux secondes dans le noir. Deux secondes de trop. Quand je les ai rouverts, je fonçais dans la voiture devant moi, qui venait de freiner brusquement. J'ai braqué vers la droite. Ma voiture est passée par-dessus la rambarde et j'ai plongé dans la mer. À marée basse à ce moment-là. Cette journée-là. Heureusement, en un sens – je serais peut-être mort noyé. On m'a dit, par la suite, que le coussin gonflable n'avait pas fonctionné. Que j'avais heurté le pare-brise de plein fouet. «L'impact a été tellement fort qu'on vous a retrouvé avec la quéquette sortie du pantalon.» Ils avaient un pétillement goguenard dans l'œil, les employés de l'hôpital. La honte. On m'a dit aussi que ma voiture s'était enfoncée dans le limon, qu'elle était restée plantée là comme un piquet. Il y avait des photos dans les journaux; c'est même passé à la télé. Il paraît que Bernard Derome a fait allusion au *Playboy* et à mon zip descendu, en relatant «cette nouvelle pour le moins inusitée», avec une morale du style : «Voilà où mène le confort des SUV», le sourire en coin, la bouche un peu ouverte. Je n'ai rien vu, rien voulu voir, après. Un *nerd* au volant. Un zéro du char ailé. L'avanie totale.

~

Coma de cinq jours. Tout ça, j'ai gardé : les messages d'espoir, d'amour, de fraternité, les petits mots pleins d'humour universitaire, du genre : «Tu nous reviendras, Raphaël, notre Sagan du volant! Nous t'attendons pour remettre l'épaule à la roue. Ha ha ha!» Rien d'Eva. Il paraît qu'elle était là souvent, à me tenir la main, pensive. C'est l'infirmière qui me l'a dit. Il paraît aussi qu'on ne rêve pas, dans le coma. C'est faux. J'ai rêvé *non-stop*. Enfin, ce n'était peut-être qu'un rêve de dix minutes – qui sait? – mais pour moi il a duré des semaines. J'étais au temps de la Nouvelle-France, avec quelques colons, perdus au bout d'une île. J'avais une peau d'ours sur le dos; une neige molle et lourde tombait régulièrement. Je distinguais à peine les choses autour de moi. Curieusement, je portais ma montre Eco-Drive Calibre 8700. Je voyais le chiffre en gros, au dos du boîtier. Je me disais qu'elle me serait bien utile si je tombais à l'eau. J'évitais plein de flèches d'Iroquois. Ils couraient trop vite pour moi. Puis mon père apparaissait. Il me disait qu'il avait appelé du renfort. Je ne comprenais pas pourquoi il avait pris sa raquette de tennis. Je lui demandais de me suivre. L'instant d'après, j'étais seul au milieu d'un lac. Il faisait un temps splendide, sans un nuage. Le soleil était bon, chaud. Je m'assoyais, en attendant je ne sais trop quoi.

Je pensais à mes parents. Quelqu'un m'appelait au fond d'une crevasse. C'était la voix d'Eva. Je faisais un bond énorme au-dessus d'un gouffre, je volais presque, comme un cosmonaute. Je trouvais ça bien étrange, dans les airs, tous ces hommes qui se battaient pour un bout de terre et des arbres. La voix s'est éteinte. J'étais ensuite dans une grande cabane ajourée. Une femme donnait naissance au milieu de couples huilés faisant l'amour. Je voulais voir le bébé, le reconnaître, mais trois Amérindiennes me caressaient, m'embrassaient partout. Elles me suçaient à tour de rôle, accroupies. Leur vulve bien sortie, énorme. Je faisais des signes pour qu'elles arrêtent. Elles me jetaient à terre en riant. Et j'étouffais sous leur poids, leurs cheveux gras dans mon visage.

∼

C'est à ce moment de mon rêve que je suis sorti du coma : j'ai senti un corps très lourd sur moi. Ça puait la sueur d'aisselles. J'ai voulu crier, mais aucun son ne sortait. J'étais terrorisé ; je n'avais aucune idée de ce que je faisais là. L'homme, barbu, s'est rendu compte que j'avais les yeux ouverts. Il s'est retiré lente-ment, en me disant : «Je t'ai ressuscité. Maintenant tu fermes ta gueule ou j'te tue.» Il a remonté son zip et il est reparti, avec son seau et sa serpillière, en refermant la porte de ma chambre derrière lui. J'avais du feu dans la gorge. Mes muscles répon-daient difficilement. Une douleur sans nom à la tête, avec cette lumière blafarde de la veilleuse qui me transperçait la rétine. J'ai dû rester comme ça plusieurs heures, entre la vie et le néant, en pleine nuit. Je me souviens de l'infirmière qui est venue me voir, au petit matin. Une jeune rousse tout sourire. Elle m'a pris la main. «Vous revenez de loin, monsieur Laliberté. J'appelle le docteur tout de suite.» J'ai voulu la retenir, mais elle était déjà dans le couloir. J'ai remarqué ses espadrilles, des «Le coq français» très tendance. J'avais déjà hâte de la revoir. La simple pensée d'être soigné par une belle jeune femme, avec juste un petit slip blanc sous ses vêtements de travail légers, m'enlevait déjà la moitié de ma douleur, sans même que je sache de quoi je pouvais bien souffrir. Il faudrait passer une loi pour que les mannequins fassent deux ans obligatoires dans les hôpitaux, comme aides soignants. Tout le monde guérirait deux fois plus vite. On épargnerait d'énormes coûts de santé. On pourrait les évaluer : les plus chaleureuses, les plus sensuelles, auraient ainsi une prime, un boni, comme c'est le cas pour les représentants pharmaceutiques. Il y aurait le prix annuel pour le meilleur ou la meilleure aide-soignant-mannequin, dans chaque hôpital : une semaine à Riviera Maya, dans un cinq étoiles, avec le malade de son choix. En plus, ça mettrait un peu de plomb dans toutes ces cervelles d'oisillons qui tombent amoureux de leur image. Évidemment, certains malades ne voudraient plus quitter le milieu. Il faudrait les sortir de force, en leur promettant un nouveau séjour s'ils le désirent vraiment. Il y aurait sans doute certains cas « d'accidents volontaires », juste pour revoir Annabelle ou Derek, juste pour que Vivianne refasse une petite piqûre, pour que Vincent change un bandage. Mais bon, dans l'ensemble, on économiserait quand même beaucoup d'argent.

~

Le médecin-chef s'est pointé. Il s'appelait Simon Letendre. Il ne portait pas très bien son nom. « Monsieur Laliberté, je suis très heureux de pouvoir enfin vous parler ; je craignais le pire. – Où suis-je ? – À Québec. L'ambulance vous a transporté ici directement. Vous avez eu un accident grave. À Rimouski. Votre voiture a passé la rambarde et atterri huit mètres plus bas. Pas de ceinture de sécurité. Coussins gonflables débranchés. Traumatismes crâniens multiples. Coma de... voyons... cent trente-deux heures, environ. Vous êtes un miraculé. Aucun signe post-traumatique apparent. À part cette belle cicatrice sur le front. – Quel jour sommes-nous? – Mercredi. Mercredi le 16 mai. Dois-je vous rappeler l'année? – Non. Ça va. Ma conjointe est-elle là? – Je crois qu'elle est au travail. Elle doit revenir demain soir, jusqu'à dimanche, si je me souviens bien. Permettez-moi de vous dire que votre femme est très jolie. Elle me fait penser à une actrice mais je n'arrive pas à deviner qui, exactement. – Inès Sastre. – Inès Sastre. C'est ça! Magnifique! – Elle n'a pas pris congé? – Elle avait une grosse semaine, d'après ce qu'elle m'a dit.» Elle était restée au boulot. Je n'en revenais pas. «Vous devez éviter toute émotion trop vive. Je vais vous faire passer une batterie de tests. On va s'assurer que la machine est bien repartie. Camille va s'occuper de vous aujourd'hui.» Il s'est retourné vers elle et lui a chuchoté quelque chose. Elle me regardait, un peu indifférente à ce qu'on lui demandait. Camille, mon prénom préféré. Une odeur de printemps, de fleurs fraîches, un piaillement d'oiseaux. Je craquais complètement. Elle me rappelait un amour de jeunesse. Auburn, avec des yeux pers, vive, brillante. Quand elle souriait, elle avait ce petit geste de se mordre la langue, légèrement sortie au coin gauche de la bouche, les lèvres mises en valeur par un baume *glossy* transparent – le genre de choses qu'on n'oublie jamais, le seul genre de choses inutiles qui comptent vraiment. C'est fou comme cette jeune infirmière lui ressemblait. J'ai failli le lui dire, puis je me suis retenu, de peur de la faire fuir. On ne peut pas dire n'importe quoi aux Québécoises. Les hommes doivent user d'une science infinie pour les draguer sans les draguer. Elles s'effarouchent de rien, jouent les sauvageonnes ou, pire encore, les femmes libérées. Ça fait sans doute partie de leur côté anglo-saxon, hypocrite. *Full* hypocrite, comme disent les jeunes. C'est comme les danseuses. Regarde, touche un peu, mais pas trop. Dépense ton argent sans jouir. Pis décrisse. On est complètement maso d'endurer ça. Ce n'est pas humain. Et donc, on ne parle plus aux femmes, au Québec. Remarquez, en règle générale, il vaut mieux que l'homme québécois se taise. Il est analphabète fonctionnel. Aucune pratique dans l'art de parler à l'autre sexe. C'est une catastrophe assurée, s'il ouvre la bouche. Il a besoin de gros coussins gonflables pour la drague. Je ne comprenais pas pourquoi les miens étaient débranchés, sur ma voiture, je veux dire. Le salaud de propriétaire qui m'avait vendu la voiture m'avait bien fourré. L'osti d'crosseur. Le médecin est reparti au pas de course, comme pour mieux justifier son salaire, sans doute. Camille a fait semblant d'être très occupée. Elle me posait une question, de temps en temps, en me tournant le dos. «Vous êtes né à Rimouski? – J'y vis depuis trois ans, pour le travail. Je suis né à Montréal. – Tout un changement, j'imagine! Surtout au début de la trentaine, en laissant plein de choses derrière soi. Vous aimez ça, là-bas?» J'ai bien aimé son «là-bas». Elle complétait une grille de *check-up*. J'ai pensé : «Elle grille mon complet au ketchup.» Pas parfait, le jeu de mots, mais pas mal. J'aime bien les contrepèteries. Ma préférée, c'est : «Il est arrivé à pied par la Chine. Il est arrivé à chier par la pine.» Vous en voulez d'autres?

Elles appartiennent à tout le monde, pas de *copyright*, de la culture francophone mondiale *hardcore* : «Auberge de Vendée. Aux verges de bander. Mouton bouillant. Bouton mouillant. Tourte de cailles. Tarte de couilles. La comtesse a un clerc qui lance des écus. La comtesse a un cul qui lance des éclairs. Je vous envoie dans la culture? Je vous encule dans la voiture? Le cuisinier secoue les nouilles. Le cuisinier se noue les couilles…»

～

Je récupérais vite. Le surlendemain, Camille s'était fait un chignon. Je craque complètement pour les chignons. Les chignons des belles femmes, on s'entend. Elle l'avait fait tenir avec un stylo. Un Bic tout con. Et c'était ce qu'il y avait de plus beau sur la terre. Les gens ne s'arrêtent pas assez à ce genre de choses. Le temps passe, ils ne voient rien, absorbés dans leur quête de bonheur, alors qu'il est là, sous leurs yeux – il suffit de les ouvrir. Vraiment. Cliché ? Mais justement : si peu savent le faire. Des milliards d'êtres humains qui naissent et meurent aveugles, comme des fourmis ridicules, toujours au boulot, pour la survie de la Grande Fourmilière, perdues sur la Terre. Ils bossent bossent bossent, la tête entre les jambes. Même les riches. Toujours en projets. Insatisfaits. La plupart des humains ne voient rien, n'attendent rien. Surtout pas Godot. C'est beau, Beckett, mais c'est trop cru. C'est surtout déprimant. Toute cette poétisation intellectuelle du vide. Bien plus déprimant que Flaubert. J'étais allé voir *Cantate grise* à Montréal avec Eva : In - sup - por - table. En plein le genre de truc que les critiques d'art adorent. « Un grand moment de Théâtre. L'essence même de la condition humaine. Tout est là. Un génie. » C'est vrai ; ils ont raison. N'empêche, je leur aurais bien envoyé une grenade dans la tronche, à tous ces acteurs de la condition humaine beckettienne. Le théâtre est déjà quelque chose de pénible au départ, mais alors là, Beckett, c'est du suicide collectif. C'est ce qu'il souhaitait, je pense. Vous avez vu sa tête sur les photos ? Un grand farceur, Beckett. Il devait se taper la cuisse tous les jours, Samuel. C'est maintenant qu'il rigole, dans sa tombe. Il doit se dire : « Ils m'ont cru, les cons ! Pauvres petits humains. » J'aurais voulu posséder Camille, là, sur mon lit d'hôpital. Elle ne se retournait pas. Elle s'est gratté la nuque. Elle avait des taches de rousseur sur les avant-bras. Je les aurais embrassées une par une, tout en déboutonnant sa chemise. Elle se serait étendue sur moi, son dos sur mon ventre, sa tête dans mon cou. Je lui aurais pincé les mamelons, en lui mâchant un lobe d'oreille. Elle se serait cambrée, aurait pris mes mains et les aurait dirigées vers sa chatte toute mouillée sous la petite culotte blanche. Comme j'aurais aimé lui prouver ma fertilité ! Il y a, en tout homme, ce fantasme inconscient de fécondation d'une inconnue. Je suis désolé, il n'y a pas d'autres mots : fécondation d'une inconnue. Trois petits tours et puis s'en va. Un fils ou une fille qui, vingt ans plus tard, cogne à la porte parce qu'il ou elle a enfin retrouvé son père biologique, à force de recherches, de questionnements, d'endurance, de persévérance. C'est la seule vraie recherche, la seule qui compte : celle des origines. De mon origine, de celle de l'humanité. Proust a écrit quelque chose là-dessus : l'être que je suis en ce moment n'a pas plus de raisons de se souvenir de ce que j'étais avant ma naissance que de savoir ce que je serai après ma mort, ou un truc comme ça. Voilà. C'est tout le drame de l'homme. Allumé, éteint. *Pouf pouf ketchouf.* Entre les deux, on peut aussi bien vendre des aspirateurs Filter Queen que penser la pensée de Heidegger – celle qui se pense, en tout cas –, ça n'a aucune importance. Là où ça devient un peu plus compliqué, c'est quand on se met à trucider tout ce qui bouge. Il y a là comme un fond éthique. Je ne parle pas de la morale universelle de Kant ; lui, il aurait mieux fait de voyager un peu. Non, simplement une sorte de titillement inconscient de la fibre éthique, logée, comme tout le monde le sait, entre deux régions du cerveau bien connues des chercheurs en neurosciences : la zone du plaisir, et la zone de la douleur, et juste en dessous de la zone de la mémoire à long terme. Je n'y connais rien et je mélange tout, mais ce n'est pas bien grave, toutes ces histoires de zones, c'est un peu n'importe quoi, quand même. Enfin, s'il y avait une zone de l'éthique, on pourrait peut-être l'alimenter, surtout si l'on découvrait qu'on peut en accroître la performance en mangeant un truc bien précis, comme des racines de salsepareille, déjà connue pour ses vertus diaphorétiques et dépuratives. Ou du Nesquik à la saveur de banane. C'est fou tout ce qu'on découvre depuis que les universitaires doivent découvrir. Avant, c'était aléatoire, imprécis, artisanal, sympathique. Ça faisait de bonnes histoires, comme la découverte de la pénicilline ou du velcro. Aujourd'hui, c'est systématique, *forditisé*. Retenez bien ce texte, tiré de Wikipédia, car nous baignons maintenant dans sa mise en pratique planétaire, sa concrétisation perfectible pour l'éternité : « Pour produire la Ford T, Henry Ford dut mettre en place une nouvelle méthode de travail appelée le fordisme, inspirée directement du taylorisme, lui-même nommé OST (organisation scientifique du travail), qui se répandra rapidement au sein de l'ensemble des industries de transformation.» Il faudrait une note de plus sur le site de l'encyclopédie libre, juste après OST. Je me porte volontaire pour la rédiger ; voici ce que ça pourrait donner : *Parallèlement à l'Organisation scientifique du travail, l'être humain dut inventer de nouveaux médicaments pour contrer les effets pervers de cette nouvelle forme d'organisation. Il mit au point, au cours du XXe et du XXIe siècle, une série de pilules antidépressives et antianxiogènes dont la force de traitement devait être proportionnelle au développement fulgurant de l'OST. L'industrie chargée de cette création et de cette production de pilules miraculeuses est couramment nommée l'OPT, l'Organisation pharmaceutique du travail. C'est la deuxième industrie du monde, juste derrière celle de l'armement et du pétrole* (ces deux-là ne font qu'une, mais ne le répétez à personne).

~

J'en étais à Camille. Elle se retourna. Enfin. Elle rougit. Je n'avais pu empêcher une érection. C'était un peu gênant, mais je ne contrôlais plus grand-chose. Je souhaite un petit coma à tous les habitants de la terre, si c'est pour se réveiller avec Camille comme infirmière. Bon début de chanson pop. J'ai mis un oreiller sur mon *das Ding*. C'est comme ça que j'appelle affectueusement mon zizi, depuis que j'ai lu ça en psychanalyse. Un passage d'un article délirant sur l'amour courtois. L'auteur commençait ainsi : «Le sujet auquel je souhaitais vous introduire (pervers !) ce soir – l'amour courtois – a été l'occasion pour Lacan de faire, vous le savez, une première incartade du côté de l'objet a. Car c'est en effet avec son séminaire sur l'*Éthique de la psychanalyse* (1959-1960), qui suit immédiatement celui sur *Le désir et son interprétation*, que Lacan va nous introduire (encore !) le fameux *das*

Ding. Ce *das Ding,* Lacan le prend chez Freud, et très précisément à un endroit totalement soudain, à un dé-tour pourrait-on dire, comme par derrière (vicieux!).» Voilà. Un beau *das Ding,* un petit furet qu'on se passe, comme dans le jeu. Le jeu du furet. Sauf que là, c'est le jeu du *das Ding.* Perdu. Trouvé. Et tu me le passes et je te l'enfile. C'est très simple, la psychanalyse. Si on maîtrise le *das Ding* pris dans le nœud boroméen du petit a, on a tout pigé. Et l'effet est immédiat chez les étudiants, prêts à tout gober. C'est de la magie vaudou. Dites petit a, *das Ding,* nœud boroméen dans une classe, c'est comme prononcer : *vaalla maata peta, vauaudoo mata naaya peta, viini valaanra mataovoo peta.* Le prof n'a plus qu'à sortir sa tirelire. Remarquez, c'est la même chose avec la sémiotique, la sociocritique, le structuralisme, la narratologie, le féminisme, la déconstruction, etc. Ce n'est pas bien sorcier tout ça. Mais ça fait beaucoup de ravages, quand même. Il faudrait surveiller les facs de sciences humaines d'un peu plus près. On en sortirait quelques-uns en camisole de force. Mais bon, tant que les profs ne te menacent pas avec un flingue, il n'y a pas grand-chose qu'on puisse faire. J'en étais où? Ah oui, l'oreiller sur mon *das Ding.* Camille a été vraiment sympa, elle m'a dit : «Ça me touche beaucoup. Vraiment.» Et puis elle est sortie, en me disant qu'elle reviendrait dans une demi-heure avec des pilules à prendre. Je ne l'ai jamais revue ; elle s'était fait remplacer.

～

Les jours suivants s'écoulèrent dans une grande confusion. J'étais heureux d'être vivant, et en même temps je me disais qu'il eût sans doute été préférable que je meure. Cet accident avait rompu le dernier lien qui m'importât encore à l'époque, celui d'une prolongation possible de ma vie dans celle d'un autre être, produit de ma chair et de mon sang, avec la femme que j'aimais.

C'était absurde, moi qui n'avais jamais voulu avoir d'enfant. J'en étais venu à croire que Dieu m'avait puni, qu'Il avait jugé indigne la conduite de mon existence. Mais bon, après tout, comment peut-Il s'intéresser à l'existence de sept milliards d'humains à la fois? J'ai prié pour qu'Il ne fasse plus attention à moi.

~

Eva est venue me voir à la fin de la semaine seulement. Au téléphone, elle m'avait dit ne pas pouvoir se libérer, qu'elle avait été là au cours du week-end, auprès de moi, quand j'étais encore inconscient, qu'elle reviendrait dès qu'elle le pourrait. En raccrochant, j'avais pleuré pendant des heures. Je ne connaissais personne à Québec. Mes parents étaient en croisière, je ne sais trop où. Je n'ai pas voulu avertir ma grand-mère, à Montréal, de peur de la rendre malade. Je me suis rendu compte que je n'avais pas beaucoup d'amis. Mes «potes» travaillaient comme des déchaînés à Montréal. J'aurais pu partir sans laisser trop de gens dans la douleur, c'était ça le plus clair. Petit cafard sur la surface du globe, cafard savant, avec son doctorat dérisoire, mort pour rien. Enterré avec son diplôme, sans avoir eu le temps d'écrire quelque chose de signifiant.

~

Elle est arrivée le samedi suivant, vers midi. Plus belle que jamais, évidemment. Comme si elle avait mué. «Tu es resplendissante, ma petite femme chérie.» Elle, avec un semblant de sourire vite rentré : «Je ne suis pas *ta* femme, Raphaël… Tu vas bien? – Mais très bien. *Top nickel.* Je suis la risée du Québec, j'ai des problèmes de mémoire, et je ne sais toujours pas si je suis fertile, mais à part ça tout va bien. – Arrête de déconner. T'es en vie, c'est déjà ça. – Tu m'as manqué, pendant toute cette semaine de fou. T'aurais pu te libérer, Eva.» J'ai voulu lui prendre la main, qu'elle a aussitôt retirée. Elle a croisé les bras sur sa poitrine. «Je te l'ai déjà dit : j'avais un *rush* au travail. Arrête de me faire sentir coupable ou je repars. – Bon… Bon bon bon. Très bien. Et ton numéro va sortir à temps? – Oui. – Tes «lecteurs» vont survivre, *eux*? - Tu me fais chier. Je suis là, non? – Ah oui, mais tu n'es pas *toute* là, grosse différence. Tu ne m'aimes plus. – Mais si. Tu délires. Il n'y a rien de changé. Toblerone s'ennuie de toi. La maison t'attend. Alors arrête. – On ne ferait pas l'amour, là? Tu m'excites quand tu te fâches. – Arrête tes conneries. Ça ne m'allume pas du tout, cette chambre dégueulasse. Et puis n'importe qui peut entrer à tout moment. – Mais justement, c'est ça qui est bien. – T'es sérieux, là? – Pourquoi pas? – T'es peut-être plus atteint qu'on le dit. Je ne ferai jamais ça ici. – Ça? – Oui, *ça*. Tu me dégoûtes avec tes fantasmes de vieux libidineux. Déjà que tu t'es masturbé dans la voiture. T'as vraiment des problèmes, Raphaël… Je vais me chercher un truc à manger; je meurs de faim. On fera ta valise dans une heure. – On ne pourrait pas discuter un peu, quand même? – Non. À la maison.»

~

Ce fut le plus long Québec-Rimouski de ma vie. Deux heures et demie de route et je n'ai jamais pu la faire parler. C'est elle qui conduisait et elle avait mis *sa* musique : James Blunt, Justin Timberlake, Maria Carey, que des trucs criards insoutenables. J'avais le goût d'écouter *La Passion selon saint Jean* de Bach, dans la version de Scherchen, très dramatique. J'affectionne tout particulièrement les voix graves pouvant chanter Bach, comme Philippe Huttenlocher dirigé par Harnoncourt dans la cantate 82, *Ich habe genug*. Splendidissime. J'en perds mon français. *Ich habe genug*, «je suis comblé» ou «j'en ai assez». Le récitant est prêt pour son dernier sommeil. Il appelle Dieu. J'étais prêt aussi, mais pas du tout comblé.

~

À la hauteur de La Pocatière, le fleuve s'élargit, avec de longues battures. On distinguait bien le Massif de la Petite-Rivière-Saint-François, de l'autre côté, dans Charlevoix. Nous étions allés skier là, quatre ans auparavant. Nous avions trouvé ça beau, mais beaucoup trop loin de Montréal. Comme quoi... Le soleil tardait à se coucher derrière les montagnes. Une brume très dense couvrait en partie le Saint-Laurent. On se serait cru au commencement du monde. Plus loin, sur la 132, celle qu'on surnomme la « route de l'enfer », j'ai bien pensé forcer Eva à donner un coup de volant brusque chaque fois qu'on croisait un dix-huit roues, avec ses gros phares et ses jeux de lumières psychotroniques. Je n'en ai pas eu le courage. Trop violent, comme mort. Nous sommes arrivés à la maison vers dix-neuf heures. Toblerone m'a fait la fête. Debout, ses pattes de devant sur mes épaules, il faisait presque ma grandeur. Il me mordait les oreilles, me léchait le bout du nez. Brave bête. Je comprends les gens qui ne veulent plus rien savoir des humains, qui reportent toute leur affection sur leur animal de compagnie, même si c'est une perruche, un lézard ou un rat. C'est toujours mieux que de faire face à des ignobles, à des égocentriques, ou aux sempiternels discours des névrosés irrécupérables qui veulent ton amour, ton argent, ta considération, ton sang, ton âme, rien que pour survivre un peu mieux que toi.

~

Dimanche comateux. Le surlendemain tombait donc un lundi, le jour où certains se traînent à l'abattoir, alors que d'autres peuvent enfin fuir leur famille, leur quotidien poisseux. Je ne faisais partie d'aucun de ces mondes. J'étais comme Dante, au purgatoire.

Chapitre 3 – Le fond marin

Que veut la femme? Plus.

Constat universel

J'ai passé la semaine à faire du ménage dans mes chemises, mes tiroirs, mes classeurs. J'ai jeté des poubelles pleines au recyclage. Une purification jouissive. Le couloir était désert, tout comme les bureaux des collègues, aux quatre coins du monde dans des colloques qui allaient changer la vision de la littérature. Que dis-je, de l'humanité! À la maison rien ne s'arrangeait. Eva m'évitait le plus possible. Nous ne regardions même plus les derniers navets loués chez Vidéotron. Je prenais soin du jardin, des nouveaux rosiers. Je faisais de longues balades sur la grève avec le chien, à marée basse. J'ai toujours aimé l'odeur du varech. Et puis on fouille pendant des heures, à la recherche de coquillages ou de pierres originales, à moitié enfouies dans le sable et les algues. Parfois, on trouve des morceaux de plastiques provenant d'un paquebot, un bout de ficelle, une bouée. Ma plus belle trouvaille est une boîte en aluminium pour des biscuits chinois; enfin, je pense que c'étaient des biscuits. Et ce n'est pas vraiment moi qui l'ai trouvée. Les signes sont incrustés dans le métal. Je la garde, on ne sait jamais, elle pourrait me sauver la vie un jour ; en tout cas, les scénaristes d'Hollywood seraient capables de monter une histoire autour de ça, les doigts dans le nez. J'imagine le synopsis : *Nous sommes en 1982. Un jeune professeur dans un collège militaire américain perdu sur les rives de l'Atlantique, désespéré de la vie, doit traverser une grande peine d'amour. Incapable de faire face à ses démons, il veut se suicider en entrant tranquillement dans la mer, lorsque son pied heurte une mystérieuse boîte de biscuits chinois. À l'intérieur, un mot incompréhensible soigneusement emballé dans une pellicule plastique le force à changer son destin. Il doit en connaître à tout prix la signification. Il le fait traduire et découvre qu'il a été écrit il y presque deux ans par une habitante d'un petit village de pêcheurs dans le nord de la Chine. Elle y est séquestrée par un ancien tortionnaire nazi et supplie qu'on la délivre. Une photo d'elle accompagne le mot : la jeune femme est magnifique. Le professeur ira la sauver, en réunissant une équipe d'élite composée de ses anciens camarades de l'armée, rencontrés lorsqu'il effectuait son service militaire. Ashton Kushter pourrait décrocher le rôle principal. Un vieux loup de mer rejoindrait l'équipe. Il aurait quelque chose de personnel à régler avec ce fumier de nazi planqué là-bas (il aurait tué son frère aîné ou un truc comme ça). Il serait joué par Bruce Willis. La Chinoise serait incarnée par la jeune actrice de* Tigres et Dragons, *ou Maggie Q dans* Mission Imposible 3. *Il faudra reconstituer un village chinois pittoresque, avec des habitants qui mangent du singe et des anguilles crues. Le tout sera dynamité. Au complet. Prévoir une scène où Ashton se fait presque arracher un pied par un requin. Une autre dans laquelle la belle Chinoise a les vêtements complètement déchirés. Et une autre avec le nazi qui se fait éclater la cervelle au harpon par Bruce.* Voilà, en gros c'est ça. Du Homère en plus *soft*. Je viens de faire un million de dollars. *Next!*

～

C'est arrivé début juin. Eva m'a dit qu'elle avait un C.A. au musée de la mer ; qu'elle rentrerait très tard. Je niaisais chez moi, désœuvré. Il me restait encore un classeur à ranger au bureau et j'ai décidé d'y aller, sur un coup de tête. Je voulais en finir avec ce travail débile. J'y suis resté au moins deux heures, absorbé par la tâche. Il devait être vingt-deux heures, vingt-deux heures trente quand je me suis mis à arpenter les couloirs de l'université, guidé par je ne sais trop quel radar interne. Je lisais les annonces sur les babillards des différents programmes. Je suis arrivé dans le couloir de biologie marine et je regardais les photos des étudiantes en expédition sur la Côte-Nord, dans leurs parkas rouges, gelées comme des crottes, le sourire un peu forcé, lorsque j'ai entendu un rire de femme, un rire à peine étouffé, familier, suivi d'un grognement imitant l'homme de Cro-Magnon. Le rire est reparti, plus clair, déchirant le silence du couloir, déchirant mes tympans, mes poumons ; le rire d'Eva. Je l'aurais reconnu entre mille, guttural, cochon, avec une finale feutrée. Je ne l'avais pas entendu depuis des mois, des années. Il provenait d'une salle de labo, au fond à gauche. La porte du laboratoire était munie d'un rectangle vitré et grillagé ; il me suffisait de regarder discrètement. Il n'y avait qu'une lumière de frigo à éprouvettes, mais je la voyais bien, couchée sur le comptoir central, s'offrant à un homme qui lui caressait vigoureusement les seins, tout en la pénétrant. Je ne l'ai pas reconnu tout de suite, l'enfant de chienne. J'étais pétrifié, obnubilé par la jouissance de ma femme. Cette chatte que j'avais léchée tant de fois, cette chatte au parfum de cuir et de jasmin, accueillait une autre queue que la mienne. Elle riait en se faisant sauter par un osti d'enculé. J'étais fou. Je me voyais déjà en train de lui enfoncer le tympan avec un brûleur Bunsen, de le frapper dans les couilles jusqu'à ce qu'elles lui éclatent la luette. Je devais avoir un peu de violence accumulée. J'ai voulu ouvrir la porte pour aller le tuer, ce gros porc. Elle était fermée à clé. Ils avaient verrouillé la porte, les tabarnaks. Je me suis mis à taper dans le métal, en hurlant comme Hulk. L'homme s'est retourné. J'ai reconnu David Monty, monsieur Jet Set en personne. Eva s'est couvert les seins. Il a remonté son slip. Puis ils sont restés figés, ne sachant trop quoi faire. Elle avait l'air un peu effrayée, mais aussi très sûre d'elle. Je l'ai même vue faire une moue, avec sa bouche défaite, comme pour défier la honte. J'étais là, comme un âne, à vouloir défoncer la porte. Ils ressemblaient à des animaux marins surpris dans leur accouplement ritualisé, incapables de fuir, pétrifiés par l'arrivée d'un prédateur. C'était très étrange. J'ai eu l'impression qu'ils allaient se transformer en lamantins, changer de forme, révéler leur vraie nature. Je me disais que ce ne pouvait pas être vrai, qu'ils disparaîtraient sous un faisceau de lumière multicolore, comme dans *Star Trek*. Ou qu'Eva se métamorphoserait en plante, comme chez Ovide. Tout ça est allé très vite, et m'a paru une éternité. Je me suis mis à marcher rapidement, sans me retourner, les yeux pleins de larmes et de haine. J'ai entendu le cliquetis du verrou, la porte qui s'ouvrait, Eva qui m'appelait. Elle criait. Non pas : «C'est pas c'que tu crois!», comme dans les séries B, mais : «Viens que j't'explique!» Il n'y avait rien à expliquer; c'était on ne peut plus explicite.

~

Chez certains auteurs, on aurait eu droit à toute une scène de séduction dans l'adversité, du style : «Cher David, puis-je me joindre à vous? Vous semblez un peu essoufflé. Mais dites-moi, comment vous y prenez-vous pour faire jouir ma femme ainsi, c'est très intéressant. Puis-je vous offrir une sambucca?», ou encore : «Cette vision sublime de ma femme riant, pénétrée par le vit de cet inconnu puissant, décupla mon désir de la prendre par en arrière. Elle était plus belle que jamais. Nous célébrâmes, à trois, cet hymne au sexe pur, lavé de toute morale. Pendant qu'Eva goûtait aux joies de ce gland luisant et gonflé d'énergie renouvelée, je la pris par les hanches et j'enfonçai ma verge avec entrain dans son trou du cul. Je ne me possédais plus. J'accueillais les spasmes de ma propre jouissance. » On appelle ça du décadentisme, ou de la littérature érotique, c'est selon. En tout cas, c'est franchement *vieux yaourt*. Tout ce discours sur la liberté de l'autre, et l'amour libéré, et la libre intention dans le respect de chacun, et le libertinage assumé, etc., c'est un peu crispant à la longue. La réalité est bien plus acide : Eva me trompait, je voulais les tuer tous les deux, c'est tout. Rien de transcendant, rien de noble, rien de libérateur. Quand on est encore jeune, il est rare qu'on veuille avoir des accommodements raisonnables avec l'amour. C'est tout ou rien. Plus tard, la perspective change, évidemment. On est moins romantique, plus terre à terre. La vie est tellement courte. À vingt ans, trente ans, les concessions passent mal ; on se dit qu'on peut tout refaire, tout reconstruire. Qu'on peut se refaire, en fait. Passé quarante, le corps ne suit plus toujours la pensée. On se dit alors qu'il faut se ménager, et ménager les autres. On se ménage ensemble. On concède du terrain, pour ne pas être renvoyé dans la marge. Ça vaut pour tout, y compris le sexe, y compris l'amour. C'est surtout vrai pour les femmes, remarquez. Quand les hommes ont leur démon du midi, ils ne pensent plus à rien. Et puis passé cinquante ans, tout peut péter à nouveau. Cette fois-là, cependant, il n'y a plus grand-chose à attendre de la vie. On s'achète un chat, on fait des voyages exotiques en groupe, ou avec quelqu'un de la famille. Quant à moi, je ne pouvais évidemment pas accepter ce qu'Eva était en train de me faire, la salope. Avec un collègue, en plus. Le plus médiatisé de l'université. Mais qu'est-ce qu'elle lui trouvait, à ce bouffeur de plancton ? Je l'ai attendue toute la nuit, devant mon plasma, à m'imaginer toutes sortes de scénarios catastrophes. C'est une drôle de machine, le cerveau. Quand il se met à imaginer le pire, on ne peut plus l'arrêter. Soudainement, il libère toute sa mémoire virtuelle, comme pour mieux exécuter ses *back-flips* existentiels. Rien n'est à son épreuve. Il invente même des mondes parallèles, avec des actions impossibles à réaliser en simultanée dans la réalité. On appelle ça des mécanismes de défense. Ça permet de saucissonner l'angoisse. Sauf que pendant tout ce temps on est incapable de fonctionner. Je l'ai attendue jusqu'au petit matin. Rien. J'étais exténué. Toblerone avait l'air inquiet. Il s'est couché devant la porte d'entrée et n'a plus bougé. J'ai pris la voiture et conduit toute la journée, sur les routes secondaires de la région, sans but, juste pour changer le refrain. J'ai croisé des centaines de vaches et de moutons, des bisons d'élevage, des tracteurs, des cyclistes. La vie semblait suivre son cours. Mais Eva était chez David Monty, et ça ne faisait pas partie du cours de ma vie. J'aurais dû lui faire un enfant. Essayer par tous les moyens. Même avec de la poudre de corne de rhinocéros, ou du jus de couilles de taureau, que sais-je. Je ne voulais pas la perdre. Sans elle je n'avais plus rien ; je n'étais plus rien.

~

À mon retour, il faisait nuit. Sa voiture était dans l'entrée, le moteur ronronnant, prête à repartir. Elle m'attendait dans le salon, les jambes repliées sous un coussin, les bras croisés. Il y avait une valise dans le couloir. Je me suis pris une bière au frigo. Une Corona. La bière festive, la bière des vacances au Mexique. Nous y étions allés trois fois en tout. Le plus beau séjour fut à Puerto Angel, sur le Pacifique. Loin des zones hypertouristiques. À l'époque, du moins ; aujourd'hui, le tourisme de masse a tout saccagé. Les pêcheurs débarquaient des caisses pleines de thon chaque matin. On ne mangeait que ça, avec des spaghetti aux crevettes et de l'avocat. On a mis du temps à avoir de l'avocat. On demandait des « avocados », au lieu d'« aguacate ». C'est comme demander des « ananas » en anglais. Siestes, lecture, sexe, lecture, bouffe, sieste, lecture, sexe : la vie est simple quand on veut. Mais ça ne peut pas durer. Il faut tirer des plans sur la comète, prévoir un nid, travailler pour tout ça. Bof. Il y a un bon photographe contemporain, dont j'oublie le nom, qui a fait toute une série sur le monde des jeunes surfeurs. Une petite communauté qui sillonne la planète à la recherche des plus grosses vagues. Que de jeunes dieux, de jeunes déesses, photographiés en noir et blanc. On dirait qu'il est allé les photographier sur l'Olympe. Un univers juste après le déluge, comme si ces jeunes avaient été sélectionnés pour reprendre l'espèce, et qu'ils débarquaient de l'arche, avec leur planche sous le bras. Ils sont beaux à mourir. On a ça aussi dans *Moonraker*, un des *James Bond* les plus nuls de tous les temps (il faut le faire – et pourtant, j'aime bien les *James Bond*). Le méchant sélectionne quelques dizaines de couples parfaits pour un accouplement dans l'espace, alors qu'il s'apprête à faire sauter la Terre. Il n'y a que le Requin, une grande brute aux dents d'acier, qui n'a pas sa place dans ce monde parfait (avec le méchant évidemment). Il y a bien la petite amie du Requin, censée être un laideron, mais en fait ils ont choisi une belle petite blonde bien tournée qu'ils ont simplement arrangée en *nerd*. Je me suis dit qu'il aurait peut-être fallu vivre comme ça, Eva et moi, dans une commune pour jeunes gens beaux et en santé, soustraits aux contingences du quotidien, du boulot, du couple, de la vie. On aurait peut-être pu avoir notre chance, alors. On aurait fait des petits Mexicains. On aurait pu vendre aux gros capitalistes coppertonisés des bracelets de cuir qu'on aurait fabriqués nous-mêmes. La plupart des jeunes dans la vingtaine rêvent de faire un truc comme ça, au moment où ils doivent «entrer dans la vie adulte» – et qu'ils n'en veulent pas, de cette vie adulte, parce qu'ils la trouvent exécrable et qu'elle leur fait peur, avec raison d'ailleurs. Pour nous, il était trop tard. Je regardais Eva, de marbre sur son canapé, et je n'étais pas certain de vouloir avoir cette conversation sur le couple, sur son amant et tout et tout. J'aurais aimé lui dire qu'au fond ce n'était pas grave puisque j'avais moi-même trois maîtresses, mais ce n'était pas bien crédible. Je me suis assis en face d'elle, prêt à recevoir des excuses, prêt à ce qu'elle me dise qu'elle s'était trompée, qu'elle regrettait, qu'elle voulait repartir à neuf, avoir un enfant avec moi, enfin tout ce genre de litanie qu'un amoureux trompé attend comme une douche baptismale, les pieds dans la vase. Je ne lui avais jamais vu un regard aussi dur. Elle ressemblait à La Joconde, mais avec le sourire à l'envers. Une étude de Picasso. Je me souviens aussi qu'elle était pieds nus, avec une bague au petit orteil droit, ce qui faisait très vulgaire. «C'est quoi cette merde sur ton doigt de pied? – C'est David qui me l'a offerte. – T'as l'air d'une pute avec ça. – Ne cherche pas la guerre, Raphaël, tu ne l'auras pas. J'ai bien réfléchi et j'ai décidé d'aller vivre chez David quelque temps, pour prendre du recul.» Et là tout s'est effondré. J'avais un cratère dans l'intestin. Je me suis replié, comme coupé en deux, et j'ai joint mes deux mains en avant, les coudes sur les genoux, comme si je voulais mieux réfléchir. «Pardon? – Je pars ce soir. Je te laisse Toblerone.

– Tu vas vivre chez l'homme avec qui tu me trompes pour *prendre du recul*? Du recul pour quoi? Pour mieux me pousser au fond du ravin? Pour mieux voir le bordel que tu crées ou quoi? T'es cinglée? Dis plutôt que c'est fini, non?» Mes jambes tremblaient. J'avais l'impression d'être au milieu d'une maison dévastée. Mais non, tout était à sa place. Les objets familiers prenaient simplement une nouvelle dimension, comme si je ne les avais jamais vus auparavant. Je n'avais pas vraiment remarqué, avant ce soir-là, le grain du bois de la table à café; c'était très joli. Trois nœuds formaient, à un endroit, une tête de renard. «Je ne sais plus rien, Raphaël. Tu me pompes l'air, avec ta mélancolie, tes doutes, ton cynisme. D'après toi tout est de la merde. L'université est pourrie. La société est pourrie. J'en ai jusque-là, si tu veux savoir. J'ai besoin d'optimisme, de résultats. Qu'on positive, bordel!» Il aurait mieux valu que je me taise, mais je n'ai pas pu. J'ai dit, en frappant plusieurs fois mon poing droit dans la paume de ma main gauche : «Ah oui, t'es comme Jean-Claude Van Damme, toi : «Je dis *Yes* à la *Life*!» Elle m'a regardé avec tout le mépris qu'elle avait pour les intellectuels ratés. «Va te faire foutre, Raphaël. David au moins, lui, il croit à ce qu'il fait! Il forme vraiment des étudiants. Il fait de la vraie recherche. Il mord dans son travail, dans la vie!» Je croyais rêver, avec son chapelet de cli-chés. Elle a ajouté : «Toi tu ne fais que te mordre la queue, depuis des années. T'es un paumé, Raph, admets-le au moins, ce serait déjà ça.» Une voiture est passée dans la rue, très vite. Je me serais bien jeté dessous. Il n'y avait plus rien à dire, plus rien à faire. Je me suis demandé combien on pourrait avoir pour la maison. «OK, décâlisse. C'est fini. Je m'occupe de l'agent immobilier. Va vivre avec Monsieur Net. Ton *Captain America*. Tu verras si y t'fait encore des yeux doux dans deux ans. *Scram* avant que j'de-vienne violent.» Elle s'est levée d'un bond, a marché très vite jusqu'à sa valise, dont elle a failli arracher la poignée. Elle a enfilé une paire de sandales horribles, puis elle a *slamé* la porte d'en-trée. Un tableau de Sophie Jodoin s'est décroché du mur et s'est écrasé au sol, fendu sur toute la longueur. Nous l'avions acheté ensemble à l'atelier de l'artiste, quand elle n'était pas encore connue. Aujourd'hui, il vaut dans les vingt mille dollars, au moins. Il valait, devrais-je dire. J'ai lancé le plus long et le plus tonitruant «fuck» de ma vie, comme Nate dans *Six Feet Under*. Je suis resté là comme un con, pendant de longues minutes. Et je me suis demandé ce que j'allais faire de ma putain de vie.

Chapitre 4 – La débâcle

Your DNA may hold the key to your past,
but your sign holds the key to your future.

Astrology Weekly

Je suis parti vivre à Montréal. J'ai tout quitté : mon poste de professeur, la région, ma maison, Eva. C'est elle qui m'avait plaqué, évidemment, mais bon, je disais que j'avais préféré la larguer, elle qui ne voulait que «prendre un peu de recul». Ça m'a fait le plus grand bien, ce mensonge. Comme si pour une fois dans ma vie j'avais choisi quelque chose, délibérément. D'ailleurs, mon urticaire a disparu, depuis ce jour. J'habitais chez ma grand-mère, rue Hôtel-de-Ville, entre Napoléon et Roy. Elle vivait là depuis quarante ans, en face d'une maison de retraite des Sœurs grises, dans ce qui fut longtemps le quartier des Portugais, de plus en plus racheté par tous les Bobos en herbe. Quand elle m'a vu débarquer, elle m'a dit : «Mon pauvre p'tit minou, elle n'était pas pour toi, celle-là.» C'était un *cottage* bien trop grand pour elle. Mais après la mort de mon grand-père, elle n'avait pas voulu déménager. «J'irais où ? Dans un asile pour les vieux ? Là où tout le monde n'attend plus que la fin ? Jamais, mon poussin. Tu m'entends ? Jamais.» Elle ne montait presque plus à l'étage. C'est là que je me suis installé, avec un bureau qui donne sur la ruelle. J'entendais Bruce Coburn faire ses gammes à la guitare. Il restait sur de Bullion, et sa cour donnait sur la nôtre. L'immeuble de grand-maman vaut, aujourd'hui, dans les huit cent mille dollars. Simone m'avait dit qu'il me reviendrait directement, à sa mort. « Ta mère a décidé de passer sa retraite en France. Ils ont une vie dorée, là-bas. Une vraie retraite de baby-boomers, comme on dit! Ils n'ont pas besoin de mon héritage. Je préfère te le donner à toi, mon grand canard. Mais le p'tit Jésus ne m'a pas encore appelée. Tu devras être patient!» Je n'en voulais pas, de son *cottage*. J'aurais donné n'importe quoi pour qu'elle vive encore pendant vingt ans, même si elle en avait alors quatre-vingt-cinq. C'est elle qui m'accueillait, tous les midis, pour me faire à manger quand j'allais à l'école. Du steak, avec du maïs en crème, et son pudding au riz et à la cannelle. Je n'en ai jamais mangé un aussi bon depuis. Parfois, elle me faisait de la saucisse, avec une purée. Elle pilait les patates à la main, avec du beurre et de la crème; c'était lisse et onctueux comme dans les grands restaurants. Ces repas-là, je ne les aurais échangés contre rien au monde. Elle ne faisait plus beaucoup à manger, quand j'emménageai chez elle. Les vieux perdent très vite goût à cette ritualisation de la nourriture. Il paraît que les êtres humains sont uniques, sur ce plan : contrairement aux animaux, nous sommes capables d'élaborer des mets et de les partager, même avec des étrangers. Quand on se rapproche de la mort, le rituel ne vaut plus tellement le coup. C'est beaucoup d'énergie pour rien, finalement. J'allais commander des trucs chez Schwartz, ou chez Soupesoup, et on mangeait notre *smoked meat* ou notre *gaspacho* sur la terrasse arrière, avec le soleil et le bruit sourd de la ville. Simone portait des chapeaux légers, comme ceux de la reine Victoria l'été, et des robes dans les tons pastel. Chaque fois qu'elle avalait un morceau, elle se servait de sa «napkin» pour s'essuyer le coin de la bouche, tout en espionnant les voisins.

~

J'avais l'impression de sortir d'un trou noir. J'ai dû laisser Toblerone à Eva; ça m'a fendu le cœur. Rimouski me manquait beaucoup; la mer me manquait, surtout. J'allais me promener au parc des rapides, à La Salle, aussi souvent que je le pouvais. Je prenais la voiture de Simone, une vieille Pinto toute déglinguée. Il n'y en avait presque plus à Montréal. Ni ailleurs. J'avais l'impression de conduire un mini sous-marin. Je me stationnais à l'entrée du parc aménagé, et je marchais jusqu'aux gros remous, à l'extrémité est de la pointe. Il y avait toutes sortes de gens le long de cette jetée artificielle. Des vieux qui nourrissaient les oiseaux, des pêcheurs du dimanche, des mamans avec leurs enfants qui pédalaient sur leur tricycle, des Cambodgiens, des Haïtiens, des Italiens. Tout ça se mélangeait, calmement, avec les hérons, les castors, les tortues. Le bruit des rapides était assourdissant. C'est là que Louis, un homme de main de Samuel de Champlain, se noya, il y a presque quatre cents ans. Aujourd'hui, les compagnies de *rafting* se partagent le fleuve pour les abrutis en quête de sensations fortes. Ça crie, ça lève les bras. Au bout des rapides ils ressemblent à des petits soldats de plomb. Ils doivent se dire, intérieurement : «C'est tout? Encore, encore!» Une heure à se les geler, engoncé dans une veste de sauvetage, entouré de mollusques qui se prennent pour Rambo. Un beau vide-portefeuille, oui. Et pendant ce temps, à dix kilomètres en aval, le centre-ville grouille toujours d'hommes-cravates, de femmes-tailleurs. Des putes de luxe s'activent avenue du Docteur-Penfield. Un gang de rue coupe la coke pour les ventes de la soirée, quartier Saint-Michel. Un enfant de six ans se fait battre par son père, dans Saint-Henri. Un homme d'affaires se demande comment augmenter ses profits, dans sa Mercedes 500 qui file sur l'autoroute 20, en direction de Senneville. Ailleurs sur la planète, un kamikaze s'apprête à se faire exploser, à Bagdad. Des moines prient dans un monastère des Dolomites. Et des centaines de milliers d'enfants meurent toujours sur la planète. Neuf mondes ; cent mille mondes. Y a-t-il vraiment quelque chose à comprendre ? Je revenais souvent par le boulevard Saint-Laurent, et j'arrêtais prendre une bière au *Vol de Nuit*, coin Prince-Arthur, tout près d'un club qui à l'époque s'appellait encore *Du côté de chez Swann*. Évocations de Saint-Exupéry et de Proust dans une rue piétonne par ailleurs tout ce qu'il y a de plus bassement populaire. N'empêche, les jeudis soirs, l'été, les Montréalaises sont les plus belles femmes de l'Univers.

~

Il y avait des moments où j'angoissais à mort, tout de même. Je me demandais parfois si, en quittant l'un des meilleurs plans de retraite sur le marché, je n'avais pas sauté un plomb. Le fonds de l'Université du Québec, avec soixante-dix pour cent de tes cinq meilleures années et une indexation au coût de la vie – jusqu'à ce que tu crèves. Il devait y avoir en tout, dans notre belle province, une centaine de professeurs de lettres. Cent, cent vingt élus, qui n'avaient pas à se soucier de considérations financières dans le dernier tiers de leur existence. Des dizaines d'autres attendaient au portillon, avec leur doctorat en poche. La plupart finissaient par abandonner. Une fois la maison vendue, les dettes payées, il me restait environ sept mille dollars. Pas de quoi *faire le beau*. Je me suis alors dit que j'allais laisser passer les mois de juillet et août, puis me mettre à la recherche d'un emploi. Mais lequel ? Barman, peut-être. Mais je n'avais aucune formation, et je n'étais pas certain de vouloir passer mes soirées au confessional, à faire le psychologue de service. Je me souviens d'avoir parcouru le journal *Voir*, juste pour un essai. Il y avait plein d'offres pour des petits boulots mal payés, le genre qu'on prend quand on a seize ans, et aucune estime de soi : préposé au rayon des charcuteries, téléphoniste pour «une compagnie en pleine expansion», chargé de l'entretien ménager «dans un grand magasin bien établi », aide-chocolatier la nuit, vendeur de machines à expressos « révolutionnaires », livreur chez Norm-Patate, le « king de la patate ». Quelques emplois de bureau, aussi, dans des cubicules de dix sur douze, avec un vieil ordinateur portable pour de la compilation de données ou des listes de clients à développer. « Mannequins – Urgent » et « Besoin de masseurs prêts à tout » revenaient fréquemment. J'ai été attiré par l'annonce d'un emploi dans une brocante de la rue Amherst. Ça pouvait être pas mal, comme travail : être entouré de vieux meubles, d'objets loufoques, de lampes torchères et de coffres de soldats. En même temps, je m'imaginais bien qu'il fallait passer ses journées dans les vapeurs de décapant, la poussière, le matériau de rembourrage, la colle... Bof. J'allais revoir tout ça début septembre. En attendant, je comptais plutôt profiter de ce qui restait de l'été.

～

Je me suis racheté une télévision au plasma, un système de cinéma maison et un XBOX 360. Il ne me restait donc plus que trois mille dollars en banque. J'avais choisi quatre jeux, pour commencer : *Gears of War*, *Oblivion IV*, *Burnout Revenge* et *Dead or Alive Xtreme 2*. Je n'avais pas joué sur une console depuis ma Playstation 1, il y a des zillions d'années. Les graphiques et l'intelligence artificielle avaient drôlement évolué. Dans *Gears of War*, j'incarnais un soldat du futur, armé comme un char d'assaut – mais sans casque, avec juste un foulard noué sur le crâne, très *cute*. La Terre était colonisée, sous la surface, par des monstres qui ressemblaient vaguement à Jean-Paul Sartre en Monsieur Muscle. Ils étaient vraiment affreux. C'était la guerre. Des copains venaient me sortir de prison. Je ne savais pas ce que je faisais là. La courbe d'apprentissage était *soft*. On se promenait dans les ruines, au début. Les premiers sartriens surgissaient alors comme des champignons. Je devais tirer, tirer, encore tirer. Assez rapidement, je me suis rendu compte que c'était le seul but du jeu. Ma principale mitraillette était équipée d'une tronçonneuse. C'était un peu compliqué à utiliser, mais quand on s'approchait d'un ennemi sans se faire repérer, on l'éventrait avec la scie qui faisait un beau bruit comme une vraie scie mécanique. Le sartrien agonisait en râlant et l'écran se remplissait de sang. Au suivant. Plus on avançait, plus c'était difficile, évidemment. Il y avait trois niveaux de difficulté : débutant, *warrior* et *insane*, ou un truc du genre. En mode *insane* c'était impossible. L'intelligence artificielle était trop forte. Il fallait jouer en mode *co-op* sur *split-screen*, ou alors en ligne avec des « amis ». Je n'ai jamais aimé le jeu en ligne. Il faut partager son temps de partie avec des Asiatiques boutonneux ou de pseudo-punks américains qui vous écrivent : « *You rock, man!* » ou « *Hey dude, what the fuck are you, a fuckin sissi?* » Je déteste le monde des *gamers*, mais j'aime les jeux bien développés, intelligents, avec une bonne histoire. Il y en a de plus en plus sur le marché. *Gears of War* était un truc assez creux, finalement. *Oblivion IV* était bien meilleur, de ce point de vue. Un univers moyenâgeux et fantastique, en *open world*, avec des centaines d'heures de missions. Il fallait récupérer plein d'objets magiques ou symboliques, mais au fond le but était de tuer tous les méchants, comme d'habitude. C'était très beau, très immersif, mais ça devenait vite chiant quand même. *Burnout Revenge* avait été élu meilleur jeu de course disponible sur le marché, à l'époque. Tu devais finir le premier en détruisant tes concurrents. Belles explosions, très réalistes. Plein de défis. Le plus intéressant, c'était la simulation de collisions monstres : ta voiture devait percuter le trafic selon un certain angle, juste au bon endroit, pour qu'un maximum de véhicules explosent ; plus il y en avait, plus t'avais de points. C'était difficile à gérer pour un processeur, cet effet papillon. Un chaos en boîte, avec plein de napalm pixellisé. J'en ai presque pleuré, les premières fois. Je m'étais gardé le plus tordu pour la fin : *Dead or Alive*

XTreme 2. Ça sonne vraiment *gore* et tout, mais il s'agissait d'une simulation de volley-ball de plage avec des Nippones en bikini ou en string, développée par des Japonais sexuellement instables. Les personnages pouvaient aussi faire de la moto-marine, des concours de saute-mouton ou de traverse-de-bouées-en-piscine. On était dans le degré zéro du développement cérébral. Très zen et reposant, par ailleurs. Ça ne pouvait avoir été inventé qu'au Japon, là où les mecs deviennent fous juste par l'éthique du travail. Ce jeu, c'était comme un îlot de réconfort humain ; une reconquête du stade anal. Tu pouvais faire des *photoshoots* de tes filles préférées en *doggystyle* si ça te chantait, avec *close-up* sur le triangle de tissu virtuel qui cachait la chatte virtuelle d'une fille virtuelle dans un univers virtuel – ça fait bien quatre dimensions. Tu sauvegardais les clips et les images d'une collégienne sadomaso et tu pouvais te les repasser en continu, tout en sirotant un thé au jasmin. On en était là. On y est encore, plus que jamais. Qu'on le veuille ou non, l'être humain en est là. L'industrie des jeux vidéo dépasse depuis longtemps, en recettes, celles du cinéma. Ces deux industries convergent pour produire des *blockbusters* aux effets spéciaux indétectables à l'œil nu. C'est quoi, au fait, un œil nu ?

Chapitre 5 – Gogo Galère

Mais comme un papillon de nuit, ébloui, hagard, il revient se heurter et se griller les ailes autour de cette lueur trompeuse.

La Tribune de Genève

L es films, les jeux vidéo, l'écran plasma, c'est bien beau, mais ça n'empêche pas la solitude. Après quelques jours, ça l'accentue, même. Je revoyais mes vieux copains, des fois ; ceux d'avant Eva. Gregory était directeur des ventes chez CoolMag, Max homme d'affaires, Alex graphiste « senior » chez SoftSoft. Alex et moi avions fait notre secondaire à Saint-Alexandre, dans l'Outaouais. Il ressemblait vaguement à Marlon Brando jeune. Il pouvait se taper n'importe quelle fille, mais il était un peu trop ténébreux et irritable. Il cherchait la fille parfaite, l'âme sœur. Saint-Alexandre était alors un collège uniquement pour garçons, dirigé par les Pères du Saint-Esprit. Congrégation fondée par Poullart des Places, le 27 mai 1703, fête de la Pentecôte. Son désir était simple : créer un séminaire pour des étudiants pauvres qui accepteraient ensuite de consacrer leur vie à l'évangélisation d'autres pauvres. Libermann, lui, entre en scène en 1840, quand il part pour Rome, contre toute prudence humaine, sur une intuition intérieure ou plutôt dans la lumière de l'Esprit, comme le dit le Père Gérard Vieira. Le 11 mars, il présente son mémoire à la Propagande. Il y expose le projet de l'Œuvre des Noirs et de la congrégation du Très Saint-Cœur de Marie pour l'évangélisation de l'Afrique. Rien de moins. Au Canada, la mission est un peu plus modeste. On veut former les garçons. Nous fûmes bien formés, loin des soucis, loin des requins, loin des filles. Il fallait aller les voir au Collège Saint-Joseph, en voiture, les filles. La Sœur Supérieure veillait au grain, à l'entrée de l'école. N'approchait pas ses jeunes vierges qui voulait. Sœur Popo, comme on l'appelait (elle était plutôt ronde), nous guettait avec son balai. On discutait donc sagement avec les demoiselles, de l'autre côté de la rue. Au retour, les pères nous « suspendaient » pour avoir franchi la limite de terrain permise. Il fallait recopier l'article sur Napoléon du *Robert des noms propres*. Tout ça était bien innocent, comme dans un autre espace-temps. Aujourd'hui, c'est beaucoup plus permissif et dévergondé. Des jeunes tabassent leur prof pendant que des copains les filment. Ils n'en sont pas moins candides, à leur manière.

~

J'avais connu Max au gym de l'université. Il se regardait toujours dans le miroir. Un beau brun bouclé, avec un nez minuscule, le front large. Un pur produit du Lac-Saint-Jean, *bleuet* unique, avec une peau de bébé. Un jour il est arrivé avec un t-shirt d'Alphaville, un de mes groupes préférés à l'époque, très *preppy*. On a commencé à discuter, et puis de fil en aiguille on s'est mis à écouter des disques chez lui, puis à voyager ensemble. Gregory était quant à lui le meilleur ami d'Alex. Ils s'étaient rencontrés dans une soirée d'expatriés français. Alex sortait alors avec une Toulousaine. Gregory venait d'arriver au Québec. Un osti de Français assez hautain au départ. Il était très grand, et il avait l'air d'un *crooner*, avec une banane bien lissée, pleine de gel. Il portait souvent des chemises roses. Complètement *rétro-classique*. Depuis cette soirée, Alex et Greg étaient inséparables. Mes trois amis se la jouaient *célibataires cools*, avec du fric et toute la vie devant eux. Enfin, c'est ce qu'ils disaient. Ils étaient venus me voir une fois à Rimouski, et puis plus rien. Trop loin, trop peu à faire sur place. Déprimant, toute cette nature.

~

À l'époque de mon passage à vide, l'été de ma rupture avec Eva, je devais aller les rejoindre un soir pour une galère digne du bon vieux temps. Nous avions un rituel, alors : quelques bières au *717*, puis une petite visite au *dealer*, les danseuses, le *Tokyo*, enfin le *Funkytown* ou l'*Electric*, pour la musique des années 1980. À trois heures, on poursuivait parfois dans un *rave*, toujours nul. Un petit joint à cinq heures du matin, les soirs d'été. Trois jours à s'en remettre. On avait l'air d'une petite bande bien soudée, bien cokée, ne parlant à personne d'autre, toujours en train de refaire le monde tout en observant les déplacements lascifs des plus belles femmes. Nous étions un peu agace-chatte, à notre façon. Nous avions donc décidé, cette soirée-là, de refaire le même scénario, juste pour se dire qu'on était encore dans le coup. On allait se refaire exactement le même genre de soirée. On avait juste moins de cheveux, mais plus d'argent (enfin : *ils* avaient plus d'argent) ; moins d'énergie, mais plus de désirs ; ça s'équilibrait, à nos yeux ça s'équilibrait. J'avais l'impression de ne plus plaire aux femmes, cependant. Aux jeunes femmes. C'était ça, le plus triste. Aujourd'hui, je m'en fous.

~

Je suis allé embrasser ma grand-mère, avant de sortir. Elle regardait le téléjournal de Radio-Canada. Il devait être dix-huit heures. Je n'oublierai jamais notre conversation : « Ma petite grand-maman chérie, ce soir ne m'attends pas, je rentre très tard. – Mais oui mon loup, va t'amuser un peu, pendant que tu as encore des ailes. Un jour, tu verras, tu n'attendras plus que la mort, comme moi. – Arrête avec tes bêtises. Tu vas vivre jusqu'à cent cinq ans ! - Je n'en ai pas du tout l'intention mon poussin. Je me donne cinq ou six ans, tout au plus. Après, ça ne vaudra plus la peine. J'ai ma petite trousse de trépas bien cachée quelque part. Je mourrai seule, pendant que ta mère se fera dorer au soleil de la Méditerranée, et que tu auras refait ta vie avec une femme bien pour toi. – Mais comment peux-tu dire ça ? Tu ne crois pas aux préceptes du catholicisme, toi ? – Il m'a rendu la vie bien dure, le catholicisme. Je crois au bon Dieu, point. Et il est d'accord, il me l'a dit. C'est tout prévu. » J'ai voulu changer de sujet : « En passant, c'est fini le couple, grand-maman. *Finito caputto. No strings attached.* – J'aurais bien aimé pouvoir dire ça à ton grand-père. – Il n'était pas si méchant que ça, allez ! Un peu joueur, un peu coureur, c'est tout. Comme tous les hommes ! – Je vais dire comme l'autre : "Une figure agréable et prévenante, qui n'inspire pas l'amour, mais la bienveillance, est ce qu'on doit préférer." C'est ce que je n'ai pas fait, mon p'tit minou. C'est ce que je n'ai pas fait. » Son regard s'est perdu dans les images de combats en Afghanistan. J'aurais aimé l'embrasser, lui prendre la main, lui demander pardon au nom de tous les hommes sensés, mais la pudeur m'en a empêché. « Tu m'attends avec des œufs et du bacon au p'tit matin ? – C'est ça, et puis quoi encore ? Je n'ai aucune envie de te voir *défoncé*, comme on dit aujourd'hui. Et ne me ramène pas de catin à l'étage, j'entends encore très bien, tu sais ! – Bisous plein, ma maminou. » Je suis sorti en coup de vent ; la vision de la solitude me fait souvent pleurer, surtout celle des vieillards. Des enfants abandonnés, qui n'ont plus que leur passé comme yo-yo. Triste à mourir.

~

Je suis arrivé seul au *717*. Il n'y avait plus de queue de trois cents mètres de long, comme avant, dans le hall de la Place-Ville-Marie. Il fallait prendre l'ascenseur jusqu'au dernier étage. Dans l'allée délimitée par des cordons rouges en velours, comme pour les stars, les *bouncers* avaient l'air contents de me voir débarquer. Ça partait plutôt mal : le bar devait être aussi plein qu'un vieux sac de *pop-corn* après la projection. Ils étaient pas mal *beau bonhomme*, dans leur smoking loué à la semaine, avec les mains qui protégeaient leurs bijoux de famille. On aurait dit qu'ils s'attendaient toujours à recevoir un coup vicieux, comme ça, pour rien. J'aurais bien aimé pouvoir leur donner un bon coup de genou dans les schnolles, aux *bouncers*. «Y a du monde? – Bonsoir monsieur. Ça commence, ça commence. Allez-y, c'est gratuit.» Deuxième mauvais signe : pas de *cover charge*. Et puis le «ça commence», dans la bouche d'un videur, c'est un ticket pour Plattetown. Je suis monté, malgré tout ; mes copains étaient peut-être déjà en haut. J'étais seul dans le moyen de transport le plus sécuritaire du monde. C'est vrai, on n'y pense pas, mais l'ascenseur est un moyen de transport, et c'est le plus sécuritaire, loin devant l'avion. Mes préférés sont ceux à l'extérieur des édifices. On a l'impression de monter voir saint Pierre, qui doit nous attendre avec un bon Manhattan, mon drink préféré pour les débuts de soirée festive : six doses de whisky, deux doses de vermouth doux, un trait d'angustura, une cerise au marasquin, deux glaçons ; c'est doux et fort, ça brûle tout en roulant dans la bouche, comme un bon chocolat fourré à l'alcool. Merci saint Pierre. On pense à son premier verre, tout en admirant la ville et les passants qui se transforment en grains de riz sauvage. Vous connaissez l'histoire de l'invention des ascenseurs extérieurs? C'est tout con, comme la plupart des inventions : des ingénieurs, des architectes, des entrepreneurs discutent dans le hall d'un grand building, je ne sais plus où. Ils doivent ajouter un ascenseur dans l'immeuble pour la clientèle et les travailleurs, de plus en plus nombreux. Mais il n'y a plus de place, ça coûterait une fortune, c'est un vrai casse-tête. Ils se prennent la tête depuis trois quarts d'heure, avec des plans, des objets de mesure, des casques de sécurité. Ils ergotent. La conclusion semble être que « c'est impossible ». Un concierge les écoute, tout en vadrouillant. Il s'approche, l'air innocent : « Pourquoi vous le faites pas à l'extérieur, votre ascenseur ? » Et *bing!* un ange passe. Ils ont tous l'air de vrais *mongols à batterie*, devant ce petit concierge qui leur met ça dans leur pipe. Voilà. Il suffisait d'y penser. C'était du Madonna, dans les *speakers*. Un autre de ses *hits*. Il faut lui donner ça, à Madonna, elle sait ce qu'elle fait, une vraie pro. Cadence de marche militaire, comme toute la musique protodisco. Entraînant. J'ai fait un tour sur moi-même, puis je me suis activé devant la glace, en mimant un boxeur. *Tonight's the night.* Je me répétais ça : « *Tonight's the night* », sans trop y croire. *The night for what?* Baiser ? Rire ? Danser ? Se péter la gueule ? Tout ça, peut-être, selon les standards d'une soirée réussie. Avant, je veux dire avant l'invention des sorties en boîte – drôle d'expression, non, « sortir en boîte » ; folie du langage, ou de l'activité elle-même –, une soirée réussie, c'était pouvoir serrer la main de la comtesse Trucmuche tout en plaçant un bon jeu de mots dans une conversation sur l'art de faire des bouquets de fleurs. C'était peut-être mieux ainsi ; les attentes étaient moins élevées, et tout le monde allait se coucher gentiment à une heure du matin. Seuls quelques pervers se retrouvaient dans les lupanars, et les alcooliques dans les assommoirs. Aujourd'hui, c'est beaucoup plus compliqué, ne serait-ce que pour se choisir un bar. Oui, je sais, ça rime comme du mauvais slam, mais bon, je n'y peux rien, je pense tout haut. Il faut avoir du plaisir, à tout prix. L'euphorie perpétuelle, comme dit Bruckner. Enfin, c'est possible quand même, j'imagine, de se faire une bonne soirée en boîte, même à mon âge. Avec un peu de volonté. Et de la bonne coke. Ça devait faire au moins trois ans que je n'avais pas sniffé. Je savais que Max en aurait sur lui.

Alors une fois, comme ça, y avait pas de mal. Mais tout ce qui est bon est interdit. On appelle ça la morale. Et dire que Freud a fait ses principales découvertes sur de la coke pure à cent pour cent, le veinard. Il se cautérisait le nez avec son grand pote Fliess, en s'introduisant de la coke à pleine narine pour «noter les effets». Démarche scientifique. Après, Freud délirait sur ses propres rêves, pendant que Fliess expliquait les névroses et les maladies par les cycles menstruels, en observant ceux de sa femme. La psychanalyse est née sur un *trip* de coke. Elle va influencer tout le XXᵉ siècle. Comme quoi… Arrivé en haut, il y avait un gros *beat* techno. Deux jeunes demoiselles échangaient leur *lipstick* devant les toilettes. OK. *Cool! Let's party!* Elles m'ont souri quand je suis passé devant elles. J'étais peut-être moins vieille croûte que je ne le pensais. «Je peux en avoir, moi aussi?» Elles m'ont dévisagé comme si j'allais les violer *dret là*. «Désolé de vous déranger.» J'ai *passé mon chemin*, ma queue entre les jambes. Il y avait peut-être soixante, soixante-dix personnes en tout. Ç'aurait pu être pire. Surtout des hommes en complet, malheureusement. Genre avocats, courtiers, mais qui devaient être vendeurs de cellulaires, dans les faits. Quelques vieilles autruches, aussi, avec des colliers multicolores, des t-shirts griffés et des jeans tellement serrés qu'elles avaient du mal à marcher. Leur tête tournait constamment, comme si elles cherchaient d'où allait venir la moulée. Une vingtaine de jeunes femmes, tout au plus. Quatre ou cinq bombes. *That was fuckin' it, man.* Mes trois pedzouilles d'amis n'étaient pas encore là. Je suis allé au bar et j'ai commandé une Export; le Manhattan allait attendre, tout comme la terrasse avec vue panoramique sur Montréal. Je me suis mis à observer les trois *barmaids*, en attendant. Elles avaient toutes le string qui dépassait du pantalon, comme une marque de la maison. La plus jolie se trémoussait tout le temps, avec un grand sourire, l'air de dire : «Je m'éclate! *Do the same!*» Elle devait obtenir, avec cette attitude, d'excellents pourboires. J'ai sorti mon cellulaire pour la filmer. J'étais concentré. Elle est venue vers moi. «Hey! qu'est-ce tu fais, là ? J'pourrais appeler l'*bouncer* si j'voudrais – On dit « si je voulais ». – Tu r'prends mon français, à part de t'ça ! T'es pas mal effronté, l'épais ! – Je filme l'ambiance et les jolies demoi-selles, j'ai le droit, non ? C'est mon anniversaire. – Tu fêtes ça tout seul, toé ! – Non. Avec toi. Tu es mon fantasme ambulant. – Le fantasme ambulant est à veille de t'ramener dans réalité, mon tit pit. – OK, OK ! J'arrête si tu m'offres une bière. Avec le sourire. » Elle est repartie à l'autre bout du bar en se tournant l'index sur la tempe, comme pour indiquer l'état de folie. Les deux autres riaient, un peu crispées. J'ai continué à filmer. Je sentais un léger malaise autour de moi. On commençait à me dévisager. Un mec qui filme tout seul, c'est sûrement un paumé, ou un obsédé sexuel. Elle est revenue vers moi en quatrième vitesse. « Hey, tabarnak ! t'arrêtes ça tout de suite ou tu manges une osti d'volée, c'tu clair ? Ça va faire le niaisage là, l'bozo ! – Très bien, très bien, j'arrête. Mais t'avais l'air tellement dans l'*mood*, là, sur le *party* et tout et tout, j'voulais juste garder un moment mémorable de ta perfor-mance, ma belle tigresse. – *Fuck you* ! Retourne chez toi si t'es pas capable de t'comporter comme du monde, osti d'malade ! » J'ai rangé mon arme de destruction massive. *Drop your weapon, Jack, drop your weapon !* J'étais un peu déçu, tout de même. Je croyais qu'elle allait jouer le jeu. Quand elles sont fâchées et qu'elles se mettent à sacrer, on jurerait qu'elles sont en train de se faire exor-ciser, les Québécoises. Des furies, parfois. Elles revivent les atta-ques iroquoises, ma foi du bon Dieu. Il y avait maintenant un cercle de quarantaine autour de moi. Je me suis remis à siroter ma bière, tranquillement, en pensant à mes trois zoufs qui n'ar-rivaient pas. Plus de vingt minutes, que j'attendais. Ils allaient se faire parler dans le casque, les enfouarés. Tu ne fais jamais ça à un bon ami, jamais : le faire attendre vingt minutes tout seul dans un bar. C'est de la haute trahison ; le meilleur moyen de le laisser pour mort.

~

J'ai observé la salle, en les attendant. Deux filles se déhanchaient sur le plancher de danse, entourées par douze hommes. Ils tentaient d'entrer dans leur *beat* à elles, avec les poings fermés battant plus ou moins la mesure. Ils avaient tous un sourire niais. Ils avaient l'air carrément débiles, pour tout dire. J'ai du mal à croire que je puisse avoir l'air de ça, moi aussi, quand ça me prend. Il y en avait un, plus téméraire, qui levait les bras en tapant dans ses mains, avec un petit mouvement latino du bassin, comme pour bien montrer, à travers le pantalon, la grosseur de sa guitare. La moins belle des deux s'est calée contre lui, en lui frôlant la bizoune avec ses fesses, pendant que l'autre tournait sur elle-même, les mains dans les cheveux. Il était tout content. Il regardait ses amis en levant son pouce. Ils lui répondaient avec le même geste. Il prenait de l'assurance, avec des mouvements plus amples. Il délimitait son territoire. Ses amis ont cogné leur bière les unes contre les autres, tout en criant « WouHou ! ». Ça renforce le sentiment de puissance. Et ça calme la peur. Le plus laid a tapé le culot de sa bouteille sur le goulot d'une autre. La mousse est tout de suite sortie, et le liquide jaunâtre s'est mis à couler le long des parois. Le copain s'est esclaffé et a fait semblant de donner un coup de poing au farceur. Les vieilles autruches, à plusieurs mètres, sont restées figées. Elles devaient penser qu'elles auraient mieux fait de rester à la maison, devant leur télé, à regarder *Virginie* en boucle. Mes trois mousquetaires sont finalement arrivés, habillés comme Brad Pitt dans *Ocean's Eleven*. Ça fessait dans l'*dash*. Même Greg avait l'air *flyé*. « Hey hey hey, v'là les trois moumounes bioniques ! Me r'faites pus jamais ça, mes ostis. – Désolé mon grand, on est restés pris dans l'traffic. – *Ya right* ! Vous avez pas de cellulaire pour me prévenir, peut-être ? J'ai essayé de vous appeler. – Batteries mortes. Les trois en même temps, c'est dingue ! – Et mon père c'est le Colonnel Sanders. Vous êtes vraiment des beaux tatas. Max, t'as la mâchoire qui va te décrocher ; arrête avec ta scie sauteuse. Vous avez déjà sniffé mes enculés ! – Oahhh !, juste une p'tite, pour être *feeling*. On t'a acheté ton demi, ma poule, juste pour toi. Vas-y tout de suite ; tu vas voir, elle est *smooth.* – Pas tout de suite. J'ai envie de sentir ma soirée. – Mais justement. Justement ! Allez, on te commande un scotch en attendant. Qu'est-ce que t'as, ça va pas ? Tu nous fais une p'tite rechute d'Eva, là ? – Mais non, mais non. J'suis en tabarnak parce que ça fait une demi-heure que j'vous attends, c'est tout. Encore une idée de Max, je suppose. – Hey Laliberté t'es pas correct ! C't'une idée de Gregory, le coké d'première ! Une vraie guidoune. Avoye, vas-y ! Tu vas nous gâcher la soirée. Faut qu'on soit dans l'même *mood,* sinon on va s'coucher. – Bon bon, OK ! Qui m'la passe, là ? – Fais gaffe, on nous r'garde. – Tu paranoïes déjà mon Greg ? – Arrête tes conneries ; j'te r'file un dix, là. Mais prends-le ! Tu vas l'échapper ! T'es con ou quoi ? – C'est beau, je l'ai. Bon, j'vais aux toilettes les *boys.* Un Manhattan avec deux glaçons, Max. Pas trois, pas un, deux. Et arrête de r'garder les femmes, tu vas attraper un torticolis.»

~

Je me suis dirigé vers les toilettes. Il n'y avait personne autour, c'était parfait. J'ai poussé la porte et je suis tombé nez à nez avec un gorille à bretelles qui ressortait. «S'cusez.» Les chiottes étaient vides. Excellent. Ils avaient installé un urinoir en inox avec chute d'eau permanente, faussement chic ; ça suintait de partout, c'était humide, vraiment pas hygiénique, au fond. J'ai pris la dernière cabine à gauche, et hop ! le petit sachet hermétique est comme sorti tout seul de ma poche. Tout doux, tout doux… J'ai roulé un dix, regardé derrière moi, par précaution, et j'ai plongé la paille de *cash* dans la farine du Père Noël, en inspirant un bon p'tit coup sec. Je me sentais déjà pas mal *king* – et un peu coupable. Bof, une ou deux fois par année… Santé, mon'onc' Freud ! Petit arrêt devant le miroir, histoire de scruter mon effet dévastateur. Bon bon bon. J'ai remarqué quelques grains de poussière sur mon veston America noir. Un jour j'allais me payer un Armani. J'ai louché pour déloger le dernier grain pris dans les mailles. Puis j'ai entrepris un mouvement du cou, circulaire, avec les mains sur les hanches. Dernier *zoom in*, pour les narines. *Clear skies*, bébé ! C'est parti ! Je suis revenu au bar d'un pas beaucoup plus assuré. «OK, on va dehors !» On se déplaçait comme des *Top Guns*, juste avant un entraînement de routine. On a pris la sortie ouest, vers la terrasse qui donne sur le mont Royal d'un côté, et le centre-ville de l'autre. De petits groupes discutaient, avec le coucher de soleil en toile de fond. Des collègues de bureau, pour la plupart. Quelques femmes avaient bien pris soin de mettre leur robe la plus sexy, du genre coton blanc diaphane qui laisse voir la courbe des jambes, la culotte à fleurs brodées. Le vent tournait, lentement, et faisait virevolter les tissus, les chevelures. Vibrations de l'air.

~

J'entre dans le carrousel, au Luxembourg, j'ai cinq ans. Je prends le dernier cheval, le machiniste me donne le bâton qui servira à attraper les anneaux. Le manège décolle et je respire les parfums traînant dans cette fin de journée d'école. Mélange de vanille, de bonbons à la fraise et de lilas. Je suis seul au monde dans une fête continue. Je voudrais que le temps s'arrête. Attrape l'anneau, Raphaël, attrape l'anneau ! Le manège tourne de plus en plus vite, l'air soulève les robes et laisse voir les cuisses à la peau parfaite. Les plus jolies filles penchent la tête par en arrière, en riant aux éclats. Je veux les toucher, les sentir. Je veux les embrasser dans le cou, sur les jambes, sur le ventre. Elles me rendent fou. Elles sont pieds nus dans leurs espadrilles. Je descends du cheval. J'avance vers la plus belle. Elle a des yeux bleu lagon, un duvet couleur de blé dans la nuque. Je ne sais pas quoi lui dire. Elle pointe vers l'anneau. Ah oui zut, l'anneau !

Quand je me retourne, elle a disparu. Je suis seul au monde, sur un vieux manège rouillé. Le vent tourne, lentement, et fait virevolter les feuilles mortes. Je suis à Fontainebleau, sur mon vélo. J'ai sept ans. Mes parents sont loin devant. J'arrête de pédaler. Je cherche mon carrousel. Il est là, sur cette terrasse, Place-Ville-Marie.

~

Les femmes étaient drôlement belles, tout d'un coup. Le vent, léger, faisait virevolter leurs robes. Elles tournaient autour de moi. J'ai pris une gorgée de Manhattan. La brise a cessé. Les parfums emplissaient l'air. Je ressentais, les yeux fermés, le soleil sur mon visage. Puis j'ai regardé au loin, pensif. Max m'a serré le bras. «Ça va mon homme? – Hein? – T'as pogné l'fixe, comme la dernière fois… Ça fait un osti d'bout. Elle est bonne, non? – Quoi? – La coke. – Ouais, ça va. J'aimerais que tout s'arrête, là. Ça pourrait pas être juste ça, la vie? – Quoi? – *Ça* : ici, maintenant. Un bon drink, des belles femmes, du soleil, de la chaleur, de l'insouciance, de la bonne musique, un *high* permanent? – Il y en a qui ont ça tout l'temps. – Qui? – Les Rolling Stones. – Si j'vieillis comme eux tu me tues, OK? – C'est ça que ça donne, un *high* permanent. Arrête de t'prendre la tête. Tu sais que j't'aime, toi? – On est bien, les quatre ensemble. Qu'est-ce qu'on fait, là? – Relaxe, y a une minute tu voulais que tout s'arrête. – J'ai l'goût de bouger. On moisira pas ici, OK? C'est nul comme ambiance. – Attends un peu, on va s'refaire une petite ligne, prendre un autre drink, profiter du coucher de soleil…» Je suis devenu très fébrile : «On va danser tout à l'heure, hein? Vous dansez jamais sur la coke. – Mais oui, mais oui. On a toute la soirée. Allez viens, on va essayer de parler aux femmes.» Je me suis tourné et je lui ai désigné un petit groupe : «J'en ai spotté une superbe, là-bas. Est avec son chum, j'pense. Sont toujours avec leur chum, tabarnak! – Pis? On s'en câlisse qu'a soit avec son chum! On va y montrer c'est quoi un vrai gars. Y a-tu l'air assez morron à ton goût? – Elles sont toujours avec un morron. Une loi de la nature. Encore une. Hey, ça en fait-tu des lois, dans nature! T'as déjà compté toutes les lois de la nature, toi? – Non. Pour moi y en a qu'une, c'est celle de mon gland. – Non, c'est le mien! Le tien y est anticonstitutionnel. Y constitue même rien pantoute! – Ta gueule mon osti, m'a t'câlisser une volée! – Hey! On a perdu Gregory et Alex. Sont déjà aux toilettes, les salauds! – OK, viens-t'en, on va s'en r'faire une nous aussi. Est correcte, non? Un peu *speed* quand même. J'ai la chiasse, j'pense. Y ont dû la couper avec du Draino, les enculés. – Arrête, est pas si pire. – Faut que j'change de contact. Y m'aura pu l'tabarnak! – Y est-tu dans les *Hell's*, ton ami? – Non, c'est juste un revendeur. Y fait de la photo porno aussi. – Pas pire comme vie, non? Tout le monde se fend l'cul en quatre pour gagner sa vie, pis y en a qui photographient des femmes tou'nues et qui revendent de la drogue. Essaye de comprendre quelque chose, toi. Y roule en quoi, ton homme? – En BMW série 700. – C'est c'que j'dis. Est où la morale, dans tout ça? – Baisés-baiseurs, Raphaël, baisés-baiseurs… *That's it.* – *That's it*? – Si tu trouves autre chose, tu me le diras. OK, fais semblant de rien. On n'ira pas ensemble. J'y vais en premier. – Je vous attends au bar.»

~

Je n'aurais pas dû partir sur la coke. Le problème avec cette petite poudre, c'est qu'elle est censée te donner un *good feeling*, mais au bout du compte tu ne te souviens pas plus des *feelings* que t'as eus. Je devais au moins essayer de contrôler ce que je prenais, pour rester bien éveillé jusqu'à trois heures du matin. Revenu au bar, la serveuse près de moi m'a dévisagé avec un drôle d'air : «S'cuse-nous pour t'à l'heure. On pensait pas qu't'avais tes amis.

– Aucun problème. Tu t'appelles comment? – Cyndi. Et toi? – Paul-Edmond. Paul-Edmond Gagnon. – Bizarre comme nom! Ça fait vieux, non? – Mes parents sont Témoins de Jéhova. – Ah! OooooKé! Ça doit êt' *dull* pas à peu près, hein? – Mets-en! Une fois, j'ai failli mourir. On était en camping, pis j'me suis coupé super fort avec une canne de bines. Y ont jamais voulu m'emmener à l'hôpital. – Ah ouin! Pour quessé? – Ils ont eu peur que j'me fasse transfuser. Ils m'ont mis un gros *band-aid* pis y ont prié toute la nuit. – C't'écœurant! Y vivent-tu encore? – Je les ai tués. – Hey, arrête tes niaiseries! – Tu veux voir sur mon cellulaire? J'ai enregistré la scène…» Elle est devenue verte. «Je blague. Ils vont très bien. Ils se la coulent douce à La Croix Valmer. – OoooKé! C'est dans les Laurentides ça? – Pas loin, pas loin. Tu me sers un Manhattan, s'il te plaît? Tu es très très jolie, tu sais? Ta copine aussi, mais est pas parlable. – Oh, laisse-la. A vient de pard' son chum. – Bonne raison. J'approuve. – J'reviens avec ton drink. Bouge pas. – Je m'incruste, pour mieux te regarder.» Elle a pris un verre et des glaçons, puis m'a envoyé des sourires grivois. Elle ne portait pas de soutien-gorge. Max est revenu, les yeux un peu exorbités. J'ai demandé : «Y sont où?» Il avait l'air complètement défoncé, déjà. «Qui? – Gregory et Alex. T'es as pas r'vus? – Ils discutent avec deux autruches là-bas. – Nooooon? – J'te l'dis. – Sont tombés s'a tête ou quoi? – Laisse-les, y s'amusent. – Non non non, on décrisse, là! On s'en va aux danseuses. – J'viens de commander un drink. Relaxe! – On s'en va j'te dis. Opération de sauvetage! – OK. Go!» Max imitait le pas d'un *rogue agent*, style *Splinter Cell*. J'ai fait un grand détour pour passer inaperçu. J'esquivais des gardes armés d'Uzis en or. J'attendais un signe du chef de mission. Ça y est! Il m'a fait le Geste universel : l'index en l'air, deux petits coups de la main qui pointent dans la direction de combat. Alex s'est mis à rire en nous voyant. Il allait nous faire repérer, le con! OK, il fallait qu'on reprenne notre sérieux. Max s'est approché en ami. Il s'est fait présenter et a serré la main des deux octogénaires. Je ne pouvais plus y échapper. Et puis non! Tant pis : j'ai fait demi-tour et je suis retourné au bar, voir Cyndi. J'avais soif. J'ai pris ma démarche décontractée. Genre *tout baigne*. Je planais et ils avaient tous l'air de minus, autour de moi. J'avais *Thriller Night* de Michael Jackson dans la tête, maintenant. Mes neurones commençaient à faire des *back-flips*, c'était clair. J'ai interpellé la *barmaid* : « *Hi Cyndi! Is your uncle rich?* – Qu'ess-tu dis, là ? – *Nothing*, bébé, *nothing*. J'entre dans la danse, bébé. Ha-han, ha-han. J'entre dans la danse. Tu la connais ? – La chanson de Yannick ? J'l'a connais par cœur! – OK. On y va!» J'ai parti la cadence : «Ha-han, ha-han...» Cyndi s'est mise à taper des mains sur le comptoir, en se penchant au gré du rythme. On a chanté ensemble, en faisant les gestes qui allaient avec les paroles : «Que tous ceux qui sont dans la vibe lèvent le doigt, Que toutes celles qui sont dans la vibe lèvent le doigt, Que tous ceux qui sont assis se lèvent et suivent le pas, Allez maintenant on y va, Ces soirées-là, avant même qu'elles aient commencé, On est déjà dans l'ambiance et, À peine entrés sur la piste on lâche nos derniers pas, Avec bien plus de style que Travolta, Pas le temps de souffler dans la foule on part en reconnaissance, Serrer c'est la seule chose à laquelle on pense...» Cyndi a fait semblant de me tendre un micro. Son visage était à quatre centimètres du mien. On s'est mis à hurler : «CES SOIRÉES-LÀ! ha-han ha-han, On drague, on branche toi-même tu sais pourquoi, Ouais ouais, Pour qu'on finisse ensemble toi et moi, c'est pour ça, Qu'on aime tous ces soirées-là!» On a enlacé nos doigts, et on a fait des vagues avec nos bras. Elle connaissait vraiment bien les paroles. Mieux que moi, même. C'est elle qui a poursuivi. Elle était déchaînée. Elle faisait des gestes de va-et-vient avec sa tête, comme un pigeon : «Jusqu'à l'aube on les aime jusqu'à l'aube baby, Dans cette soirée tout le monde dansait même le DJ, Après un tour au bar on a mis l'ambiance obligée, Nos vestes et nos chemises en l'air on faisait voltiger, Eh! faisaient les gars, Ah! faisaient les go dans la ronde, C'est là que sur elle je suis tombé, Elle est si humm, j'en suis resté bouche bée, En temps normal l'aborder j'aurais pas osé, Mais tout est permis dans CES SOIRÉES-LÀ! Ha-han, Ha-han… *All right! Wow!*» Elle a fait semblant de balancer le micro au bout du fil et de m'attraper au lasso. J'ai eu l'envie subite de la voir danser sur le comptoir : «Tu m'f'rais pas un p'tit *coyote ugly*, là, maintenant? – Un quoi? – Un *coyote ugly*, comme Piper Perabo dans le film… – T'es-tu malade! Jamais de la vie! OK, OK… Plus tard, en fin de soirée, si t'es gentil pis qu'tu m'donnes un bon pourboire. – Toujours le *cash*! Tu me ferais pas ça gratuitement, spontanément? – Y a pas l'ambiance, là, mon ti-Paul. – Comment ça, pas d'ambiance! On est en train de la faire, l'ambiance! – Plus tard. Faut qu'j'aille servir les clients. – Quels clients?» Elle m'a envoyé un *bye-bye* espiègle. Max est revenu me voir au même moment. Il avait la mâchoire qui jouait du violon. Il ressemblait au Joker dans *Batman*, tout d'un coup. Même sourire démoniaque. «Bon, on y va? – Allez, on file!» On est allés chercher les deux guidounes et on est sortis du bar en laissant nos drinks remplis sur la première tablette qu'on a vue. Ça faisait *cool*.

～

Mes *chums* avaient laissé la voiture dans une petite rue à sens unique; cinq minutes de marche. Il faisait noir, maintenant. J'ai regardé ma montre : presque vingt et une heures, déjà. «Qui conduit? – C'est moi, c'est moi.» Max était le plus éméché, mais c'était sa voiture, après tout. Un Touareg, intérieur tout cuir. «On s'en fait une maintenant, OK? Dans le stationnement des danseuses, c'est pas une bonne idée.» Bon bon bon. On commençait à délirer gentiment. Nos paroles s'emmêlaient. «Hey, on s'aimera pas demain les gars! On s'aimera pas demain… – *Who cares*! Arrête de penser à demain. *Enjoy*! – Vous allez être beaux au travail. – Le vendredi c'est cool, t'inquiète! J'vais aller m'faire un p'tit jogging sur l'heure du lunch pour éliminer les toxines.

– Moi j'appelle pu ça des toxines. Des *nuclear wastes*, oui. – T'en
as l'air, toi, d'un *nuclear waste*. – OK, Go! On n'a pas toute la
soirée! – Attends! Alex a pas fini. – Décolle, c't'un grand garçon.
– Hey! R'gardez, les gars, une belle tache d'huile dans 'rue, là-
bas… J'vais freiner d'sus. On gage-tu que mon char passe ça
comme rien avec l'anti-dérapage? – Fais pas l'con, Max. – R'gardez
ben ça.» Il s'est positionné sur la chaussée. On attendait la
catastrophe. Il a appuyé sur l'accélérateur et sur les freins. Les
pneus commençaient à sentir le brûlé. Il a juste dit : «GO!» On
a été cloués à notre siège. Le Touareg est *parti sur une flye*. On
s'est éjectés sur la droite. Avant que le système ESP prenne le
relai, on a accroché le miroir d'une vieille minoune. On est partis de l'autre bord. Le pare-chocs a enfoncé la porte d'une Golf
décapotable. Méchant bruit. On s'est immobilisés, enfin, en plein
milieu de la rue. Silence de vingt secondes. J'ai explosé : «T'es
malade ou quoi? On te l'avait dit d'pas faire ça! Osti qu't'es épais,
des fois. – *FUUUUUUUCK*! Mon Touareg, les gars!» On est
tous débarqués. On a fait le tour, comme des pros de la carrosserie.
Dégâts mineurs. Les autres voitures avaient tout pris. Max a
donné son verdict : «OK. C'est beau : j'en ai pour deux mille
piass'. *Fuck it*! On décâlisse!» On est repartis très vite. Je regardais
Max conduire, avec son cure-dent qui se promenait d'un bord à
l'autre de la bouche. Il avait les yeux plissés; y devait s'prendre
pour Schumacher. «T'es vraiment un gros nul. On aurait pu
s'tuer. – Mais non. Des vraies moumounes. C'est la vie, ça! J'peux
mourir demain dans ma douche! La peur d'avoir peur… Hein?!
J'aiiii peur! J'aiiii peur!» Il a lâché le volant et s'est mis à imiter
une petite vieille, avec les mains qui tremblotent dans le vide.
Alex a lancé : «Ta mère a-tu peur, elle? – Oui! A eu peur toute sa
vie, maman. Fais pas-ci, fais pas ça, pis qu'est-ce le monde va
penser… Y a rien d'autre, les gars, c'est *right fuckin' now*! Demain
on est morts.» Le cure-dent est reparti de l'autre côté. Il avait raison.
Je le lui ai dit, d'ailleurs : «Ouais. T'as raison. R'garde la route,
quand même. J'aimerais au moins voir le soleil se lever demain.

– Tu l'verras pas se lever. Tu vas être dans ton lit, avec une enclume sur la tête. » Greg : « J'préférerais avoir une femme sur ma queue ! – Oublie ça, ton sang s'rendra même pus là ! – *I have ze power, man.* - *The powder*, pas *the power.* » On est tous partis à rire. Alex a eu un sursaut d'énergie : « On s'en referait pas une juste avant d'arriver, quand même ? J'ai pas pu, moi, tout à l'heure, avec tes cascades à la con. Et puis c'est loin, les Amazones… – Bonne idée ! On s'arrête au dépanneur pour des Tylenol et de la Red Bull, de toute façon. – Y en a un juste là ! » Max a freiné d'un coup sec, deux roues droites du Touareg sur le trottoir. « OK. Sortez vot' *cash*. Quatre Red Bull et des Tylenol Extra Fort. J'reste avec Alex pour un *refill*. J'ai presque rien pris t'à l'heure. » Quand on est entrés dans le magasin, la caissière m'a dévisagé d'un drôle d'air. Elle avait des *piercings* partout. Narine, sourcil, lèvre… C'était vraiment dégoûtant. J'ai sorti de l'argent au guichet automatique. Il me restait deux mille huit cents dollars, environ. J'ai eu l'envie subite de tout flamber. Ça m'aurait forcé à me trouver un boulot plus vite. Et puis je me suis dit que c'était vraiment trop imprudent. Je suis revenu à la caisse avec les toniques. Les Tylenol étaient derrière le comptoir. J'en ai donc demandé à la caissière. « Lesquelles zu feux ? – Euuuh… Extra Extra Fort. Ça existe ? – *Rezular Strenff.* C'est tout c'que z'ai. On est en rupfure de stoff. Za va faire vingt-trois et cinquante. » J'comprenais à peine ce qu'elle me disait. Ça zizouillait de partout. « Peux-tu m'redire ça en enlevant ta p'tite bouboucle, là ? – Z'peux pas. » Elle m'a tendu la facture, tout en se décrottant le nez. Je croyais rêver. J'avais l'impression d'être dans *Mad Max*. Elle allait me tirer au fusil à pompe dès que j'aurais le dos tourné. Je lui ai laissé vingt-cinq dollars sans attendre la monnaie. Pendant tout ce temps, Greg avait regardé un magazine débile. *Max Men*, ou un truc du genre. Les deux andouilles dans l'auto avaient vraiment l'air très discrets, penchés pour la prière du samedi. On est repartis sur les chapeaux de roues. Vingt minutes plus tard, on serait au paradis.

~

Tristounet, quand même, le paradis. C'était glauque, cafardeux, Les Amazones, malgré les spots et la musique. Les ultraviolets nous faisaient des gueules pas possibles. En plus, on voyait toutes les pellicules sur nos vestons. Le *bouncer* nous a installés pile-poil dans l'axe du *stage* principal. Bon début de poème. On lui a donné quarante dollars. «Bonne soirée, messieurs.» Je sentais qu'on ne resterait pas longtemps. C'était plein de boutonneux à casquette qui ne savent pas boire. Les autres étaient des célibataires décrépits, pour la plupart. Les hommes mariés étaient déjà retournés à la maison, à cette heure-là. Quelques danseuses discutaient aux tables, en rapprochant l'oreille pour que les hommes sentent leur parfum et louchent sur leurs seins. Il n'y en avait que deux ou trois qui dansaient vraiment, à part celles sur les deux *stages.* Elles s'ennuyaient ferme. Sur vingt filles, il n'y en a toujours que trois ou quatre qui ont l'air dans leur élément, joyeuses, *willing.* Comme dans n'importe quel milieu de travail, au fond. Le DJ a crié dans le micro, avec une voix d'animateur de bingo : à minuit il y aurait un show de lesbiennes, avec Viviana et Sissy. Les gars étaient invités à proposer le nom d'un ami, qui pourrait éventuellement monter sur le *stage* et se faire fouetter gentiment par les dames. Il gagnerait aussi un poster de Sissy «dans une pose supersensuelle, avec une banane très bien placée». Quelques tarés ont applaudi, la cigarette au bec. L'animateur a poursuivi en disant : «Et maintenant je vous demande d'accueillir la belle Stefany! La voici! Dans un numéro à couper le souffle. Suuuuuuuuper Stefannnyyyyy!» La serveuse est venue nous voir mais elle n'a pas compris ce que je disais. Elle s'est approchée de moi, en se penchant. L'odeur de ses cheveux m'a donné une bouffée de chaleur hormonale. Elle portait des boucles d'oreilles avec un diamant tout con. Je l'aurais bien épousée, là. Elle avait une dentition parfaite, en plus. «J'vais prendre une Corona, s'il te plaît. – On n'a pas ça. Que des produits Molson. Molson Ex,

Molson Dry, Coor's, Coor's Light... – On va prendre un pichet de Molson Dry, d'abord. – Non. D'la Coor's.» Max dit noir quand je dis blanc; ç'a toujours fait partie de son jeu. Elle est repartie nonchalamment. Stefany en était presque à la fin de sa première toune, déjà, et elle n'avait rien enlevé encore. Elle faisait la *split inversée*, la tête en bas, sur son poteau. Elle est restée comme ça un bon quinze secondes. C'est beaucoup plus dur qu'il n'y paraît. Ça prend un vrai corps d'athlète pour faire ça. Je sais, c'est cliché, mon truc, mais c'est la vérité. Il y a des milliers d'Américaines qui tentent de perdre du poids avec leur poteau à la maison. Quelqu'un a eu l'idée de génie de commercialiser un poteau de danseuse pour les exercices à faire chez soi. Le concept a réveillé la supersalope endormie en bien des femmes. Elles se font installer le truc, qui démolit le plafond du salon. Et hop, c'est parti! Il y a eu beaucoup d'accidents, malheureusement. Elles s'imaginent qu'elles peuvent faire un trois cent soixante en talons aiguilles et tête renversée du premier coup, pour impressionner leur homme. Résultat, elles se fracturent la mâchoire ou le nez. Normal : elles ont les abdominaux en guimauve, des nouilles de lasagne à la place des biceps. J'ai même lu l'histoire d'une pauvre Texane qui est morte sur le coup; c'est son mari qui l'a découverte en rentrant du bureau, la nuque fracassée. Il paraît qu'elle portait un bikini vert fluo avec des bottes dorées à semelles compensées. Elle pesait deux cent cinquante livres. Le choc avait même fait un trou dans le plancher. Stefany se débrouillait vraiment bien. Les trois idiots n'arrêtaient pas de parler, au lieu d'admirer. «Hey, les mecs, regardez ça un peu, quand même.» Stefany avait les genoux dans les coudes. J'ai eu un début d'érection, malgré la coke. «Ouais, bof. – Comment ça, "bof"? Vous êtes saouls ou quoi? – Il y en a une bien mieux là-bas, au fond.» Je m'suis retourné. Ohhhh *boy*... Angelina Joly, en mieux. Elle n'arrêtait pas de nous regarder. Elle avait dû flairer l'*cash*. Il faut dire qu'ils avaient un gros signe de piastre tatoué dans l'front, mes amis. Gregory lui a fait signe de venir nous voir. Elle n'attendait que ça.

Max m'a tapé du pied. «As-tu vu ça, câlisse! C'est moi qu'y a prend!» Elle était vraiment, vraiment belle. Un canon. Elle est venue vers nous avec un petit air convenu. Ses copines l'ont regardée passer, les bras croisés, puis elles nous ont dévisagés salement. Je n'avais jamais vu des yeux comme ça. En plus, elle était plutôt bien habillée; c'est très rare. Un bikini couleur chocolat, en angora, avec des bijoux africains et des sandales romaines. Elle s'était fait un chignon, en plus. Elle avait l'air très pudique, pour une danseuse. La plupart sont très vulgaires. Notre Afro-Romaine parfaitement québécoise était autrement distinguée. Elle s'est assise sur le bord d'une chaise, les jambes bien serrées, les mains l'une dans l'autre, en nous lançant un simple «Bonsoir!» poli et chaleureux, avec un sourire un peu gêné. «Vous venez d'arriver les gars?» Faussement innocent. Je craquais complètement. «Il y a dix minutes, tout au plus. Comment t'appelles-tu? – Jennifer. – Enchanté, Jennifer. Et ton vrai prénom? – Ah, ça, c'est privé! – Allez, tu peux nous le dire, à nous! On va pas t'manger! – Et vous, vos prénoms?» J'ai fait les présentations : «Le grand au cigare, c'est Jean-Pierre, le Joker au cure-dent, Jean-Guy, le bellâtre mélancolique, Jean-Marie, et moi, le plus laid, mais celui qui a tout l'*cash*, c'est Jean-Valjean. – Comme chez Hugo, hein? Et tous des Jean... OK, je m'appelle Jade. Vous êtes contents? – Très. Gregory, Max, Alex et Raphaël. Tu lis Hugo ou t'es allée à la comédie musicale, comme tous les moutons du Québec? – Je le lis. Mais c'est pas mon préféré. – Laisse-moi deviner... Camus! – Non. – Marie Laberge! – Jamais de la vie. – Ducharme! – Comment t'as fait? – Wow, je capote! *L'Hiver de force*, j'espère? – Évidemment. – T'es-tu pour vrai? Je peux te pincer le petit doigt, pour voir? – Vas-y... – Bon. Une danseuse *class*, qui ressemble à Angelina Joly en mieux, qui s'habille bien, et qui lit Ducharme… Ça n'existe que dans les livres, ça. Tu sors d'où?» Ses yeux pétillaient; elle était fière. Elle a levé les mains jusqu'aux épaules, paumes vers le haut, en regardant le plafond. «De l'océantume, comme tout le monde! – Sérieusement. –

D'une mère cyclothymique et d'un père alcoolique ; le modèle typique dans notre littérature. Au moins, ça fait du bien de lire quelque part que je ne suis pas la seule naufragée. Un peu décalée, quand même. Les archétypes changent ; heureusement ! – Et qu'est-ce que tu fais ici ? – Je planifie ma retraite. – Avec les *Hell's* ? – Avec ma petite fille. Mon ange. Vous voulez la voir ? – Tu la traînes avec toi ? – Mais non ! J'ai une photographie dans mon porte-monnaie. » Elle a sorti la photo. On l'a regardée, chacun notre tour, pendant que Jade nous observait. « Très belle. Magnifique ! Elle te ressemble. » Elle était beaucoup moins jolie que sa maman, mais il est des vérités qu'on ne peut tout simplement pas dire, surtout à une mère. Le père devait être une brute droguée. Moment de silence entre nous. On n'avait plus du tout envie de la faire danser, maintenant. Elle m'a regardé avec sa face comme un grand soleil de juillet. « Tu viens ? – Euuuhhhh. OK. On va où ? » Je l'ai suivie, avec l'air d'un morveux qui va se faire gronder. J'ai entendu Max me lancer un « *Fuck you*, Laliberté ! ». Je lui ai balancé un signe du majeur, sans me retourner. Elle avait une chute de reins parfaite, avec un papillon multicolore à droite, juste au-dessus de la ligne du bikini. Sa peau était naturellement hâlée. Elle portait Cabotine, un de mes parfums préférés, en plus. C'était un peu surréaliste. On est passés du côté des salons VIP. Cent dollars l'heure, deux cents dollars pour une bouteille de champagne. Je ne disais rien. Elle a déposé ses affaires sur la banquette du salon privé. J'avais les mains moites et froides ; mon cœur allait me lâcher, je le sentais. J'aurais dû refaire une ligne. Elle a fermé le rideau. J'ai demandé ce qui jouait. « Aucune idée ! On attend la prochaine ? – Très bien. Très très bien. C'est *cool*. » Elle s'est assise et n'a plus rien dit. Elle voyait mon trouble, c'était évident. Mais qu'est-ce qu'elle attendait pour me *shooter* un truc, n'importe quoi ! J'avais le cerveau en jello. Je lui ai sorti la phrase la plus conne qui soit, complètement nulle : « Tu es beaucoup trop belle et intelligente pour être ici. » Elle a croisé les jambes, posé son coude sur le genou et refermé sa main sous son

menton. Ses yeux étaient durs, tout d'un coup. Demi-compliment,
demi-réponse : «La vie est compliquée. C'est un moyen rapide
de s'en sortir. Si on a les nerfs qu'il faut. – Oui, bien sûr.» J'aurais
aimé connaître sa vie. L'aider à s'en sortir, comme un gros con.
En tout homme sommeille le fantasme du mec qui sort une fille
de mauvaise de vie de sa condition *miséreuse*. Elle n'était peut-
être pas miséreuse du tout, sa vie. Même si elle ne devait pas trop
avoir le goût de pointer à l'entrée, trois ou quatre soirs par
semaine. Je me souviens d'une entrevue à la télé avec une nouvelle
star de la porno aux États-Unis, une Roumaine ou une Hongroise,
je ne sais plus. Simple et jolie. Elle disait qu'elle avait eu une
conversation avec sa grand-mère, là-bas, dans son pays. Celle-ci
lui avait dit : «Vas-y, ma fille, tu fais bien. Profites-en et reste
libre. Moi j'ai passé ma vie avec des barbares, à torcher tout le
monde et à me faire prendre quand j'en avais pas envie. Tout ça
pour quoi? Pour crever de faim et d'ennui. Fais le plus d'argent
que tu peux, et aie du plaisir.» La jeune actrice avait l'air d'être
d'accord. Qui ne le serait pas? Nouvelle chanson. «Je commence
par quoi? – Par le haut, s'il te plaît.» Elle n'a rien enlevé tout de
suite. Elle s'est d'abord laissé prendre par le *beat*. Elle a mis une
jambe entre mes cuisses et s'est appuyée contre le dossier de ma
banquette. Son cou était à un centimètre de ma bouche, de mon
nez. Elle respirait dans mon oreille. Elle s'est reculée un tout petit
peu pour retirer le haut, tranquillement. Ses seins étaient fermes,
petits, avec un léger baume pailleté or qui lui donnait l'air de suer
légèrement. Elle respirait fort. Elle avait l'art; pour ça, elle avait
l'art. Mon missile *Poséidon* allait me péter à la figure. Il fallait que
je pense à autre chose. Un truc qui débande. Ça m'est venu tout
seul : «T'as une formation en lettres? – Au cégep. Je ne suis
jamais allée à l'université. J'aurais bien aimé, je pense. C'est un
de mes grands regrets. Et toi? – J'étais prof de littérature française,
avant. J'ai tout lâché. – Pourquoi? – Pour ne pas virer fou, j'imagine.
Mais tu devrais continuer, toi. – Je lis pour mon plaisir, c'est tout.
J'écris mon journal, aussi. – Ah ouin, super!» Ouf, ça allait

mieux. J'avais chaud, maintenant. La première chanson était terminée ; je me suis promis de stopper Jade à la fin de la deuxième. Elle s'est assise, dos à moi, en se collant sur ma poitrine, jambes écartées. Mon missile s'est remis en position de tir aussi sec. Elle a collé sa joue contre la mienne, en étirant ses bras vers l'arrière, et s'est mise à me jouer dans les cheveux. Elle n'avait pas le droit. Sérieusement. C'étaient des danses sans contact, aux Amazones. Un gorille allait débarquer et me sortir du VIP par le collet de chemise, c'était clair. « T'es sûre de ce que tu fais, là ? – Quoi ? – Me toucher, comme ça ? – Chut ! » Ses fesses effleuraient mon gland. J'allais vraiment exploser, si ça continuait. Heureusement, elle s'est relevée. Pour enlever le bas. Elle est revenue sur moi, un genou de chaque côté de mes jambes. Ses lèvres se sont gonflées. Elle a détaché ses cheveux, puis elle a recommencé son petit numéro, en s'appuyant sur la banquette. J'ai ramené mes avant-bras sur mes cuisses ; je ne pouvais plus résister. Elle a laissé glisser ses genoux ; ses jambes touchaient mes mains. Elle remontait, puis redescendait. Remontait, puis redescendait... Elle respirait de plus en plus fort. Moi aussi. J'allais éjaculer, c'était plus fort que moi ; elle était trop chaude, trop belle... Nouveau contact. Elle a posé sa joue sur la mienne, une fois de plus. Mon *Poséidon* s'est envolé. J'ai déchargé dans mon slip. Les Français disent : « Balancer la purée. » Mes disjoncteurs précambriens ont sauté. J'ai touché le vide, pendant au moins dix secondes. Jade m'a regardé avec un sourire tendre. « Déjà ? – Excuse-moi. Je n'ai jamais vu une fille comme toi, même dans mes rêves. J'te paye pour cinq danses, ça vaut au moins ça. – T'es sûr ? – Absolument. » Elle avait l'air un peu déçue. Elle a remis son bikini très lentement. J'ai cru qu'elle était déçue du *tip* : « C'est pas assez ? – Non… Oui. Pour l'argent, j'veux dire… Je commençais à aimer ça, ce qu'on éprouvait, là. C'est très rare. – Je n'avais jamais vécu ça dans un bar de danseuses. J'suis un peu gêné. T'as pas des kleenex ? – Tiens. Bon, j'te laisse à tes amis. Je ne retournerai pas à votre table. J'préfère pas. J'te donne mon numéro. Si tu veux me revoir, un jour, appelle-moi, OK ? Mais ne tarde pas trop parce que j'me cherche un *chum* ! – OK. Je t'appelle, promis. » Elle m'a embrassé sur le front, puis s'est éloignée à reculons, en me faisant un tout petit *bye-bye* de sa main, qu'elle a gardée collée sur son ventre. « Tu lis quoi en ce moment, Jade ? – Pirsig. *Traité du zen et de l'entretien des motocyclettes.* J'essaie de faire les choses avec Qualité, peu importe ce que c'est ! – Vive Pirsig, vive Pirsig... » Elle a disparu. Je suis resté là, comme un paumé, pendant quelques minutes. Ça collait dans mon short. J'ai repensé à sa peau, à son odeur, à ses seins. J'aurais pu rester comme ça pendant des heures, en fait. Je devais aller rejoindre les autres. Le bar m'est apparu encore plus sinistre qu'à notre arrivée. Gregory faisait danser une fille à notre table ; elle était habillée en collégienne. J'ai eu droit à un gros sourire du Joker. « Pis ? Est où ? – Elle doit se préparer pour son show. – *Fuck* ! Est comment ? Plate, j'te gage. – J'suis en amour, j'pense. – *Ya right !* T'es en manque, oui. – Non, je ne suis plus en manque. – Hein ? – J'ai éjaculé. – Osti qu't'es con ! Tu fais jamais ça, toton ! Après ça la fille te respecte pus. – J'm'en câlisse. » Je ne savais pas si je devais tout lui dire. Pour le rendre jaloux, peut-être... « OK les gars ! on bouge. J'dois m'en refaire une, si vous comprenez c'que j'veux dire. » Greg : « Tu vois pas que je suis occupé, là ? – J'vous r'vois dehors. » Max : « Attends-moi, Laliberté ! »

~

Il voulait tout savoir. « Qu'est-ce qu'a t'a fait ? – Rien. Tout. Elle m'a collé. – Tu m'niaises… – Non. Elle est vraiment *hot*. Sur toute la ligne. J'ai son numéro. – Hein ? – J'ai son numéro. Elle veut que je l'appelle. – *Fuck you !* » Il m'a poussé. Je jubilais. Il a pété son cure-dent, en plus. Il y avait une bande d'Asiatiques près du Touareg. Ils avaient l'air complètement *stone*. Je n'aimais pas trop ça. Max avait un peu de frustration à évacuer. « Qu'y en ait

un qui s'essaye, l'osti, j'y tabarnak' mon poing s'a gueule! –
Calme-toi, Max. – Hey, Bruce Lee! Ôte-toi de d'là! Va manger
des *egg rolls*! – Max, j'ai pas l'goût d'aller à l'hôpital. – Laisse-moi
faire! OK les Ping-Pong, faites du vent!» Il y en a un qui lui a
répondu, avec l'accent québécois. Un truc du genre : «Calme tes
globules, le gros cave.» C'est toujours curieux, un Asiatique avec
notre accent. On dirait qu'il s'est trompé de disque. Il fallait que
j'intervienne : «Bon bon, les gars, on va être raisonnables. Excu-
sez mon ami, il est un peu tendu. Y a pas eu son nanane.» Max
m'a envoyé un *finger*. J'ai sorti un vingt et je le leur ai donné.
«Tenez, pour votre premier pichet. *Have fun*!» J'ai poussé mon
deux de pique de Max dans l'auto. Il faisait semblant de parler en
chinois, avec des grimaces pas possibles. «OK. Concentre-toi sur
Papa Noël. T'es dû.» La gang s'est éloignée, enfin. On a sorti chacun notre mini *zip-bag*. – «On va s'détendre, là. J'ai l'goût d'danser. On va danser, hein? – Tu me poses c'te question encore une
fois pis j'te botte le cul pour que tu r'voles jusqu'au *Studio 54* à
New York, OK? – Au *Electric* ça va aller. Tu sais que j't'aime
quand même? – Oui, mais t'étais loin en osti, à Rimouski. On a
failli s'perdre de vue, non? – Non non non. Impossible. – Tout
est possible. Mais là on est ben. Ferme ta gueule pis *enjoy*!» Les
deux autres arrivaient. La coke est toujours plus forte que le
sexe. Gregory s'avançait comme s'il jouait dans un film de Scor-
sese, avec un *bat* de baseball dans le dos. Il a accéléré le pas et a
fait signe à Max de baisser sa vitre. «Qu'est-ce qu'y a? – Putain
les mecs vous êtes cinglés? Y a les flics à deux cent mètres, là.»
Merde! Ils étaient de l'autre côté du stationnement, chez IGA.
«OK OK OK. Embarquez. On bouge! – Mollo, Max, mollo. – On
va où? Y'est juste onze heures. Y aura pas un chat dans les bars.
– On va au *Club*. – T'as faim, toi? – Non, mais on peut s'prendre
une bonne bouteille, tout en regardant les mannequins. - Qu'est-ce
t'en penses, Alex? - Ouais, pas mal. J'suis partant. – *Let's go*!»

~

On a pris par Saint-Jacques et le Vieux-Montréal. Mort, comme d'habitude. Il y avait bien quelques restaurants et bars à vin, ici ou là, mais ça ne lève jamais vraiment. C'est à la fois beau et un peu sinistre, le Vieux-Montréal. On a remonté Saint-Laurent. Sur la droite, il y avait deux Porsche, une Ferrari et trois Hummer. C'était bien notre destination. Le voiturier nous a dévisagés avec dédain; ce n'était pas un petit Touareg de merde qui pouvait l'impressionner. Puis l'accueillante cueilleuse de clients nous a proposé de prendre un verre au bar, en attendant. Max a prétendu qu'on avait une réservation, ce qui était évidemment faux. « Sous quel nom? – Allen. Allen Key. » La fille a vérifié toute sa liste, sans même comprendre. « Désolée! Je n'ai rien sous ce nom... – T'es pas vite vite, toi, hein? Combien de temps, l'attente? – Entre une demi-heure et une heure.» Bon bon bon. Max se dirigeait déjà vers le fond, sans nous consulter. « V'nez-vous-en! – Tu veux pas qu'on réfléchisse un peu, non? – De l'action, mon homme, de l'action!» Tout le monde nous regardait. C'était le Catwalk des *ultimate* péteurs de broue, le tapis roulant de la *bullshit* totale. On a dû tasser des complets-cravates au bar. Il y avait quatre *barmaids*. Elles faisaient toutes six pieds. À les regarder de profil, on pouvait penser qu'elles mangeaient une feuille de laitue par jour, tout au plus. La blonde s'est approchée et nous a dévisagés, sans un bonsoir. Max, toujours : « *Hello! You speak Spanglish? – What?*» Aucun sourire. « *No? OK, a nice wine, please.*» Elle nous a tendu une carte des vins qui devait bien faire trois pieds de haut, quatre pieds de large. « Avez-vous une loupe avec ça?» Sourire forcé. « On me l'a déjà faite, celle-là. Je reviens dans trois minutes.» Je n'ai pu m'empêcher de penser : «Vas-y, future-ex-super-*top-down-the-drain*, vas-y, fous-toi d'nous. Va servir ton *Million Dollar Lawyer*; y est à veille de se consumer sur place, tellement y est *hot*. Prépare ton extincteur. Envoie-lui une p'tite *shot* dans' gueule, tant qu'à y être; ça va le rafraîchir.» Je n'avais

vraiment pas envie d'être là. Max, lui, s'en foutait. Je lui demandé ce qu'on prenait à boire. « Un p'tit Cos d'Estournel 2000 ? – Combien ? – Deux cents. – Un peu cher, non ? – Cinquante chacun, c'est quoi ton problème ? » Gregory et Alex étaient déjà partis aux toilettes. Je me suis mis à regarder dans la salle. Il n'y avait absolument personne de connu. Ou plutôt si : une « serveuse », aux tables du fond, dont j'avais vu le visage sur une grande pub, au centre-ville. Bof. La blonde ne revenait pas. Max commençait à s'impatienter. « Qu'est-ce qu'a fait tabarnak ? Est en train d'moudre le raisin ? – Du calme, du calme. J'ai pas envie d'un scandale ici. Et on ne dit pas *moudre* le raisin, mais bien *presser* le raisin. – M'a't'presser la face mon osti. Tu veux savoir combien tu pèses pas d'dents ? – Ah ah ah. Je la connaissais, celle-là. » Il s'est mis les mains en entonnoir, pour crier à la blonde à l'autre bout du bar : « Cos d'Estournel 2000 ! Avec des grands verres ! » Puis, plus bas : « Crisse de conne… » Je ne pouvais que lui donner raison. Tout le monde, ici, se payait du luxe *cheap*. De la gastronomie chromée. Des vêtements chromés. Des filles chromées. J'étais dû pour une ligne ; je commençais à déprimer. Quand je suis revenu au bar, mes trois *play-boys* sirotaient le *Saint-Estèphe*, l'air absent. Qu'est-ce qu'on foutait ici, franchement ? J'ai pris une gorgée. Pas mal, même si j'avais les papilles défoncées. Gregory nous a regardés : « C'est plate en *calice*, ici. » Il prononçait « câlisse » avec son accent parisien, sans circonflexion du « a ». Max : « T'as ben raison, mon bouffeur de baguettes ! On *scram* !
– Qui paye ? – Personne. » On s'est dirigés vers la sortie, l'air de rien. J'ai dit à la placeuse : « On va fumer un cigare dehors. » On a fugué vers le nord. « Max, ils ont ton ticket de parking, crétin !
– On s'en fout. On verra ça plus tard. » Alex était blanc-vert. « Toi, tu me suis dans la ruelle. Mon'onc' Max va te r'charger les batteries. » Il a imité Brando : « Je vais te faire une proposition que tu ne pourras pas refuser… – Euh… nous aussi, là, Corleone. »

~

On a marché jusqu'au Gogo, ensuite. Il y avait une queue pas possible. On est allés voir le *bouncer* directement. Une espèce de Louis Cyr, mais noir. Avec un afro. «Salut. Est-ce que Eduardo est là? – C'est pourquoi, les gars? – On aimerait passer. Il nous connaît bien, depuis le temps du Tokyo. – Attendez là un peu. – Ah! *Come on*! Y commence à mouiller, là! Notre ami va aller s'coucher, si on attend. Va chercher Eduardo, j'te jure qu'on l'connaît.» Il avait l'air blasé, le videur. «OK. C'est beau. Entrez.» C'était un vrai sauna, là-d'dans. Tout le monde était collé sur tout le monde. J'aime ça. En temps normal, je suis agoraphobe. Au marché, par exemple. Mais quand je sais que je vais pouvoir danser, c'est comme si ma phobie s'envolait, très très haut. J'aimais bien l'ambiance au Gogo. Rétro-kétaine-chic, dans les tons de blanc et rouge, avec un long bar sur le mur de gauche, quelques banquettes, des chaises en forme de main immense, paume ouverte, et une piste de danse minuscule, qui force à monter sur les tables, quand la soirée est vraiment *pognée*. Du beau monde, en plus. Pas trop bobo, pas trop grano, juste assez dans le coup. Un peu trop d'Anglais, des fois, mais bon, ils sont partout – sauf dans l'est. On n'y peut rien. Le meilleur truc, c'est de les ignorer. Comme ça, ils ajoutent une touche exotique, sans que ça prenne trop la tête. Il y avait une fille pour trois hommes, environ. Ç'aurait pu être pire. Eduardo était dans le fond, à gauche, assis à la seule table un peu surélevée, avec ses potes et des belles filles multiculturelles trilingues, du style père portugais et mère hollandaise. Des erreurs de la nature, dans le bon sens du terme. De purs produits de la diversité biosexuelle. Ça ne sert qu'à ça, le sexe, au fond : générer de la diversité. Une reproduction asexuée, comme chez les amibes, est bien plus efficace. Mais c'est un peu con, une amibe, même au bout de quelques centaines de millions d'années. Et puis je préfère parler à des filles plutôt qu'à des amibes. La musique avait changé, au Gogo. Au début, c'était plutôt *lounge hip-hop*. Maintenant, ils y allaient à fond dans le disco et les décennies 1980-1990. Il faut reconnaître, quand même, que c'est beaucoup plus tripant pour danser, toutes ces mélodies vieux jeu. On s'est frayé un chemin difficilement jusqu'au bout du bar. Eduardo nous a fait un grand signe de la main, du fond de son repaire. On a levé notre pouce, sans trop savoir pourquoi. En signe d'amitié, j'imagine, et pour dire que c'était *top*, comme soirée. On irait le voir tout à l'heure. On a commandé des Shark Attack, histoire de se réveiller un peu : six doses de vodka, trois doses de citronnade, deux traits de grenadine. Le DJ a mis *Billy Jean*. Ça criait sur le plancher. Plein de bras en l'air. J'ai remarqué deux ou trois filles canon ; elles étaient en train de danser. Je crois bien qu'elles nous avaient repérés aussi. J'ai fait signe aux autres de me suivre. On avançait péniblement, avec notre drink collé sur la poitrine. Il y avait toutes sortes de parfums. Les tendances, alors, étaient aux notes d'agrumes et de thé vert. C'est un peu écœurant, à la longue. J'ai reconnu Shalimar de Guerlain, tout de même. Note de fond : iris et encens ; note de cœur : jasmin, rose de mai, vanille, fève de tonka ; note de tête : citron, bergamote. C'était une belle blonde qui le portait. Ça n'allait pas avec son look, trop sec. Elle m'a souri. Je lui ai rendu la politesse. Ses seins ont ensuite frôlé mon dos. *This was paradise.* On est arrivés tant bien que mal, sur le *beat* de Michael Jackson, à une sorte de petit trou dans la masse des nightclubeurs, cette communauté de gens qui veulent vivre l'instant, en se disant que c'est peut-être la dernière fête. J'adore cette ambiance, même si je vieillis et que je m'y sens de moins en moins à ma place. Tout le monde vibre, s'éclate, profite de ce qui passe. Évidemment, si tu es complètement moche, la perspective change un peu. Il faut savoir choisir son terrain. J'aurais bien dansé avec Jade. Les trois filles nous ont accueillis en faisant semblant de nous ignorer. Normal. Il n'y en avait que deux de vraiment pétard. La troisième était un peu bouboule, mal dans sa peau ; ça ne pardonne pas. Max m'a fait signe que la plus belle était pour lui. Mais oui, mais oui... Enlève ton cure-dent, pour commencer. On a fait chin-chin. C'est un peu suret, un Shark Attack. Au moins, c'est bon pour le foie, tout ce citron. Il faisait chaud, très chaud. Les peaux qui transpirent, les odeurs d'humains tout pomponnés qui se mélangent, les effluves d'alcool, la *base* qui te traverse le corps, l'attente du prochain *hit*, la coke qui te fait planer, les filles qui s'offrent au regard, je ne vois pas ce qu'il y a de mieux sur terre. J'ai crié : « Allez, DJ ! Sauve mon âme avec une chanson ! » Il a mis *Tainted Love*. *Cool*. Le vidéoclip est archinul, mais la *biune* marche à tout coup. La brune que Max convoitait était superbe. Malheureusement pour lui, elle me collait, moi. Elle portait un pantalon à taille basse et jambes évasées, et un cache-cœur assorti, qui laissait voir sa chute de reins et un tout petit bout de son ventre. L'ensemble était en soie noire. Collier et bracelet en perles grises de Tahiti. Elle devait revenir d'une soirée chic. Je n'arrivais pas à deviner la marque de son parfum. Ça ressemblait un peu à Joy, avec ses notes de jasmin et de rose intenses, inoubliables. « Le parfum le plus cher du monde. » Elle devait avoir vingt-sept, vingt-huit ans tout au plus. J'ai regardé sa montre – je m'y connais en montres, c'est un univers fascinant. Une Patek Philippe Gondolo Gemma. Ça valait plus de trente mille dollars. Mais qu'est-ce qu'elle foutait là, cette fille ? Elle m'effleurait, gentiment. Je lui ai pris les hanches, gentiment aussi. Elle a mis ses mains sur les miennes. Sa peau était douce. Max voulait me tuer. Décidément, ce n'était pas sa soirée. Je lui ai envoyé un bisou, et un large sourire, pour le détendre un peu. Il a voulu s'asseoir sur une grosse main en plastique et a mal calculé son angle. On ne l'a plus vu, d'un seul coup. Il était par terre, les quatre fers en l'air. On est tous partis à rire, comme des imbéciles. Il y en avait un qui ne trouvait pas ça drôle du tout. La brune s'est précipitée sur lui pour l'aider à se relever. Il était tout sourire, maintenant. Les femmes font toujours ça, dans les premiers moments de drague : elles vont vers ton ami, pour accroître ta volonté. Comme ça, elles testent ton désir. Elles sont très sadiques, au fond. Ils se sont mis à se parler, tous les deux. Je me suis allumé une cigarette, histoire de garder la tête froide. Alex m'a pris le paquet. Je lui ai demandé, en hurlant, s'il voulait un autre drink. «OK, mais pas cette merde! – J'ai un bon p'tit cocktail pour toi!» On s'est dirigés vers le bar. Je serais bien allé sniffer un peu, mais je préférais attendre. J'ai commandé deux Velvet Hammer, pour rester dans la vodka, avec crème de cacao noir, crème et lait. Ça tapisse l'estomac. Alex a fait une grimace. Bon, ce n'était pas très heureux, mon choix. Il m'a demandé si je comptais rester encore longtemps. Il filait un mauvais coton, mon Alex. Je ne comprenais pas. Il avait un bon boulot, une belle gueule, il était encore jeune… Où était le problème? Il était tout simplement perdu, comme moi. Des fois je me demande, très sérieusement, si on ne devrait pas tous devenir des Hare Krishnas, avec le doigt dans le sac et tout. C'était *Addicted to Love* qui jouait, maintenant. Génial. On est retournés vers les deux autres bozos, en imitant les filles du vidéoclip. Gregory pointait vers nous, la bouche de travers, en chantant les paroles. «*Might as well face it, you're addicted to love.*» J'ai fait comme lui. On s'est collé le pif, presque. Puis on a sauté pour entamer le riff. J'observais la brune ultrariche, l'air de rien. Elle faisait semblant d'être en grande conversation avec Max, sans jamais me perdre de vue. C'était bon signe. Tout à coup elle a quitté le plancher. Il ne fallait pas qu'elle s'en aille tout de suite, tabarnak! C'est très angoissant, perdre de vue une touche dans un bar. Comme si on allait mordre la poussière, ne plus avoir de but jusqu'à la fermeture. Je suis allé voir Max. «Alors? Elle fait quoi dans la vie? – Elle fait rien. Est d'la famille Kreg. – Les pâtes et papiers? – Deux virgule cinq milliards de chiffre d'affaires. – A s'est perdue en chemin ou quoi? – C'est l'anniversaire de sa copine. Elles ont entendu dire que le Gogo c'était bien, comme ambiance. – OoooooooKé! J'ai aucune chance, comme ça. – T'es même pas dans *game*. C'est moi qu'a veut. - *Ya right*! On gage-tu que c'est à moi qu'elle le donne, son numéro de téléphone? – T'en as déjà un, numéro.

Jade t'attend! Moi j'garde Margaux. – Elle s'appelle Margaux? Comme la fille d'Hemingway? – Tu lui parles pas ou j't'assomme!» Margaux est revenue en riant chaque fois qu'elle se faisait bousculer. Elle avait un petit nez en trompette, comme la serveuse à Toronto. Coupe de cheveux au carré, classique. Elle m'est apparue très séduisante; pas autant que Jade, mais ça, c'était impossible. Elle a balayé l'air devant son visage et a gonflé les joues pour signifier qu'elle avait chaud. Son front perlait un peu, en effet. C'était très beau. Elle m'a demandé une cigarette. *La sécrétion de testostérone, qui engendre l'excitation sexuelle, est elle-même fortement dépendante de la dopamine. Ce neurotransmetteur active le circuit de la récompense, une série de neurones prenant naissance au plus profond du cerveau et mobilisée par tous les besoins nécessaires à la survie de l'individu et de l'espèce. Quand le taux de dopamine est élevé, on a davantage envie de tout...* notamment *de faire l'amour.* J'ai lu ça dans *Tonique,* je ne sais plus quand. J'ai appris le texte par cœur. Rien de bien original, mais bon, ceci explique cela, à ce qu'on dit. Je n'aime pas *Tonique,* au fond. Tout le monde est gentil et extraordinaire, dans ce magazine. Du publireportage de bord en bord. Mais c'est le seul magazine du genre au Québec. Il faut le faire, non? C'est à l'image de notre «nation», ni plus ni moins : un beau *packaging* de mots et d'images gentilles, une barbe à papa de pensée positive et pacifiste, totalement creuse. Un modèle du genre. *Anyway*: ma zone de récompense était excitée, ça, c'était sûr. Margaux parlait avec ses copines. Elle a pris un verre glacé et se l'est collé sur la tempe. Je voyais le creux de ses reins; la sueur faisait reluire sa peau. Pas de tatouage, évidemment. Max a tenté une nouvelle approche. Elle l'a accueilli en lui tendant son verre. Il jubilait. *Qui désire-t-on?* demande *Tonique. Des expériences de laboratoire ont mis en évidence divers facteurs biologiques intervenant dans le choix d'un partenaire, tels que les phéromones, des hormones imperceptiblement odorantes. Diverses études ont révélé,* comme le rapporte Valérie, la journaliste, *que les femmes craqueraient pour des*

hommes fleurant bon l'androstérone, témoin de la virilité. Avais-je
oublié de m'en mettre avant la soirée ? Je m'imagine bien dans le
locker après une partie de tennis : «Greg, passe-moi donc Androstérone pour homme. Je sens que je vais en avoir besoin ce soir.»
Max avait peut-être juste la bonne dose de phéromones dans le
sang. Elles baignaient dans l'alcool, en tout cas ; ça les détendait.
Alex m'a fait signe qu'il s'en allait. Je n'ai rien fait pour le retenir.
J'ai simplement mimé un mec sur son cellulaire. Alex a levé le
pouce. *Ciao.* Une serveuse est passée avec son plateau en l'air,
comme la statue de la Liberté. J'ai commandé des *shooters.* Des
orgasmes. Un peu vulgaire comme nom, mais très doux : tequila,
Bailey's, crème de menthe. Ça descend tout seul et ça fait digérer.
En plus, ça donne un sentiment d'appartenance à tous ceux qui
boivent la même chose en même temps ; le principe même du
shooter. J'en ai commandé quatorze, en comptant la serveuse. Ça
en faisait deux pour chacun. Gregory s'pouvait pus : il dansait
comme un déchaîné sur *Enola Gay,* d'OMD (Orchestral Manou-
vers in The Dark – magnifique comme nom de groupe, juste un
peu trop *preppy* années 1980, comme Spandau Ballet). Les gens
s'éclataient franchement. J'avais la tête qui me tournait. J'aurais
bien aimé voler au ras du plafond ; voir tous ces gens dans la fête,
les filmer, pour qu'ils se repassent ça sur leur lit de mort. Je leur
aurais dit : «Voilà, quand vous étiez heureux, insouciants, sur la
bonne *vibe,* dans la zone. Vous avez bien fait. Comme vous avez
bien fait. Vous allez mourir. Que regrettez-vous ? De ne pas avoir
assez aimé vos proches, de ne pas être allé au bout de votre passion, de ne pas avoir assez profité de la vie. C'est tout. Il n'y a rien
d'autre. Souvenez-vous de votre soirée au Gogo : la vie, ça ne
devrait être que ça. Maintenant, il est trop tard.» J'avais l'impression de léviter, mais la tête en bas. Une ligne ne m'aurait pas fait
de tort. Il fallait que j'attende l'orgasmotron collectif. Ah ! Voilà
les *shooters!* Elle était belle, ma serveuse. Décidément… Combien ?
«Cinquante-six dollars.» Elle m'a dit ça dans le creux de l'oreille.
Je n'ai pas bien entendu. Recommence. Encore. Distribution des

bonbons. Margaux regardait ses copines, un peu étonnées. Agréablement étonnées. J'ai passé un bras autour du cou de ma serveuse de la liberté, histoire de voir la réaction de Margaux. Elle est restée figée une seconde et quart. Merveilleux. *Let's drink to that.* On a crié tous ensemble. Les *shooters* s'entrechoquaient. Cul sec. On a fait la grimace, juste pour le plaisir. J'ai tracé un cercle avec mon index au-dessus de la deuxième tournée. Les filles ont fait « non » de la main. On leur a quand même donné un orgasme chacun, façon de parler. Double grimace. Ahhhh. Ça descendait comme un petit feu de camping dans l'œsophage, avec de la guimauve grillée. U2, *New Year's Day*. Bingo! Je ne sais pas ce qui m'a pris : je suis monté sur la banquette. J'avais envie de faire sauter le bouchon, je voulais que tout le monde danse comme si c'était la dernière fois. D'autres ont fait comme moi, sur les tables, les chaises. Guitare de The Edge, envoûtée. Bono qui décolle lentement. « *All is quiet on New Year's Day, A world in white gets underway, And I want to be with you be with you night and day...*» Même Eduardo s'était mis debout. Il était deux heures du matin, et tout allait très bien.

~

On a plané jusqu'à deux heures trente, deux heures quarante-cinq. Margaux m'a surtout collé moi, le reste du temps. Elle ne nous a pas donné son numéro de téléphone. Je l'ai dit à Max, à la sortie du bar : « Elle ne me l'a pas donné, son crisse de numéro! T'es content? » Ce que je ne lui ai pas dit, alors, c'est qu'elle m'avait donné rendez-vous au Café Méliès, trois semaines plus tard. Ça ne pouvait pas être avant parce qu'elle partait en voyage avec sa famille, à Saint-Barth ou un truc comme ça. Je n'avais pas vraiment l'intention d'y aller, au Méliès. Elle me plaisait, sans plus. J'aurais bien aimé danser un slow avec elle, avant la fermeture. Elle est partie en coup de vent, avec ses deux copines, dix minutes avant la fin. Petits bisous. *Bye!* On s'est rendus à un rave, Max, Greg et moi. On était beaucoup trop *high* pour aller se coucher. Mais c'est toujours la même chose, avec les *raveurs* : ils sont tous sur l'ecstasy, perdus dans leur bulle émotionnelle-*cool*. Personne ne regarde personne. Il n'y a pas d'alcool. L'enfer. On s'est retrouvés au *Green Spoon*, rue Notre-Dame, pour engloutir quelques hot dogs vapeur et des frites bien grasses. On était assis au comptoir. Les *cooks* nous regardaient, blasés, les yeux hagards, perdus dans leur vie de merde. Il y a un *McDo* juste en face, maintenant. Qu'est-ce qu'ils ont dû perdre comme clients ! Mais la vie continue. Il faut bien travailler. Poursuivre la route, trouver un sens, blablabla. Enfin, j'imagine. De vieux morceaux de tarte agonisaient dans la vitrine réfrigérée. Le téléphone a sonné : un client voulait qu'on lui livre deux hot dogs remplis de frites, avec sauce à spaghetti extra. La gérante avait l'air vraiment contente. Elle a répété la commande, très fort, en se grattant le coude. Max et Gregory ne parlaient plus. On avait épuisé notre coke. Il fallait revenir à la réalité. Le *Green Spoon* est toujours un bon remède. Une sorte de répétition théâtrale de l'absurde, en mode mineur.

Chapitre 6 – Terre des Arts

L'art est long, la vie est courte.

Hippocrate

Le samedi suivant ma virée en boîte, ma grand-mère était chez une de ses amies pour la journée. Elles jouaient au bridge en mangeant des petits sablés et tout. Pourquoi pas. J'ai parcouru les journaux du week-end, surtout pour voir s'il n'y avait pas un poste intéressant quelque part. Dans le *Journal de Montréal*, on annonçait les derniers jours d'une vedette de « chez nous », Jean Johnston, *JJ* pour les intimes. Une folle notoire, un peu comme Michou en France, en plus kétaine (si c'est possible). Plus il vieillissait, plus il était bronzé. Il vivait au centre-ville avec son chihuahua ; je le voyais souvent, à l'époque où j'habitais rue Sainte-Famille. Les matantes joueuses de bingo l'aimaient beaucoup, *JJ* – allez savoir pourquoi. Il représentait sans doute leur potentiel de croissance existentielle inassouvi. Le journal indiquait, sous la photo prise à l'hôpital : « Ses paramètres biologiques sont grandement compromis. » Tant qu'à moi, ils étaient compromis depuis un bon bout de temps. C'est curieux, cette évacuation de la mort dans notre société. « Y est en train d'crever, *fuck!*» Je me suis dit ça, tout haut. Le journal en question aurait pu y aller d'un truc encore plus langue de bois, du style : «Son flux d'énergie vitale connaît un certain ralentissement dû à un léger accroissement de cellules un peu méchantes.» Il avait des tubes tout partout – sauf dans l'anus, pour une fois. Il faisait pitié à voir, quand même. J'ai découpé la photo et je l'ai épinglée sur mon babillard, à côté de la liste des matières recyclables. J'arriverais peut-être à écrire un poème sur tout ça, un jour. Je ne ridiculise pas du tout la mort ; elle m'habite constamment. J'irais bien voir mes grands-parents au ciel, pour une journée ou deux. Ils ont peut-être une réponse, maintenant qu'ils sont libres. Souvent, je pense au tunnel de fin de vie. On se détache de son enveloppe corporelle, on voit son corps, inerte, puis on part dans ce maelström de lumière blanche, et on flotte, jusqu'à ce qu'on voie les gens qu'on a aimés ou qui nous ont aimé (ce n'est pas du tout la même chose). Ils nous accueillent, les bras ouverts, comme pour nous dire : «Voilà, c'est ici. N'aie pas peur, regarde comme on a l'air bien!» Exactement comme dans une annonce du Parti libéral du Québec. C'est vrai, non ? Ils ont tous l'air d'acteurs de soutien pour des pubs de «Liberté 55». De bons gestionnaires de retraite. C'est tout ce qu'ils ont à nous offrir. C'est tout ce que l'Occident a à offrir maintenant, de toute façon : une gestion plus ou moins responsable du patrimoine financier. Fort heureusement, les changements climatiques sont venus donner un semblant de débat de fond, une plateforme d'idées ; une lumière d'action écologique. Même les acteurs et les chanteurs s'y mettent, c'est tout dire.

～

Il n'y avait rien d'excitant dans les offres de poste. Mais je n'avais pas encore épluché le *Voir.* Je scrutai donc attentivement la section «emplois» des petites annonces : «Opportunités de

carrière intéressante dans le domaine des produits congelés.»
«Préposé aux pièces. Service de réparation LikeNew 2000.»
«Videur aux Foufounes électriques.» «Plâtrier. Urgent.»
«Dessinateur pour journal de mangas cochons.» Que des
conneries. Je déprimais sec. Il y a pire, remarquez. Un journaliste
américain a publié une plaquette sur les cinquante boulots les
plus débiles et les plus absurdes du monde, juste pour encourager
tous ceux qui se font chier au travail. Il a intitulé ça : *50 Jobs
Worse Than Yours*. Il y en a des pas mal : dompteur d'asticots
pour les films d'horreur, éditeur photo pour le site *Ratemyvomit.
com* ou encore doublure de Saddam Hussein (sans avenir).
Qu'est-ce qu'on peut bien faire dans la vie, avec un doctorat en
lettres ? À part être prof à la place du prof, évidemment. Je commençais à angoisser un peu, quand même. Et puis je suis tombé
sur cette annonce-là : «Coordonnateur. Revue d'art contemporain
de réputation internationale. Embauche immédiate.» J'ai
découpé, à tout hasard. Je savais bien qu'être coordonnateur,
c'est passer son temps à éteindre les feux, à boucher les trous. Ça
remplace les secrétaires, avec un titre plus chic. Je me suis
demandé de quelle revue d'art il pouvait bien s'agir. De réputation internationale ? Je n'en voyais qu'une : *Parallaxe*. Je n'avais
jamais compris la subtilité du nom. «Les personnes intéressées
doivent envoyer leur curriculum vitæ avant le 1er septembre à
l'attention de Mme Micheline Galant.» Plus que quatre jours... Il
fallait que je m'active. Galant : j'ai fait une recherche sur Internet.
C'était bien ça : directrice de *Parallaxe*. Bon bon bon. Elle avait
une tronche pas possible sur la photo, style vamp intello dans un
film de David Lynch. *She rocks!* Ça pouvait être correct, comme
boulot. En plus, c'était à deux pas, juste au-dessus du Laïka. Je
me suis dit que je pourrais faire mon petit train-train quotidien
et me garder de l'énergie pour l'écriture, éventuellement. Ce
n'était certainement pas plus difficile que de coordonner une
meute de chercheurs universitaires. Le seul hic : je me foutais pas
mal de l'art contemporain. C'est encore plus déconnecté que la

littérature. C'est devenu hyper conceptuel, hyper branché, déca-
dent, l'art contemporain. J'ai lu un truc sur un artiste qui modi-
fie génétiquement les cafards pour qu'ils aient une carapace vert
fluo ou rose bonbon ; il expose aussi ses cacas dans des boîtes en
plexiglas avec des distributeurs de fragrance collés dessus.
Duchamp a tout fait péter ; depuis, l'art contemporain ne cesse
de s'admirer dans la réflexion des urinoirs. On fait passer ça pour
des questionnements sur la nature humaine, sur la transcendance,
l'immanence et toutes ces choses. Les gens gobent n'importent
quoi, quand on les titille au bon endroit. Pour certains, c'est la
pêche à la mouche : on leur vend, par exemple, des plumes de
colibri de Madagascar pour prendre la truite saumonée quand
elle mue les soirs de pleine lune. Pour d'autres, c'est la culture des
tomates. Certains plants du fin fond de la Sicile donnent des
fruits rouge brique qui goûtent les noix de Grenoble et la confi-
ture de quetsches, à ce qu'il paraît. Ceux qui s'intéressent à l'art
contemporain ont généralement un grand besoin de se sentir
supérieurs aux autres. Ils veulent être *in* sans tomber dans les
bassesses du *design*. Une exposition récente, par exemple, mettait
en scène des centaines de figurines de Bush que l'artiste avait
placées à genoux en train de creuser dans un bac de sable pour
enfants, avec des poteaux indicateurs sur lesquels était écrit le
message suivant : « *Danger ! No thinking. No questionning. Free
digging.* » Les critiques ont crié au génie, en disant que cette double
représentation de la recherche d'armes de destruction massive et
de pétrole était un tour de force paradigmatique, une capacité de
synthèse hallucinante, avec cette aire de jeu pour enfants et les
figurines qui rappellent GI-Joe, vraiment éclairant ! Extraordinaire ! Quelle profondeur, par rapport à tous ces pousseux
de pinceaux ! Les gens adhèrent, par principe. Et ça leur permet
de se croire intelligents. Bon, je pouvais très bien coordonner
sans adhérer. Et puis, qui sait, un rayon de lumière cosmique
pouvait me frapper et me révéler le sens de tout ça.

~

J'ai envoyé mon CV le lundi matin. À mon retour, je me suis installé sur la terrasse arrière du *cottage*. Des enfants jouaient dans la ruelle, parmi les seringues et les vieux sachets de coke. Bruce grattait sa guitare. Je me suis fait bronzer, tranquillement, en pensant à la signification du monde, tout en sirotant un Ricard. C'est très bon, un Ricard, vers onze heures, onze heures trente, juste avant l'explosion du soleil de midi. Il faut toujours mettre les glaçons en dernier, pour ne pas casser les molécules. Sinon, le sirop se délie, ça fait comme une émulsion ratée. C'est pas bon. J'aurais bien joué une partie de pétanque, cette journée-là. On n'en voit pas assez à Montréal ; trop lent et trop zen pour les Nord-Américains, j'imagine. Le plus pénible, c'est d'attendre. L'être humain ne supporte pas l'attente. Pas plus que l'enfermement. Il doit voir un horizon quelconque à son existence, il doit bouger, sinon ça ne vaut plus la peine. Il doit pouvoir espérer – n'importe quoi. Je me souviens d'avoir lu un truc sur ce genre de paradoxe. La recherche prouve que si tu mets un singe en cage, sans horizon, il ne tardera pas à mourir de désespoir. Le singe ne sait pas qu'un jour il pourrait être libéré. Ouvre la cage au bord d'un précipice et il vivra très bien, même si sa condition n'a pas fondamentalement changé. Qu'est-ce que ça prouve ? Je ne sais pas. Ça montre que les humains font des expériences débiles avec les singes, en tout cas. Un jour, on a su que la Terre était ronde, puis que nous étions bien obligés de vivre dessus, prisonniers à jamais. À jamais ? Mais non, mais non, puisqu'un jour on pourra vivre sur la Lune, et puis sur Mars. Et alors ? Ça change quoi ? Rien, absolument rien. Alors, on voyage. En Thaïlande, au Pérou, en Nouvelle-Zélande, à Bora Bora. C'est notre cage sur le vide. Que c'est beau, Venise, et tout le bataclan. J'aimerais bien trouver ça beau, le Palais des Doges, la place Saint-Marc, les canaux et tout. Je m'en sens encore incapable, pour le moment. J'ai lu *Mort à Venise*, de Thomas Mann. C'est vraiment chiant. Presque autant que Joyce. Je ne sais plus quoi lire. J'essaie, pourtant, j'essaie. *Cent ans de solitude*, par exemple. Du réalisme magique, comme on dit. J'adore la musique baroque. Mais le baroque en littérature, c'est comme du gros crémage fluo sur un gâteau des anges tout con : après deux bouchées, ça remonte. Ceux qui persistent finissent par être accros au sucre. C'est très fort, le début de *Cent ans de solitude*. Drôle et tout. Après vingt pages on a tout compris. Ça manque un peu au Québec, ce genre de littérature. Les gens liraient peut-être plus. J'imagine le début d'un roman dans le genre, qui s'intitulerait *Après tant de décrépitude* :

∼

Quatre cents ans plus tard, la douzième génération des Hébert ne se rappellerait même plus ce qui arriva au jeune Louis Joseph Armand Aimé Hébert ce jour de grand froid de fin des temps, sur un bout de terre perdue entre un fleuve immense et une forêt impénétrable. Le Québec était alors une région sauvage et magique, peuplée d'Indiens qui, avec leurs tomahawks et leurs corps peinturlurés, semblaient tout droit sortis de l'ère préhistorique. Ce monde était si nouveau, pour les colons de la Nouvelle-France, que beaucoup de choses n'avaient pas encore de nom. Aussi fallait-il les désigner avec le menton. Au mois de mars, les eaux craquaient et rugissaient dans un tintamarre qui rappelait à Louis le cultivateur les récits de son enfance sur la création du monde par Notre Seigneur. Ce jour-là, donc, un gros Picard à la barbe broussailleuse qui répondait au nom de Robitaille vint vers lui, à travers son champ, pour lui parler de la pierre philosophale du bon habitant, ce que Hébert lui-même appellera plus tard la neuvième merveille des précieux savants du Poitou. Il venait de loin et tous les gens qu'il rencontra sur son passage furent saisis de stupéfaction à voir les chapelets de saucissons, les grappes de volailles et les guirlandes de cochonnailles qui le paraient, autant d'offrandes destinées à un seul homme. Lorsqu'il arriva enfin devant Louis Joseph Armand Aimé Hébert, il brandit son précieux bien en sacrant par tous les saints, les yeux exorbités, l'écume aux lèvres et avec sur la tête, comme si c'était le diable en personne, deux mèches de cheveux qui avaient tout l'air de grandes cornes. Etc.

~

Il suffirait d'ajouter des épisodes goguenards sur des fesses de bonne femme effrayée qui brûlent, des prêtres lubriques qui deviennent subitement fous, des hommes de pouvoir véreux qui se font arracher des dents, et le tour serait joué. Pas facile à écrire ; pas facile. Il faut que ça se lise tout seul, tout en ayant l'air d'un joyeux bordel, d'un chaos à peine maîtrisé. Mais qui pourrait écrire quelque chose comme ça ici, aujourd'hui ?

~

Je devais préparer un poulet BBQ comme dans les rues de Chiang-Mai, en Thaïlande, pour notre repas du soir, à ma maminou et moi. C'est un des avantages de la vie au XXIᵉ siècle : on peut manger à Montréal exactement comme si on était à Lima, à Pékin ou à Berlin – même si je ne sais absolument pas ce qu'ils mangent à Berlin. À Chiang-Mai, en tout cas, ils font un poulet sur *brasero* (mais ça ne s'appelle pas «brasero», là-bas, vous savez). Ils le font mariner dans une préparation d'huile de sésame, de piments, d'ail, de coriandre et de sucre roux. C'est divin. Je recevais Simone aux chandelles, sur la terrasse. J'espérais qu'il n'y ait pas trop de vent. Je pouvais toujours mettre des lampes-tempête. On aurait eu l'air de deux marins d'eau douce perdus dans le ventre de la bête montréalaise, qui attendent qu'elle nous régurgite sur une île déserte. On aurait été bien, là, tous les deux, au soleil, à discuter littérature et musique, tout en sirotant des drinks dans des noix de coco. On aurait *refait* notre vie. Ça me fait penser à un article que j'ai lu sur l'adaptation génétique et culturelle des humains. On n'est pas les seuls : les animaux aussi s'adaptent culturellement. Un scientifique était en train d'observer une orque en captivité et vous savez ce qu'elle faisait, l'orque ? Elle régurgitait une partie de sa nourriture. Voilà. C'est fort, hein ? Mais non, ce n'est pas tout. Le scientifique se demandait pourquoi elle faisait ça (c'est pour ça qu'il est scientifique). Ça n'a aucun intérêt pour l'orque, du point de vue de son évolution génétique (et de son équilibre mental). Jusqu'au jour où un gros oiseau est venu se poser sur son «renvoyage», qui flottait à la surface, pour en bouffer un peu. Complètement sauté, l'oiseau. L'orque a surgi des profondeurs abyssales de son bassin pour avaler la bestiole à plumes en moins de deux. Le scientifique a failli avoir une crise cardiaque. S'en est suivi un «plouf» de fin des temps. Le monstre était retourné au fond de son bassin. Quel phénomène, cette orque ! Ce qu'elle avait utilisé, là, pour engloutir l'oiseau, ça s'appelle un appât naturel. Ou un effet de levier. Ou encore : de la gloutonnerie. Ou même encore : du sadisme. C'était dans un numéro de *Science et Vie*, une revue résolument positiviste. Le magazine titrait : «Sommes-nous faits pour vivre dans notre monde ?» Je ne sais pas si ça valait vraiment la peine de faire quinze pages là-dessus. La réponse est : non. Non, nous ne sommes pas faits pour vivre dans notre monde, parce que nous avons hérité de quelque chose de très désagréable qui nous empêche de faire notre petite affaire comme tous les autres êtres vivants, sans se casser la tête. Nous avons hérité de la conscience. Ne me demandez pas comment ; je n'en ai pas la moindre idée. Les scientifiques non plus, d'ailleurs, alors que c'est la seule question qui vaille vraiment la peine d'être creusée. Nous en sommes totalement dépourvus à la naissance, en tout cas. Ça nous rend vulnérables, ce manque. Notre cerveau doit faire des connexions pour l'apprentissage, alors que chez les animaux les mécanismes de survie sont opératoires dès qu'ils sortent la tête d'un œuf ou d'un utérus (qui n'est pas le propre de la femme). Nous sommes doués, nous les humains, d'une grande plasticité synaptique, ce qui fait qu'on peut inventer de nouveaux comportements à un environnement en constant changement. C'est peut-être juste ça, la conscience. De la synapto-genèse dynamique. *Capiche?* Le problème, d'après *Science et Vie*, c'est que, même si nous savons nous adapter culturellement, notre cerveau est encore, génétiquement parlant, celui de l'homme préhistorique. On fait encore BougaBouga! devant le sexe, le goût du risque et l'agressivité. On ne vient pas de Mars ou de Vénus, on vient de la préhistoire. C'est tout. Mais ça ne nous rentre pas dans la tête. On se croit tellement supérieurs, nous les humains. Affranchis. Tenez : les mésanges charbon-nières du sud de l'Angleterre ont appris à ouvrir les capsules de bouteilles de lait déposées devant les maisons. Auraient-elles une conscience? Comme la mouette rieuse de Gaston Lagaffe? L'orque avaleuse de mouettes a-t-elle une conscience? «Du point de vue du mécanisme, la synaptogenèse est la même chez un animal ou chez l'homme. Ce qui fait le propre de l'homme, c'est son immense capacité à apprendre», dit l'article. Là, on est les seuls. C'est pour ça que les petits Québécois sont ceux qui passent le moins d'heures à l'école. C'est pour ça qu'on fait tout pour que leur éducation ne soit pas un apprentissage, mais une mise en potentiel de leur vécu. Et qu'on se demande encore, par exemple, si c'est une bonne chose qu'ils apprennent l'anglais en bas âge. Et c'est pour ça, aussi, qu'on priorise la santé sur l'éduca-tion. Vous savez ce que ça signifie, au fond? Un beau suicide collectif. Si nous étions moins conscients, aussi! Mais ce qui m'a vraiment sidéré dans ce numéro, c'est l'histoire de la femme avec son bras bionique. Elle a perdu un bras dans un accident de moto, alors on lui a greffé une prothèse mécanique avec connexions neuronales. Après un an de rééducation, elle com-mandait, par la pensée, son bras artificiel. Ça veut dire que notre cerveau est capable de trouver de nouveaux chemins neuronaux pour transmettre l'information. Ça veut dire que l'émission *The Six Million Dollar Man*, que je regardais quand j'avais huit ans, et qui était carrément de la science-fiction, est en train de devenir notre réalité (sauf pour la force surhumaine, évidemment ; ça, c'est pour dans vingt ou trente ans, tout au plus). C'est assez débile quand j'y pense. C'est vrai, quand même, que l'être humain est capable de faire toutes sortes de choses incroyables. Le hic, c'est que ça engendre toujours des effets pervers, nuisibles. C'est *confusant*, comme dit Villeret dans *Le dîner de cons*. J'avais une figurine du *Six Million Dollar Man*. Je l'accrochais à la corde à linge, dans notre cour, et je lui faisais franchir des précipices, tout en l'inondant avec un jet d'eau surpuissant. Je regardais à travers son œil bionique, en faisant le petit bruit comme dans l'émission : toutouroutoutoutoutou... toutouroutoutoutou... J'étais invincible. Je me souviens d'avoir joué à ça chez ma grand-mère. C'était mieux parce que c'était encore plus haut que chez moi. Des fois ma figurine, arrivée au bout de la corde à linge, tombait dans la ruelle. Il fallait que je demande à mon grand-père qu'il m'ouvre la porte de la clôture ; le loquet était trop résistant pour moi. On nous laissait jouer seul dehors, à cette époque. Je n'en passais pas moins du côté des méchants, dans un monde hostile. Je laissais mon p'tit bonhomme planté là, et je devenais moi-même *l'Homme de six millions*. J'avais des prothèses bioniques partout - sauf sur la quéquette ; on ne pense pas à ça à huit ans. Je devais me battre contre des armées de brutes impitoyables. J'étais capturé, puis attaché au poteau de la mort. Avec mon superœil, je voyais des failles dans le système de sécurité. Et dès qu'ils avaient le dos tourné, je rompais mes liens et faisais des bonds de huit mètres, tout en leur lançant des clous rouillés qui leur donnaient le tétanos. Ils agonisaient instantanément dans leur bave mauve et verte, avec des boutons vénéneux partout. Certains étaient plus résistants, et je devais leur arracher un bras ou une jambe pour qu'ils se calment. Je pouvais jouer à ça pendant des heures. Simone m'appelait pour le repas. J'arrivais en sueur. Je buvais un grand verre de Kool Aid. Et j'attaquais mon steak Boston, accompagné de maïs en crème. Elle me caressait les cheveux en me disant : « Mon doux ! Tu as eu chaud, mon trésor ! » La vie devrait s'arrêter là.

~

On a bien mangé, dehors, ce soir-là. J'avais fait cuire les poitrines marinées sur un Wood Flame tout neuf, un truc inventé par un patenteux de la Beauce, probablement. Ça imite la cuisson au feu de bois, avec une soufflerie qui fonctionne à piles ou à l'électricité. On place un cube de bois au centre, on allume, on part la soufflerie et ça brûle très bien. Ça sent bon, en plus. « Wow ! Tu t'es mise sur ton trente-six, ma Simone d'amour ! – C'est juste pour toi, mon poussin. Juste pour toi. » Elle portait une robe blanche en lin, avec de belles chaussures en croco. Elle était grassouillette, Simone, et ça lui allait tellement bien. Ça fait les meilleurs câlins du monde, en plus. Elle m'a envoyé un sourire mélancolique, et ses yeux ont viré au bleu délavé. « Ça ne va pas ? – Mais oui, mais oui. Mon arthrite, comme d'habitude. Dans les genoux, surtout. Je ne te souhaite pas ça, tu sais ! – Mais enlève tes chaussures, plutôt que de jouer les coquettes ! – Ah ça non, jamais ! Ça va aller, je te dis ! – Comme tu veux. » Je lui ai tiré une chaise et lui ai demandé de s'asseoir en jouant les maîtres d'hôtel cérémonieux. « Madame désire-t-elle un peu de vin ? Shiraz Liberty School 2000. – Un doigt, mon poussin. Stop ! Tu sais bien qu'avec mes médicaments je ne peux pas ! – Mais je les emmerde vos médicaments, madame ! – J'aimerais bien faire de même, monsieur. Qu'y a-t-il de bon au menu ce soir, cher ami ? – Un poulet " comme dans les rues de Chiang Mai ". Cela vous convient-il ? – Épicé, non ? – À peine, à peine. – Léger tout de même, léger. » Elle n'avait plus d'appétit, depuis quelques semaines. Ça m'inquiétait beaucoup. Elle était souvent perdue dans ses pensées, aussi. Je l'observais tout en parant les assiettes. Elle se grattait l'intérieur de la main. Des mèches de cheveux très fines flottaient au-dessus de ses oreilles. Elle fixait le mur d'en face, la bouche défaite. Les pilules qu'elle prenait n'étaient plus assez efficaces. Je savais qu'elle avait un rendez-vous chez le médecin deux semaines avant Noël – trois mois et demi d'attente, quand même. Elle ne voulait pas le devancer. Novembre est le pire mois, en plus, pour ceux qui font de l'arthrite. Je ne pouvais rien faire ; elle avait une tête de cochon. Comme Eva. Je me demandais encore parfois ce qu'elle était devenue, mon ex. Je l'imaginais bien avec son David, en kayak de mer, à s'extasier devant une bouée expérimentale. « Est-ce que tu crois que ta mère viendra pour les Fêtes ? » Je ne m'attendais pas du tout à cette question. « D'habitude elle est là, non ? Pourquoi est-ce que ça t'inquiète ? – Pour rien. Je demandais ça comme ça. » Elle mâchait longtemps, mais sans savourer. Mes parents quittaient toujours La Croix Valmer dans la troisième semaine de décembre. Ils venaient passer Noël à Montréal puis partaient en croisière tout le mois de janvier avant de retourner en France. Il y a des vies plus pénibles. Avec Eva, on montait toujours de Rimouski. Elle détestait Noël. On fêtait à cinq, dans l'appartement de Simone. Chaque année, ma mère me demandait : « Quand me feras-tu donc un beau petit-fils ? » Coucou, Jocaste. Maminou lui disait de me laisser tranquille. Elle revenait toujours avec le même point, pas faux par ailleurs : « Si c'est pour le voir deux fois par année, ton petit-fils, ça changera quoi ? » Elles s'envoyaient des flèches entre mère et fille. Je cherchais à détourner la discussion. Le meilleur moyen, c'était de parler de l'avenir du Québec avec mon père. C'est un rouge jusqu'à la moelle. S'il n'avait pas suivi ma mère en France, je pense qu'il serait allé vivre en Ontario, juste pour ne pas avoir à supporter les gens du Parti québécois – et pour payer moins d'impôts. Le danger, c'était que mon père et moi on se fasse la gueule. Des fois, c'était quand même mieux que de voir ma mère me parler de bébés. Elle ne se doutait même pas que je pouvais être stérile.

~

Simone n'avait pas fini son assiette. J'ai voulu la secouer un peu. « Tu l'aimes pas mon poulet ? – Je préfère quand tu le fais à l'ail, avec des herbes de Provence. – Mais c'est archi classique, ça, ma petite Simone au mascarpone. – J'aime pas trop les plats aigres-doux. Et ne m'appelle pas comme ça. Tu sais que je déteste. Mange, toi ! » Elle m'avait coupé l'appétit. Je me suis affalé sur ma chaise et j'ai levé les yeux au ciel. On distinguait trois ou quatre étoiles à travers le smog et les lumières de la ville. Dans le Bas-du-Fleuve, j'en voyais des milliers. Je me suis demandé quel genre de vie elle aurait eu, Simone, si elle n'avait pas épousé mon grand-père. Il ne s'en était pas beaucoup occupé, comme la plupart des hommes de sa génération. Elle disait qu'il revenait avec du rouge à lèvres sur ses cols de chemise. Ma mère croyait qu'elle délirait. Il jouait, en tout cas, ça c'est sûr. Quand Simone demandait de l'argent, il lui tournait le dos, sortait un gros paquet et comptait ce qu'il allait lui donner. Elle devenait verte, chaque fois. Il devait avoir sur lui trois ou quatre mille dollars en permanence. Ce n'était pas un ange, grand-papa, mais je l'aimais bien. Il m'achetait des jeux d'air-hockey, de billard, des habits de Zorro. On regardait *James Bond* à la télé tous les deux, en mangeant des chips et du sucre à la crème et en buvant du Coke. Le grand bonheur. Il prenait un coup, aussi. Quand il jouait aux cartes dans la cuisine et qu'il perdait, il demandait : « Où est le bon Dieu ? Partout ? » Il faisait alors semblant d'attraper Dieu et fendait l'air avec le revers de sa main en criant : « Ben tiens ! Mon p'tit crisse ! » Simone voulait le tuer. Parce que ça faisait vulgaire. Et qu'on n'insulte pas Dieu comme ça, impunément. Au moins, elle a pu hériter de la maison et d'une partie de la pension de son mari. La plupart des Québécoises de son âge ne peuvent pas en dire autant. Est-ce que ça remplace l'amour ? Non, évidemment. Mais c'est mieux que pas d'amour et pas d'argent. « Ne pense pas à Noël. C'est encore loin ! L'été n'est même pas fini. Au fait, je ne t'ai pas dit, mais j'ai envoyé mon CV à une revue d'art contemporain sur Saint-Laurent. – Tu ne vas pas travailler pour des *peanuts*, quand même! – Il faut bien que je trouve quelque chose... – Mais écris donc! Tu n'as rien à payer, ici. Profites-en! – Je ne peux pas vivre sur ton dos, grand-maman. Et puis qu'est-ce que ça va me rapporter, l'écriture? Quatre mille dollars par année, en étant optimiste? – Tu es bête, voilà ce que tu es. Tu as tout quitté à Rimouski. Ne retombe pas dans le panneau! – Mais je peux très bien avoir un petit emploi et écrire! De toute façon, ce n'est pas encore fait. On verra bien s'ils me prennent en entrevue. – Qu'est-ce que tu entends à l'art contemporain, toi? – Rien. – Alors? – Ça peut être un atout!» J'ai dit ça sans y croire, évidemment. On a mangé des natas, chacun dans ses retranchements. Elle avait des miettes sur sa robe. Je me suis levé pour les balayer avec ma main, et j'en ai profité pour lui baiser le front. Je l'ai laissée à ses pensées. Depuis la cuisine, je lui ai crié : «Demain, on appellera maman!»

~

Mes parents n'ont pas répondu. Ils devaient être chez des amis en Corse ou un truc du genre. Je ne me souviens plus. Alors que je me faisais chier à me trouver un travail de merde. J'avais l'impression d'être sans passé et sans avenir. Il me semblait que les Québécois n'avaient pas d'histoire, finalement. Ils n'en ont toujours pas. «Je me souviens.» On en fait souvent des gorges chaudes, de cette inscription sur nos plaques d'immatriculation. Les plus cyniques disent : «Je me souviens – de rien!» Les plus amers écrivent des graffitis du genre : «Je me souviens d'avoir été abandonné par les osti de Français!» On se souvient de quoi, au fait? Qu'on n'a pas eu de couilles, peut-être. Ou que notre histoire est fragmentaire, morcelée, un peu piteuse. Sans mythes fondateurs, en tout cas. Sans grandeur. Un jour, un politicien de l'Hexagone a dit à la télé : «La grandeur de la France, c'est sa capacité à secréter de l'universel.» Dret de même. Ou il était sur l'acide, ou il croyait vraiment à ce qu'il disait. J'étais sur le cul. Il faut vraiment être plein de marde pour dire une chose pareille. N'empêche, ils surfent sur leur histoire, les Français. C'est rempli de massacres, de tortures, de génocides culturels, de reines incestueuses, de défaites armées, mais qu'à cela ne tienne, la France est capable de secréter de l'universel. Wow! Au Québec, on est surtout reconnus pour notre capacité à secréter des deux watts. Ou à engendrer des analphabètes. Les deux sont peut-être liés, d'ailleurs. Une chance qu'on a encore notre club de hockey, par exemp'! *Go go Habs go!* *Ça*, c'est de l'histoire! Maurice Richard, les méchants Anglais... On leur tient tête, aux Anglais! *Fuck* les Maple Leafs! C'est tout ce qu'on sait faire. Ça, pis des motoneiges, quand même. Pis du bon sirop d'érab', pis des belles crottes de fromage qui *squickent* comme du p'tit lait ent' les dents. Bon, j'exagère, comme d'habitude.

~

Le téléphone a sonné, ce vendredi-là, vers dix heures du matin. «Monsieur Laliberté? – Lui-même. – Je vous appelle à propos de notre offre de poste à *Parallaxe*.» Une voix douce, avec un accent étranger que je n'arrivais pas à définir. Elle roulait les «r», mais pas comme nous. C'était plus guttural. «Je vous écoute. – Seriez-vous libre pour une entrevue lundi après-midi à quatorze heures? – Laissez-moi consulter mon agenda...» Comme si j'avais quoi que ce soit. «Euh... Oui, ça peut aller. – Très bien. Vous savez où nous sommes situés? – J'habite à deux pas de vos bureaux. Êtes-vous madame Galant?» Elle a eu un rire très sexy. «Non, pas du tout. Je suis la responsable des ventes. Madame Galant est à l'extérieur du pays. Elle sera là lundi. – Très bien. Au plaisir.» Bingo. Je le sentais, ce poste. *I'm the King!* – que j'me suis dit. Des fois, ça prend pas grand-chose pour se sentir *king*.

Évidemment, je n'avais pas mis sur mon *CV* mon emploi de prof. J'avais menti un peu, en gommant Rimouski et en écrivant « consultant en stratégies culturelles ». C'est passe-partout, consultant. N'importe qui peut être consultant, en n'importe quoi. J'ai marqué que c'était pour le Cirque du Soleil. C'était très *in*, à l'époque. Tout ce qui amuse et divertit est *in*, de toute façon. Surtout quand ça se fait passer pour de l'art, en plus. Est-ce que le Carnaval de Venise, c'est de l'art ? Non, pas vraiment. Est-ce que le saut à la perche, c'est de l'art ? Non, évidemment. Combinez les deux et vous faites de l'art. C'est magique, non ? Il avait le même nom que moi, le fondateur du cirque. Ce multizillion-naire. Je n'ai rien fait, ce week-end-là. Max voulait qu'on sorte. Il s'était senti « un peu raplapla » lors de notre dernière galère. J'ai répondu : « Vraiment ? T'avais un Tazer dans l'cul, tant qu'à moi. Une autre fois, OK. J'suis pas dans l'*mood*, là. » J'avais une autre idée en tête : appeler Jade.

～

Je suis allé chez elle le dimanche soir. Elle habitait avec deux filles, elles aussi monoparentales. Le gouvernement avait trouvé un nom pour ça, dans les formulaires de recensement et d'impôts : des *ménages multifamiliaux*. Ça fait un peu ménage de printemps, mais bon. Elles avaient toutes les trois moins de trente ans. Jade était la plus belle, même si je dois avouer qu'elle n'était pas aussi pétard que dans mon souvenir. Elle avait l'air fatiguée ; épuisée même. Elle portait un grand cardigan, beige, très ample, sur un vieux jeans. Je ne voyais pas bien ses formes. J'étais déçu. Elle m'a présenté à ses amies de fortune : Marie et Isabelle, deux prénoms plutôt classiques. Leurs enfants, en revanche, avaient des noms pas possibles : Corail, Ushuaïa, Océanie. Une revanche des mères sur leur passé, j'imagine. Pour faire « libre », « créatif », « en harmonie avec notre terre Gaïa » et toutes ces conneries environnementalistes.

Pas un seul garçon là-dedans. Une minicommune postféministe. Elles ont sursauté quand j'ai dit ça : «Vous êtes une minicommune postféministe! – Pas pantoute! Pourquoi est-ce que tu dis ça? On a chacune notre vie!» m'a dit Marie. Elle ressemblait vaguement à un pot de fleurs à l'envers, avec sa robe en tissu biologique équitable. Elle m'a regardé avec des gros yeux à travers ses lunettes démesurées, les bras croisés. «Excusez-moi», ai-je dit bêtement. «C'est plutôt positif, comme remarque! Vous vous définissez comment, alors?» C'est Isabelle qui m'a répondu, assise sur un tabouret de quatre pieds de haut, avec sa tisane au fenouil dans les mains : «Comme des mères et des femmes qui veulent garder leur liberté tout en s'entraidant. Point! – Vous avez des *chums*? – Marie vient de rencontrer quelqu'un. Je suis avec le même gars depuis trois ans, et Jade... Jade aimerait bien trouver l'âme sœur. Hein, Jade? – Oui. Mais en restant avec vous.» J'étais un peu ébranlé. «Donc, si je comprends bien, vous voulez avoir un gars, ou garder un gars dans votre vie, mais sans qu'il soit vraiment dans votre vie. C'est ça? – C'est comme ça que pensent les hommes, non? – Euh... Je ne sais pas. Pas moi, en tout cas! – Tu veux quoi, toi, d'abord? – J'aimerais pouvoir partager ma vie et ma maison avec une femme. C'est trop demander? – Vous êtes tous pareils! Vous voulez une femme à la maison, et *des* femmes *en dehors* de la maison. Viens pas me dire le contraire! – Bon. Jade : est-ce que c'est comme ça que tu me vois? – Je ne sais pas, Raphaël. C'est juste la deuxième fois qu'on se voit! Pis la première fois, t'étais pas glorieux! – Mais c'est quoi votre problème avec les hommes, au Québec?» Marie s'est emportée : «On veut avoir la paix! On n'a pas besoin d'un gars qui pète au lit, qui revient saoul après un match de hockey avec ses *buddies*, qui a trois maîtresses le jour pis qui passe ses soirées à jouer au XBOX pendant qu'on fait le repassage pis qu'on torche les p'tits la nuit. C'tu clair?» C'était très clair. Et ça partait mal la soirée. Ce fut un désastre, en fait. Jade a bien tenté, par la suite, un rapprochement, en disant qu'elle me trouvait de son goût, pis qu'on pouvait parler de littérature, pis qu'elle me ferait une danse spéciale un autre soir, etc. Je lui ai demandé si elle comptait être danseuse encore longtemps. « Pas si tu m'aides ! – Si je t'aide... – T'as de l'argent, toi ! Et un grand cœur ! – J'ai pas un rond, ma belle Jade. – Tu joues les riches ? – Je ne joue rien du tout. J'étais avec des *copains* riches. C'est pas pareil ! – C'est qui le plus riche dans ta gang ? – Max. Celui avec le cure-dent. Pourquoi ? – Il a une copine, lui ? – Qu'est-ce que tu insinues, là ? – Rien du tout. – T'es désespérée ou quoi ? – Quoi ? Y est *cute*, lui aussi ! – Bon. J'pense que je vais y aller. – Mais non, je fais des farces. Qu'est-ce que tu lis en ce moment ? – *L'Ange de pierre*. Margaret Laurence. – C'est qui ? – La plus grande auteure du Canada anglais, à ce qu'il paraît. Très peu connue chez nous, évidemment. – C'est bon ? – Bof. Très talentueux. Trop. On dirait que c'est écrit pour émouvoir absolument. Comme un credo des auteurs anglophones "artistes". Et toi ? Tu lis quoi ? – *Albertine en cinq temps*. C'est génial. » Notre lune de miel littéraire s'est arrêtée à ce moment-là. Je ne supporte pas cette pièce kleenexophile. Je préfère, et de loin, *Les Belles-Sœurs*. Je sentais qu'elles vieilliraient mal, mes trois femmes libres-en-ménage-multifamilial. Elles ont passé tout le repas à parler de la déforestation amazonienne et des cueilleurs de cacao organique du Guatemala, « si fiers et si beaux – un modèle pour le monde entier ». Je ne comprenais toujours pas comment Jade pouvait travailler aux Amazones. Il manquait un chaînon à cette histoire. Je ne le saurais sans doute jamais. On s'est quittés en se serrant bien fort. Je pouvais enfin me rappeler un peu ses seins, à leur contact. Elle m'a embrassé longuement. Je dois dire que c'était bon. J'étais bandé. Elle m'a demandé de passer la voir au club. J'ai dit oui, en pensant non.

～

Avant l'entrevue, lundi après-midi, je suis allé manger au 14 Prince-Arthur, un petit vietnamien sans prétention, une institution à Montréal. On y fait les meilleurs rouleaux de printemps, et les soupes sont pas mal. Ça me permettait de marcher un peu, pour me détendre. Ce n'est jamais agréable, de passer une entrevue. Je me suis arrêté chez le marchand de journaux. Des centaines de magazines. Tant de papier gâché. Pour de la pub, surtout. Et des trucs lobotomifiants, du style *Monsieur Univers, Le Grand Monde des figurines en porcelaine, Mon lézard, Les Plus Beaux Spas et Jacuzzis...* Devrait-on imprimer autant de merde? Pour une «communauté de passionnés?» Je me suis attardé à la section «Littérature», plutôt mince, même par rapport à des sections sur le jardinage, les bateaux ou la photo. Les magazines canoniques, évidemment : *Lire* et *Le Magazine littéraire* pour la France, *Nuit Blanche* pour le Québec. Des trucs plus spécialisés et un tantinet soporifiques, comme *Ellipses* ou *Abat-Jour*, avec leur discours pompeux et mortifère sur la Pensée de l'Écrit. On a l'impression de lire des feuillets évangéliques sur le Grand Renouveau de la Kulture. J'ai poursuivi ma petite recherche. Il y avait deux ou trois trucs sur le *creative writing* à l'américaine, avec des formules pour se sortir de la page blanche, pour écrire des dialogues percutants ou encore pour écrire «à partir de l'âme plutôt que de la tête». Utile au début, j'imagine. Pour se donner du courage. Pour se dire qu'écrire, c'est d'abord apprendre un métier. Ça ne dure qu'un temps, sans doute. Après, il faut avoir des choses à dire. Je me suis dirigé vers la section «Arts», afin de me procurer le dernier numéro de *Parallaxe*. Je ne le voyais pas. J'ai pensé : «Est-ce que ça se vend si bien que ça?» Rien. Il était peut-être caché derrière des machins immenses. J'ai fouillé. Rien. Je suis allé au comptoir. C'était un homosexuel, à la caisse : je les sens dix kilomètres à la ronde. Je les attire, surtout, et ça, je n'aime pas du tout. Ça me met mal à l'aise. Il se tenait sur une jambe, avec la hanche en cavale. Il avait tout de suite mis son radar en me voyant entrer. Il portait un truc moulant couleur kaki, avec un *piercing* au sourcil gauche. Pas laid du tout, dans le genre. Petit rictus dédaigneux aux lèvres. Il feuilletait une revue sur les motos, la main droite figée dix centimètres au-dessus, tendue, comme pour mieux appréhender l'objet. Il faisait semblant d'être concentré. «Pardon... – Oui? – Vous avez *Parallaxe*? – C'est quoi comme magazine déjà? – Une revue québécoise d'art contemporain. Format livre. – Ah oui! Vous lisez ça, vous? – C'est pour ma copine. – Dommage. – Pardon? – Non non, rien. Elle n'est pas dans la section «Arts»? – J'ai fouillé. Elle n'y est pas. – Laissez-moi voir dans les cartons de ce matin.» Il s'est penché. Je ne le voyais plus. Je l'ai entendu me dire, comme d'outre-tombe : «Ça se vend pas fort, cette revue-là. Toujours les deux ou trois mêmes clients hyper branchouilles. Votre copine, elle est artiste? – Danseuse. – Classique ou jazz? – Plutôt jazzy swing. – Ah! je l'ai... Spécial *Autofictions*.» Il s'est relevé d'un bond, avec un grand sourire. Il a fait le tour du comptoir pour venir me le porter en brandissant le numéro dans les airs. «C'est bien ça?» Il me collait, tout en me montrant le titre de la revue. «Voilà pour toi, petit veinard!» Il a pointé son index sur mon cœur, de manière plutôt virile. Il sentait l'ail. «Excellent. Excellent. C'est combien?» Je me suis dépris pour sortir mon portefeuille. Il est reparti, un peu offusqué, en m'arrachant la revue. «Vingt-deux dollars avec les taxes.» Il m'a dit ça sur un ton sec. «Combien? – Vingt-deux. Beau cadeau. Elle va être contente, ta p'tite danseuse d'amour. – Je vais payer par Interac.» Vingt-deux piastres! Je comprenais bien pourquoi ça ne se vendait pas! Il ne m'a plus regardé. Je lui ai quand même dit merci en sortant. Il m'a envoyé un «Salut» nonchalant en me dévorant des yeux. Les filles doivent en arracher, des fois, avec tous les machos qui leur font la cour aussi subtilement qu'un rhinocéros en rut. J'ai déjà vu ça à la télé, une fois. Un *wildlife moment*. Impressionnant.

~

Le temps était frais. Dix-huit degrés Celsius tout au plus. Au printemps, on trouve ça très chaud. À la fin de l'été, on en frissonne. L'*homo quebecensis* supporte des températures allant jusqu'à quarante degrés l'été et moins quarante degrés l'hiver. Une variation de plus de quatre-vingts degrés en l'espace de six mois. Pour ne pas virer fou, il joue au 6/49 et au Super 7 en se disant qu'il pourrait un jour gagner et enfin échapper à son climat en allant s'installer au Costa-Rica. Les années passent, il doit toujours pelleter par moins trente, et il sacre comme un plombier. Chaque printemps, il décompresse, et tente de se convaincre du fait qu'il vit quand même dans un beau pays. Il se console en voyant tous ces Africains qui viennent s'installer ici. Je me demande si c'est normal, tout ce que je peux me dire dans ma tête. Suis-je le seul ? La turbine à pensées n'arrête jamais. C'est chiant, des fois. J'ai essayé la méditation, mais au bout de deux ou trois minutes, tout au plus, la turbine repart sous la pression du débit.

~

Je me suis installé à une table près de l'entrée, dans la jungle des plantes qui couvrent la vitrine du restaurant vietnamien. Ce sont toujours les mêmes serveurs, depuis si longtemps. Ils sont gros comme des bâtons de *popsicle*. Aucun secret : ils travaillent comme des cinglés. On m'a apporté le menu, écrit sur des bâtons de *popsicle*, justement. C'est *cute*. Et poisseux. Comme les enfants, à qui ça plaît bien. J'ai tout de suite commandé une petite tonkinoise au bœuf et un rouleau de printemps ; il ne me restait plus beaucoup de temps. « Le rouleau de printemps c'est froid, vous savez ? » Le serveur me disait ça chaque fois ; c'était agaçant, à la longue. « Mais oui ! Pas de problème ! » J'ai feuilleté la revue. Beaucoup de photos déprimantes, avec des humains ordinaires. Il n'y a rien de plus déprimant qu'un être humain ordinaire. « Un cortège d'icônes fantomatiques ». J'ai dit ça tout haut. Les gens se sont à peine retournés. J'ai lu la présentation du numéro, faite par la directrice. Toujours le même blabla sur le moi et l'autre. On n'en sort pas. J'ai gardé le numéro. J'aime bien ce passage, très universitaire et consensuel :

～

Toute singularité prend son sens avec l'autre. Une fiction élaborée en soi, avec soi, est une fiction qui consiste à rêver son moi en s'appropriant des fragments de l'autre, que ce soit l'autre en soi, en fouillant sa propre étrangeté, mais aussi fragments d'autres personnes, autant que du monde environnant. La multiplication des sources pouvant alimenter le façonnage du moi est caractéristique d'un monde où la surinformation domine, où les processus d'accélération du temps de la vie même, de l'accessibilité des choses sont croissants, et où la surmodernité est un fait de notre existence. Celle-ci crée de nouvelles approches du moi : la possibilité de choisir qui on est, surtout de rêver ce nouveau moi, de participer à sa constitution. À tout le moins, en avons-nous l'illusion.

～

Bon bon bon. Il vaut mieux lire Pessõa. Ces vers, par exemple : « *Nous avons tous deux vies : / La vraie, celle que nous avons rêvée dans notre enfance, / Et que nous continuons à rêver, adultes, sur un fond de brouillard ; / La fausse, celle que nous vivons dans nos rapports avec les autres, / Qui est la pratique, l'utile, / Celle où l'on finit par nous mettre au cercueil.* » Pas jojo, mais lucide, mon ami Pessõa. Plutôt bien faite, la revue, quand même. J'ai lu plein de trucs sur Internet avant l'entrevue. Elle était vraiment reconnue sur le plan international. Chose plutôt rare pour une revue *made in Québec*. J'ai mangé sans appétit. Je commençais à avoir le trac.

J'ai payé en vitesse. Il était treize heures trente, et j'en avais pour dix à douze minutes de marche. Je ne voulais pas arriver là-bas essoufflé. Les automobilistes klaxonnaient sur Saint-Laurent. C'était devenu un vrai casse-tête, entre Sherbrooke et des Pins. J'ai croisé plein de filles canon. Elles avaient l'air heureuses, pour la plupart. J'ai pris le côté le plus exposé au soleil. Je suis passé devant Prato, qui fait d'excellentes pizzas dans le seul four au charbon de bois de tout le Québec (c'est ce que dit Tony – je connais bien Tony et Rosa, je les aime beaucoup, de vrais amis), puis Schwartz's, en me faufilant parmi les clients qui attendaient dehors. Puis Warshaw, qui a été remplacé depuis par un Pharmaprix quelconque. Puis Moishes, reconnu pour ses steaks (et sa clientèle mafieuse, avant). J'aimais bien ce quartier. J'aurais pu m'y installer définitivement, sans doute. J'ai traversé la rue à la hauteur du bain Schubert, nommé ainsi en l'honneur d'un Juif socialiste, employé municipal de la ville, qui milita pour les ouvriers et qui fit construire ce bain public dans les années 1940, afin que les gens sans eau chaude à la maison puissent venir s'y laver pendant que leurs enfants s'ébattaient dans la piscine. Vive Schubert. J'ai accéléré un peu le pas devant la carrière de monuments funéraires juifs. À cause de la poussière. Et de mes superstitions. Encore un bloc et j'y étais. J'ai monté les escaliers en bois. Ça sentait l'encaustique. J'ai failli les embrasser.

～

J'ai cogné à la porte, lourde, immense. Une jeune femme m'a ouvert, probablement celle que j'avais eue au téléphone. « Monsieur Laliberté ? – Je ne suis pas trop en avance ? – Aucun problème. Je vais simplement vous demander d'attendre ici quelques minutes. Nous allons vous recevoir dans le bureau de Mme Galant. » Elle était plutôt mignonne avec ses lunettes intellos et son style parisien branché, pantalon à jambe droite, petit haut blanc moulant, baskets de *bowling*. Drôle d'accent, vraiment. La pièce était immense, tout en blanc, avec une vieille moquette grise au sol, pleine de brûlures de cigarettes. Il y avait des livres partout. Des factures qui traînaient. Des restants de lunch sur la grande table de travail. Un foutoir sympathique. J'entendais chuchoter, dans l'autre pièce. La jeune est revenue vers moi et m'a demandé de la suivre. «Mais certainement...», ai-je répondu. Elle n'avait pas de fesses. C'était aussi plat qu'une ardoise. J'avais du Dépêche Mode dans la tête, en marchant vers mon lieu de supplices : *Strange Love*. «*Will you give it to me, Will you take the pain, I will give to you, Again and again, And will you return it...*» Pas tout à fait de circonstance. Quoique... Il fallait que j'arrête la turbine. J'allais me retrouver devant la grande prêtresse de l'art contemporain. La pythie du glamorama tendancitude artistique internationallesque. Elle était comme sur la photo : vamp intello, avec des barniques à la Austin Powers, un ensemble griffé genre Cruela et des chaussures à pointes démesurées. On aurait dit des *zucchinis* desséchés. Elle s'est levée. Elle me dépassait d'au moins trois centimètres. Ses cheveux étaient magnifiques, comme ceux des Indiennes. Elle m'a serré la main et a prononcé un bonjour de gamine, tout doux, avec une finale plus haute. C'était assez surprenant, cette petite voix dans ce corps de grande dame, comme une enfant qui n'a pas vraiment voulu devenir adulte. Elle m'a présenté les autres : Raymonde, Josh et Véronika. Ils avaient tous des lunettes. Je me suis dit que j'aurais peut-être dû en porter moi aussi. On s'est tous assis en même temps. Elle s'appelait donc Véronika, la fille au drôle d'accent. Je n'ai pas compris son nom de famille, sur le coup. Ça sonnait hongrois. Josh avait une bonne bouille de *nerd* allumé. Raymonde semblait mal à l'aise. Sa peau était un champ de taches de rousseur. Elle m'a souri gentiment. Ce n'était pas trop intimidant comme comité. Micheline m'a posé la première question : «Bienvenue à *Parallaxe*, donc. Le comité aimerait d'abord savoir ce qui vous pousse à travailler pour la revue.» J'ai sorti tout mon gratin, que j'avais pratiqué la veille. Sourires de circonstance. Ils prenaient tous des notes. Deuxième question, de Raymonde : «Connaissez-vous bien l'art contemporain?» Mais comme le fond de ma poche! Là, c'était plus délicat : je devais patiner pas à peu près. J'ai fait valoir mes études, mon expérience comme consultant, mes affinités électives, tout ce genre de conneries. Ils ont eu l'air plus ou moins convaincus. Troisième question, de Véronika : «Qu'est-ce que fait un coordonnateur de revue artistique, selon vous?» Il dispatche les cacas. S'ils lui reviennent, il en coordonne la dissolution rapide. Si certains résistent, il appelle les gens au ministère de la Culture et des Couches réutilisables. Ils n'ont jamais de solution, mais au moins la balle se retrouve dans leur camp. J'ai dit tout ça comme il faut, évidemment, en insistant sur l'esprit d'initiative, le travail en équipe, la rapidité d'exécution, le tact et tout le tralala. Le comité a approuvé. La suite de l'entrevue s'est plutôt bien passée. On m'a demandé à la fin si j'avais des questions. «Oui. J'aimerais savoir, par simple curiosité, d'où vient le nom de la revue.» Micheline Galant a fait la moue. Elle m'a répondu à contrecœur, avec une voix plus grave : «Oh! il n'y a pas grand-chose à en dire. Une folie de jeunesse. Je pensais à des choses comme Parapente, Parasol, Paraski, Paratonnerre. Comme vous le savez, *para* signifie "à côté de" en grec... Comme j'aime bien ce concept, mais que je ne trouvais rien de satisfaisant, j'ai pensé à Parallaxe, qui signifie "changement" en grec... En astronomie, il s'agit du déplacement de la position apparente d'un corps, dû à un changement de position de l'observateur. Il me semblait que ça décrivait bien ce qu'on voulait faire à la revue. J'ai trouvé ça sympathique. Un peu *folichon*! C'est tout!» Elle s'est mise à rire, un grand rire franc, rabelaisien. Ses yeux se sont illuminés; ils sont devenus tout guillerets, comme dans le *cartoon* de Bugs Bunny quand il imite Groucho Marx. Les autres étaient un peu gênés; ils se sont regardés d'un air entendu. Elle est redevenue sérieuse, tout d'un coup. Elle a plongé le nez dans ses feuilles en se grattant la joue. Et elle a repris sa voix de jeune fille : « Bon. On vous appelle demain pour vous dire ce qu'il en est. OK ? – Très bien. Merci beaucoup de m'avoir reçu. Au plaisir, j'espère ! » J'ai serré des mains. Voilà, c'était fait. Véronika m'a raccompagné. Elle a levé son pouce, et m'a chuchoté : « C'était super ! » avec un grand sourire fendu jusqu'aux oreilles. J'ai redescendu les escaliers. Toujours la même odeur réconfortante. Je sentais qu'on allait m'embaucher.

~

Je me souviens d'être allé au cinéma, pour me changer les idées. J'ai opté pour le dernier gros machin hollywoodien, parfait dans les circonstances : *Running Scared*, de Wayne Kramer, avec Paul Walker le bellâtre, et la magnifique Vera Farmiga, les plus beaux yeux du cinéma américain. Il n'y avait pas trop de monde, c'était parfait. J'ai lu le magazine gratuit distribué à l'entrée. On y apprenait que Tom Cruise avait déjà en tête un *Mission Impossible 4*, alors que le *2* venait de paraître et qu'il était en train de produire le *3*. Le *wonder kid* parfait, adepte de la scientologie. Allait-il craquer un jour, ce nain baveux ? Il m'exaspère. N'empêche, j'aimerais bien avoir sa vie, des fois. Enfin, ce qu'on imagine être sa vie. Les spectateurs venaient se coller comme des mouches. C'est immanquable : je me cherche une place avec personne autour, et dix minutes plus tard, c'est la bamboula autour de moi. Trois ados souffreteux se sont installés juste derrière avec une tonne de bouffe : *pop-corn*, barres de chocolat, nachos gratinés, des Cokes géants. Je n'avais pas envie de changer de place. En même temps, je n'avais pas les nerfs assez solides pour me farcir les odeurs dégoûtantes, les bruissements de papiers, leurs remarques stupides. Ils avaient quatorze ans, tout au plus, alors que le film était interdit aux moins de seize ans. Ils allaient bander sur Vera, les jeunes. Je me suis levé, frustré, et me suis installé trois rangées en avant, à côté de deux latinas vulgaires. Elles mouillaient rien qu'en pensant à Paul Walker, c'était sûr. Qu'est-ce que j'étais, à côté de Cruise et de Walker ? Je ne faisais pas le poids. En même temps, elles avaient bien l'air de deux pétasses difformes, à côté de Farmiga. Pour le commun des mortels, les images de stars sont en train de tout foutre en l'air. Avant le règne de l'image, il fallait croiser les gens pour affronter la beauté. Il fallait les côtoyer. Ils n'étaient jamais aussi beaux qu'on le disait, d'ailleurs. Même Cléopâtre était un laideron. Aujourd'hui, les maquilleurs et les magiciens du pixel peuvent passer des heures à peaufiner une photo, un certain look dans un film. Dans la *vie de tous les jours*, on n'a plus aucune chance.

∼

Le film était pas mal, dans le genre. *Kill Bill* est une promenade en péniche, à côté. Hyper violent, avec une ambiance démente. Vera était splendide. Je suis sorti de la séance avec l'estomac noué. La scène sur la patinoire est un morceau d'anthologie. Mais ne le dites pas aux cinéphiles avec le p'tit doigt en l'air : ils vont vous rire au nez. Mais qu'est-ce qu'il y a dans *L'Iliade*, patates ! Je me suis senti las en sortant de la séance. Je ne comprenais plus rien à rien. Je n'avais plus de désirs, pour quoi que ce soit. Je me faisais des illusions, avec la revue. Sur ce que ça pouvait vraiment changer. Je ne sais pas ce qui m'a pris : j'ai appelé Eva à son boulot, alors que je n'avais strictement rien à lui dire. « Eva Aubert à l'appareil. – C'est moi. » Long silence. « Qu'est-ce que tu veux ? – Rien. C'est ça mon problème. – Je n'ai pas le temps de jouer les psychologues, Raphaël. *Get a life.* » Elle a raccroché aussi sec. J'ai prononcé ces paroles en redescendant les escaliers mécaniques du cinéma : « Accroche-toi, mon homme, accroche-toi. »

∼

Véronika m'a rappelé pour me dire que je commençais le jeudi suivant. Ça ne m'a fait ni chaud ni froid. Je m'y attendais, c'est tout. Je ne savais même pas quel allait être mon salaire. Aux États-Unis, c'est la première chose dont on discute. Ici, au Québec, on a des petits relents français de pudeur et de dédain par rapport aux questions d'argent. Ça ne fait pas noble, parler de fric. Pas assez distingué. C'est mieux pour au moins une raison, cette pudeur, qui n'a rien à voir avec ce fatras aristocratique : ne pas toujours parler d'argent donne au moins la possibilité de côtoyer ceux qui en ont sans que ça prenne la tête à ceux qui n'en ont pas. Les relations paraissent plus équitables. Les coins sont arrondis. Bref, ça fait moins mal. Trop parler de son argent, c'est vouloir montrer sa supériorité. C'est très puéril et sadique, au fond. Un côté cow-boy ou bédouin : t'as combien de chameaux, combien produisent tes vaches, t'as vu mon cheptel, j'ai cinq cents acres à gérer... Qu'est-ce qu'on s'en fout, à la base.

~

J'avais rendez-vous avec Margaux le jeudi soir, après ma première journée à la revue. Qu'est-ce que j'allais bien pouvoir lui raconter ? Qu'est-ce qu'elle me voulait ? Elle devait rencontrer des dizaines de beaux gosses de riches, rien que pendant ses vacances. Elle regrettait peut-être son invitation. Je ne savais même pas si elle serait là. En attendant, je me faisais chier. J'avais acheté un autre jeu pour ma XBOX 360 : NHL, de EASports. Très bien fait. Ça permet de faire gagner la coupe Stanley à ton équipe favorite, virtuellement. Mais bon, après une saison, la passion s'étiole. Surtout quand on perd contre des équipes exotiques, du style Blue Jackets de Columbus, ou Predators de Nashville. C'est très déprimant. Il n'y avait rien à la télé. Que des *quiz* débiles, des reprises de mauvais films, du curling, un reportage sur le phénomène hooligans, *Survivor* en Amazonie, des talkshows lénifiants... J'aime autant regarder des trucs sur le monde des animaux, ou même sur l'univers des plantes, tant qu'à y être. C'est plus instructif. Je suis tombé, je m'en souviens, sur un reportage de la BBC : les modes de reproduction des plantes exotiques. J'ai regardé ça en buvant une bière : une Leffe brune, divine. Certaines plantes se servent de la dynamique des gouttes de pluie pour répandre leurs graines, d'autres forment une catapulte naturelle à partir de la forme de leur tige, qui se tord comme un ressort, d'autres encore se servent tout simplement des courants de la mer pour coloniser des îles situées à l'autre bout de la terre. Tout ça pour la survie de l'espèce. Des essais. Du crépitement de vie sur la surface de mort. Regardez les pissenlits : c'est frustrant, un pissenlit. Et pas du tout exotique. Les amoureux du gazon les détestent. Pourtant c'est bon, en salade. Et puis vous avez déjà observé un pissenlit en mode reproduction ? Ça paraît anodin, à force, toute cette neige en plein été. Alors que chaque petite graine possède son parachute, et que des millions de graines peuvent ainsi aller coloniser d'autres surfaces, pourvu qu'il y ait un peu de vent. Une brise suffit. Il a un coefficient d'efficacité très élevé, le pissenlit, en matière de reproduction. Dans quel but ? Dans le but de préserver l'espèce – et donc la vie. Mais vie, non-vie, où est la différence ? Si l'être humain disparaissait de la surface du globe, il y aurait quand même du vivant. J'ai eu cet éclair métaphysique en buvant ma deuxième bière. C'est sidérant, non ? Sans l'Homme, la Terre poursuivrait sa petite affaire, pépère. Je n'en revenais pas. Il fallait que j'en parle à quelqu'un. Simone était déjà couchée. Et puis ça ne l'intéressait plus, toutes ces questions d'adolescent attardé. J'ai appelé Max. « Qu'est-ce' tu veux, moumoune ? – Max, est-ce que tu te rends compte qu'on pourrait tous disparaître et que ça ne changerait rien ? – T'es gelé ? – Du tout. Je sirote une Leffe. Enlève les humains de la Terre : tout continue. C'est débile, non ? – Pas aussi débile que toi en ce moment, j'pense. J'regarde le téléjournal, là. T'as rien de mieux à m'dire ? – On s'en câlisse du téléjournal ! Toujours les mêmes osti d'nouvelles plates. – T'es fou! Réveille, *man*! La bourse montre des signes graves de faiblesse! On s'dirige vers un *bear market*, tabarnak! Y a une grosse récession qui s'en vient! C'est pas important, ça? – *So what*? Ça va changer quoi sur ton lit d'mort? – Bon, t'es r'parti s'a déprime, c'est ça? – Pas vraiment. Je voulais juste partager un petit moment de *Weltanschauung* avec toi, c'est tout. – Tu ferais mieux de faire du *cash*, mon gros co'comb'. Hey j'te laisse, y a un spécialiste qui analyse la situation!» Il m'a raccroché au nez, l'enfant de chienne! J'ai éteint le tube cathodique de la télé, pour aller allumer celui de l'ordinateur. Assez pathétique, je l'avoue. J'ai surfé un peu, à la recherche de nouvelles *cam-girls* sur mon site de strip-tease en ligne préféré – et gratuit. Il s'agissait, à n'en pas douter, d'un autre mardi soir à tuer sur la terre.

～

J'ai tenté d'écrire un journal, aussi, à l'époque. Voici le récit, en pseudo-temps réel, de ma première journée à la revue : «C'est mon premier jour de travail. Je compte me pointer à la revue vers 8 h 30. Il n'est pas tout à fait 8 h encore. Le soleil est déjà bon. Les rues viennent d'être nettoyées; les commerçants s'activent. L'asphalte est chaud, comme si j'étais dans les rues d'Acapulco. On annonce 29 degrés en après-midi, ce qui est exceptionnel pour un début de septembre. Je porte une chemise blanche en pur coton et mon Levi Strauss effiloché, avec des mocassins italiens couleur camel. Je me sens mieux. Petite phase maniaque, sans doute – autant en profiter. Je vais prendre un croissant et un denishü au Pain doré, tout près de l'Euro-Deli. Histoire de partir du bon pied. Je commande aussi un allongé. Avec le denishü, c'est cochonesque : de la pâte d'amandes et des pépites de chocolat dans une pâte à croissant, le tout fondant dans la bouche avec une gorgée de café corsé. Il suffisait d'y penser. Je ne sais pas où ils ont bien pu aller pêcher ce nom, *denishü*, par contre. Ça fait japonais ou danois ; je ne vois pas du tout le rapport. Je remonte Saint-Laurent. Je préfère le remonter que de le descendre, ce boulevard, je ne sais pas pourquoi. Aller vers les hauteurs, j'imagine. Me rapprocher du mont Royal. J'irais bien jusqu'à la terrasse du chalet. La vue est imprenable sur le centre-ville et le fleuve. Ça devait être un coin précieux pour observer les déplacements de l'ennemi, ou pour baiser au clair de lune. Bon, je monte les escaliers en bois. La porte est fermée à clé. Personne ne vient m'ouvrir. Il est 8 h 25. Ça fait un peu con, non ? Je redescends au Point vert pour acheter *Le Devoir*. Un critique de cinéma nous remet ça avec la débilitude du cinéma américain. Mais oui, mais oui. Il vaut mieux revoir *Le Cuirassé Potemkine* ou *Les Enfants du paradis*. Évidemment. Mais la vie devient un peu longuette, à ne fréquenter que des chefs-d'œuvre. Surtout quand ça prend des spécialistes pour nous faire comprendre en quoi c'était génial pour l'époque. Il est 8 h 45 ; je remonte. La porte est entrouverte, cette fois-ci. Véronika est là. Elle boit un thé. Elle a les yeux dans la graisse de bines. " Salut ! – Tu es toujours la première ? – Souvent, même si je ne suis pas du tout matinale ! – *Cool* ! Alors, c'est quoi la routine, ici ? – Euh... Ça dépend. – De quoi ? – Ça dépend si Micheline est là ou non. – Je vois. Des gros *rushs* ? – Souvent, oui ! Surtout quand Madame est de mauvaise humeur." Elle lève les yeux au ciel. Aujourd'hui elle a mis une robe légère avec des gougounes. " Il fait chaud ici, non ? On devrait partir la clim. – Y en a pas. – Y a pas de clim ? – *Niet*. Pas d'argent pour ça. – Qu'est-ce vous faites dans les grosses chaleurs ? – On endure. Et on travaille deux fois moins bien... – On entend beaucoup la circulation, non ? – Tout le temps. – Et Micheline endure ça ? – Elle est ici l'équivalent de... à peu près dix heures par semaine. Quand elle n'est pas en voyage. – En voyage pour la revue ? – Souvent, oui. Pas toujours. Elle est très cosmopolite. – Tu permets que j'fasse le tour ? – *Help yourself* !" On est équipés en Mac. Y a des gros fils bleus partout, pour le réseau. Les bureaux sont couverts de livres d'art, de paperasse. Il n'y a que la pièce de la directrice qui soit cloisonnée. C'est impeccable, là-dedans. Rien qui traîne. Une grande table noire pour les réunions. Des œuvres de la même artiste au mur. Une amie, sans doute. Je reviens dans la grande pièce. "C'est bien mon bureau ça? – Oui. – Tu me fais dos! – Karine aimait ça comme ça. – Bon, je vais changer la disposition tout de suite. – Besoin d'aide? – Ce ne serait pas de refus." Je dispose les meubles de manière à faire face à la fenêtre. La vue n'est pas terrible, mais je vais au moins pouvoir me concentrer. "Les autres n'arrivent pas? – Josh et Raymonde sont payés au numéro. Dorothée, la graphiste, est à contrat. Elle est là la plupart du temps, sauf cette semaine. Karine est supposée venir cette après-midi pour te *coacher*, j'pense. – Et Micheline? – On la voit demain, entre onze heures et midi. – Oooookée! Bon bien, j'pense que j'vais regarder les chiffres! – L'état de nos finances, tu veux dire? – Oui. Pour coordonner, c'est comme important. – J'te préviens : c'est pas rose rose... – Je m'en doute bien." J'examine les états financiers, les ventes au numéro, les abonnements. C'est long et fastidieux. C'est tout fait à la mitaine sur Excel. D'après ce que je vois, la revue est dans le trou de cent quinze mille dollars. C'est gigantesque, pour un truc qui compte à peu près onze cents abonnés dans le monde et qui tire à quatre mille exemplaires. Je calcule mon salaire, vite fait. Vingt-huit mille cinq cents par année... Tabarnak! Tu fais quoi, avec vingt-huit mille piastres par année à Montréal? Je calcule le salaire de Véronika. Vingt-cinq mille... Je commence à me demander ce que je fais ici. Véronika est au téléphone. Elle place les pubs du prochain numéro. Des galeristes, surtout. La matinée passe très vite. Elle a son lunch. J'aimerais qu'on sorte un peu. "On n'irait pas manger en bas? – Au Laïka? – C'est bon, non? – C'est cher, aussi... – J't'invite. – Non. C'est beau. Je paye ma part. – Comme tu veux." Le restaurant est déjà plein. "Il faut arriver avant midi, normalement. – C'est la clientèle du quartier? – Oui. Beaucoup de gens en design, dans la mode, de jeunes architectes... – Tous des bobos, quoi. – Si on veut." Ça travaille sec aux fourneaux. Je prends une bavette avec un verre de Minervois. Véronika choisit une salade tiède. "Tu prends pas de vin ? – Je travaille mal, après. – Tu trouves ça normal, toi, nos salaires ? – C'est pas énorme, mais c'est correct, pour le milieu des arts... – C'est normal de faire moins en arts ? – C'est ce que tout le monde dit, en tout cas ! – Ça me met hors de moi. Surtout quand tu regardes les milliards qui se brassent dans le sport. – Tu ne peux rien changer à ça, Raphaël. – Tu te rends compte qu'on travaille pour une des revues les plus prestigieuses du Canada, à moins de trente mille par année ! – Je sais. Mais je préfère travailler ici que pour *Le Mercredi*. – En parlant de ça : j'ai vu que ce torchon reçoit presque un million de dollars de subventions de Patrimoine Canada. Tu te rends compte ? – *I know*. – Et nous on n'a rien parce qu'on n'a pas assez de contenu canadien ! – *Disgusting*, hein ! – Tu viens d'où, toi, au fait ? – Mes parents sont hongrois, mais je suis née ici. – Tu vas là-bas, des fois ? – Oui. Mais c'est un drôle de pays. Tout fonctionne au noir. Les jeunes sont désespérés... On est mieux ici, *believe me* ! – Pas dans les arts, en tout cas ! – Mais là-bas ils n'ont rien ! C'est le chaos ! – Tu as raison. Mais avec la richesse qu'on génère, c'est pas normal, l'état de notre culture." Ma bavette est un peu coriace et le Minervois mince en bouche. Je sue à grosses gouttes. J'ai le goût de tout plaquer maintenant, avant de revoir la directrice. Je dois montrer un minimum de professionnalisme. Si d'ici une semaine je me fais toujours chier, je donne ma démission. L'après-midi n'a fait que confirmer mes craintes. La fille qui occupait mon poste m'a dressé le portrait de la situation : on s'en va droit dans le mur, d'ici trois ou quatre ans maximum. En plus, il y a plein de boulot vraiment chiant à faire : les demandes de subventions, la facturation, le contrat avec l'imprimeur, les relations avec les clients... Je pensais coordonner à la production, c'est ce qu'il y a de plus sympa, mais Micheline s'en occupe personnellement avec la graphiste. J'aurais dû m'en douter. Autrement dit, j'me ramasse avec toute la merde. Je suis vraiment découragé. Le mieux, ce serait peut-être le bien-être social ; j'pourrais écrire en paix. Je ne veux pas vivre aux dépens de Simone. Il y a toujours Margaux... Si j'arrive à la faire tomber en amour avec moi, elle pourrait devenir mon salut. Comment puis-je penser comme ça ? Mon cas m'inquiète de plus en plus. *Fuck it!* J'y vais : direction Le Méliès, dès que je sors de ce trou. Je dis au revoir à Véronika. " On se voit demain matin ? – Mais oui, bien sûr. *Ciao !* " Elle se doute bien que je ne compte pas me la faire longue ici. Bon bon bon. Une journée à la fois. »

∼

Le texte s'arrêtait là. J'avais des rapports cyclothymiques avec l'écriture. Je croyais qu'écrire relevait d'une sorte de rituel pythique, et que ça prenait les bonnes vapeurs au bon moment. L'auteur inspiré, etc. Qu'est-ce qu'on peut s'autobalancer comme conneries.

Chapitre 7 – La multiplication du moi

Le premier gang bang, celui d'Annabel Chong, comptait 80 hommes,
pour 251 instances of sex, *et dura dix heures.*

Dictionnaire de la pornographie

L e Méliès était situé dans le complexe Ex-Centris, la «cathédrale des arts de Montréal». C'est pas mal; un peu froid, quand même, toutes ces nuances de gris, ces matériaux bruts, granit poli, aluminium, *stainless steel.* Il y a là un côté *technofreakcontrol* qui m'énerve un peu. C'est facho urbain sur les bords. Rien de baroque, rien de sensuel. Une épuration extrême. Je me suis installé au bar du Méliès. Le cinq à sept commençait à peine. Pas vraiment de beau monde; ils allaient tous au *Buona Notte* ou au *Club,* à cette heure-là. J'étais convaincu que Margaux ne viendrait pas. J'ai commandé un Hudson Bay : quatre doses de gin, deux doses de kirsch, un peu de rhum fort, du jus d'orange et de la lime, le tout dans de la glace pilée. Voluptueux et frais. La *barmaid* voulait faire la conversation. Une rousse allumée, style Julianne Moore. Elle portait une robe noire assez chic, qui laissait voir tout son dos, jusqu'au creux des reins. Elle avait de tout petits seins, par ailleurs, genre noyaux de pêche. Je me suis un peu amusé à lui raconter n'importe quoi. Elle est venue me serrer la main, spontanément : «Moi, c'est Katarina. – Raphaël. Enchanté. – Grosse journée, Raphaël? – Pas trop, non. *Business as usual.* – C'est quoi ton travail? – Je dirige une agence de mannequins. – AH OUIN! Laquelle? – Raphaël and Co. – Connais pas. – Ça fait seulement deux ans. – J'aimerais ça, moi, être mannequin! – T'as du potentiel. Mais tu sais, y suffit pas d'avoir un beau visage. Le milieu est dur, très dur. Les autres filles ne font pas de quartier. Elles tueraient si elles le pouvaient. – Sérieux? – Des harpies. En plus, elles mangent pas, ou très mal. Ça les rend encore plus folles. Sans parler des drogues... – Tu me dis tout ça de même! – Juste pour te montrer qu'il faut vouloir pas à peu près. T'as quel âge? – Vingt-deux. – Oublie ça. T'es vraiment belle mais beaucoup trop vieille. – J'ai un ou deux ans de trop, j'le sais. – T'as dix ans de trop. On les prend à treize ans maintenant. – C'est dégueulasse. – Si j'étais venu te voir quand t'avais treize ans, t'aurais refusé? – Non... – C'est pas plus compliqué que ça. – N'empêche, c'est complètement fou. Tu dois bien avoir des mannequins pour des segments plus vieux, quand même? – Jusqu'à quarante-cinq, quarante-neuf ans, les femmes veulent avoir l'air de la fille qu'on prend à treize ans. Pour la clientèle des cinquante ans et plus, on entre dans le marché des mannequins matures, qui ont au-dessus de soixante, tout en ayant l'air d'en avoir quarante. – Ayoye. C'est fucké en osti, quand tu y penses! – *That's just the way it is...* – C'est déprimant, ton affaire. Tu dois triper raide, par contre, avec toutes ces belles filles autour de toi! – Tu rigoles! On peut même plus les toucher. Papa maman sont toujours là. Et la plupart sont vraiment connes, par ailleurs. Pas de nature. Mais le milieu les rend complètement givrées. Connes-givrées. Ou connes-*glossy*, si tu préfères. Comme le papier des magazines. – C'est vrai, alors, tout ce qu'on dit de méchant sur elles... – Il y a toujours des exceptions, évidemment. Des mannequins qui deviennent femmes d'affaires, ou vétérinaires. Certaines pensent qu'elles pourront écrire... – Ça aussi j'aimerais ça, écrire. – T'as commencé? – Non. Mais plus tard. Après ma carrière en design.» Silence. Moi : «Tu connais l'histoire du dentiste qui dit à son client écrivain : «À ma retraite, je serai écrivain...» – Non. Vas-y, *shoot!* – L'écrivain lui répond : «À ma retraite, je serai dentiste.» – C'est tout? – T'a pognes pas? – Oui, mais est plate... – Je dirais plutôt lucide. – J'pense qu'y a quelqu'un pour toi.» J'étais tellement pris dans mon histoire que j'en avais oublié Margaux. Je me suis retourné aussi sec. C'était bien elle, resplendissante avec son teint bronzé. Je ne me la rappelais pas ainsi. Je pensais qu'elle avait les yeux marron, alors qu'ils sont pers. J'étais sûr qu'elle avait un grain de beauté sur le front, alors qu'il est près de son oreille gauche. Surtout, je la croyais moins belle. Elle ressemblait un peu à Eva, en fait. En plus cool, plus fraîche, avec un je ne sais quoi de candide. Sa peau était parfaite. Elle s'était fait blanchir les dents, par ailleurs. Je n'avais pas remarqué, au Gogo. Il faudrait que je fasse ça, moi aussi, un jour. Je dis ça depuis des années. Une résistance stupide au changement, sans doute. Elle avait toujours sa Patek Philippe au poignet. Elle s'était habillée beaucoup plus *casual* : pantalon en lin et débardeur bleu marine avec des baskets de plage turquoise. Je lui ai posé plein de questions sur sa famille, avec un sans-gêne lamentable. Elle semblait apprécier cette attitude, sauf quand je faisais trop valoir sa richesse, évidemment. Elle était l'arrière-petite-fille du fondateur de la compagnie Kreg, qui a fait fortune dans les pâtes et papiers. Mais le père de Margaux avait tout vendu à un conglomérat américain cinq ans auparavant. Depuis, la fortune familiale était gérée par une firme torontoise. Les Kreg *surfaient* maintenant sur le caritatif, sans trop se prendre la tête. Margaux pouvait donc faire ce qu'elle voulait, quand elle le voulait. Enfin, c'est ce que je me suis imaginé au début de la soirée. Elle m'a bien sûr demandé ce que *moi* je faisais dans la vie. «Oh... Je ne suis rien du tout! Prof de lettres à l'université. En sabbatique cette année. – T'as un Ph.D., alors... – J'ai fait ma thèse sur Proust. Mais je m'intéresse plus à Céline, maintenant. – Pas facile, Proust, d'après ce qu'on m'a dit. – Ça dépend. Si tu arrives à te laisser bercer par sa prose, ça devient aérien, grandiose. Tu suis les raisonnements et les émotions de la pensée, la vision poétique. Très fort. On ne peut plus écrire comme ça, aujourd'hui. D'ailleurs, personne après lui n'est jamais arrivé à écrire comme ça. Je suis très jaloux, en fait. – Mais tu as passé des années à l'étudier ! C'est génial, non ? – Oui et non. Ça devient aliénant, quand même. Et comme sa vie n'était pas jojo, on finit par penser que c'est ça, la vie... – C'est-à-dire ? – Une longue suite de déceptions, d'amours manquées, d'amitiés trahies, de maladies et de morts. – Très gai ! C'est de ça que ça parle, ses romans ? – Son roman. *À la recherche du temps perdu*, c'est un roman de deux mille cinq cents pages écrit comme si c'était de la poésie. Une poésie mélancolique, que tu ingurgites comme un doux poison. – Je croyais que c'était beau, Proust. – Ça l'est. Mais c'est aussi très noir. De toute façon, on ne le lit presque plus. Son mythe est entretenu par les universitaires, c'est tout.» Elle m'a dit qu'elle souhaitait le lire. J'étais prêt à lui passer une de mes éditions, mais elle avait tout ça à la maison. La question me brûlait les lèvres : «Tu vis où ? – Dans un *penthouse* rue Sherbrooke, tout près du Musée des beaux-arts. – Un p'tit truc pas cher, tu vas me dire... – Non. C'est très grand. Mais je n'aime pas parler de ça. Je préfère parler de littérature, vraiment ! – Et tes auteurs préférés sont ? – Des Américains. C'est plutôt anglophone, chez nous. J'adore Irving. Et Kennedy. J'ai bien aimé Franzen, aussi. – Et là, tu lis quoi ? – Je me suis remise à *Moby Dick*, pour la cinquième fois au moins ! Je n'arrive pas à entrer dedans, même si je sens que c'est magistral. – Pareil pour moi. J'ai essayé en anglais, en me disant que c'était peut-être à cause de la traduction... Je sens mieux la force du style, mais je bute sur le vocabulaire... – Même en possédant la langue, c'est pas du tout évident, crois-moi ! – On dirait que tout doit mourir. Même les grandes œuvres du passé s'opacifient avec le temps. Et ton coup de cœur à vie, comme roman ? – Ça reste *The Catcher in the Rye*. J'ai lu ça à seize ans, et c'est mon premier amour littéraire. Le seul qui compte, non ? – Oui. Moi c'est pareil pour Proust. Il n'y a rien qui lui arrive à la cheville. Chaque fois que je commence un roman, il y a une petite voix qui me dit que ce n'est pas ça. Au mieux, je reste indifférent. Au pire, ça m'exaspère. Surtout quand le livre est censé être un chef-d'œuvre! – Tu ne trouves pas que l'art devient une chose très relative, aujourd'hui? – Dans quel sens? – Je ne sais pas. J'ai l'impression que son poids médiatique augmente au fur et à mesure que son poids symbolique diminue. Non? – On le fait circuler dans les médias, mais de moins en moins de gens se laissent *consumer* par l'art. Je pense qu'on peut dire ça, oui. Ça ne s'arrangera pas avec les nouvelles générations, tu sais. – Ce ne sont peut-être que les formes artistiques qui changent. J'imagine que ce qui était *in* au XVIIᵉ siècle est complètement *out* aujourd'hui. – Je ne te le fais pas dire. Remarque, Racine, c'est toujours aussi beau. Mais les jeunes qui ont dix-huit ou vingt-deux ans maintenant n'y comprennent strictement rien. C'est pour ça que c'est si important, la transmission. Je ne comprends pas pourquoi c'est aussi peu valorisé.» Elle m'a demandé si j'avais hâte de reprendre mes cours. J'ai eu du mal à lui mentir. Elle semblait, de son côté, spontanée et franche. C'est ce que je pensais. Je lui ai demandé pourquoi elle voulait me revoir. «Je te trouve de mon goût, tout simplement!» Elle a mis une main sur sa joue. Elle souriait, en rougissant un peu. Ses pupilles étaient bien dilatées; c'était un très bon signe. Elle me plaisait bien, au fond. Intelligente et cultivée, en plus... «Je croyais que c'était Max qui t'intéressait, au Gogo. – Il est pas mal du tout. Très séduisant. Mais c'était pour tester ton intérêt... – Tu vis seule depuis longtemps? – Je suis mariée.» Celle-là, je ne l'avais pas vue venir. Qu'est-ce que je pouvais être con. «Et il est comment, ton époux? – C'est un gros nounours égocentrique. Je l'aime bien, sans plus. Je suis sûre qu'il me trompe. – Et c'est pour ça que tu veux me voir... – Mais non. Je veux m'éclater, moi aussi. Je me suis mariée à vingt-trois ans. J'ai perdu mes illusions. – Tu n'as même pas d'alliance... – Je l'enlève, c'est tout. – Tu étais avec lui en vacances? – Évidemment. C'était l'horreur! Il a joué au golf tous les jours. On a fait l'amour une seule fois en trois semaines et il n'a même pas réussi à jouir. Il n'aime pas trop mes fantasmes… Et toi? Pas de petite amie? – C'est fini. Depuis quelques mois. Elle ne m'aimait plus. Me trompait, aussi. Elle voulait prendre du recul… J'ai tout plaqué.» Je ne sais pas ce qui m'a pris, j'ai déballé ma vie de minable : «Pour te dire la vérité, je ne suis même plus prof. – Tu as laissé ton poste? – Oui. Je n'ai plus rien. Je vis chez ma grand-mère! – Wow! Un homme totalement libre! On n'irait pas à mon appart? J'ai envie de toi… – Tu ne perds pas de temps! Et ton mari? – Voyage d'affaires. – J'aime pas trop les *one night stand*, Margaux. – Laisse-toi aller! On pourrait se voir régulièrement! Allez! J'ai envie que tu me fasses plein de trucs cochons en me parlant de Proust! – Ça ne va pas très bien ensemble, tu sais… – Mais si. Un peu d'imagination! – Je ne te promets rien… – Au moins un orgasme, j'espère! – Chut! Tout le monde nous entend! – Mais non. Et puis on s'en fout! – T'as pas faim? – On se commandera des sushis.» Elle m'a pris par la main. J'ai laissé un vingt sur le comptoir. En moins de deux on était sur le boulevard. Elle m'a entraîné jusqu'au Esso du coin. «Ma voiture est là. – C'est quoi, ta voiture? – Celle-là.» Elle s'est dirigée vers une Aston Martin Vanquish S. «C'est pas un peu trop voyant pour tes sorties sexuelles? – Je ne connais personne, ici! Ils sortent tous sur Crescent. Allez, monte! – Tu me laisses conduire? – Plus tard, si tu performes bien! – C'est chien, ça…» L'intérieur était plutôt sobre. Ça sentait l'argent à plein nez. Elle a démarré le moteur. Un bruit sourd et puissant. J'étais tout excité, à ma grande honte. C'est juste de la tôle, des tuyaux, du cuir et de l'électronique. Combien est-ce que ça pouvait bien valoir, une voiture comme ça? J'ai fait des petites recherches, par la suite. Deux cent soixante-quinze mille dollars, minimum. Margaux a décollé comme une dingue; ça m'a plaqué à mon siège. Elle a mis sa main sur ma queue en brûlant un feu rouge. Je me suis demandé dans quoi je m'étais encore embarqué.

~

Je devais voir ça comme une autre expérience, j'imagine. Ça fait partie des paradigmes contemporains : multiplier les occasions d'épanouissement du moi. Chaque truc qui sort de l'ordinaire devient une occasion de se dire qu'on a vécu. Je ne dis pas qui sort de *mon* ordinaire, mais bien de *l'*ordinaire. C'est compliqué à définir, l'ordinaire... À partir de quel seuil ma vie bascule-t-elle hors de mon ordinaire, d'une part, et de l'ordinaire, d'autre part ? Les compagnies d'assurances ont peut-être la réponse. La philosophie s'essaye depuis plus de deux mille ans, sans résultats très probants. La question est toujours la même, au fond : qu'est-ce que vivre ? Et qu'est-ce qu'une vie réussie ? Réponse : ça dépend de l'époque et du milieu. Le concept est généralement associé à celui de bonheur. Car après tout, on peut de manière tout à fait légitime se demander si une vie non réussie est toujours une vie. Une vie pour quoi ? On entre de plain-pied dans l'absurde. Sauf aux États-Unis, où la vie réussie ne dépend que de la grosseur des choses : une grosse voiture avec une grosse maison, t'as un peu réussi. Un gros compte en banque, t'as beaucoup réussi. Un gros pouvoir décisionnel ou un gros succès commercial, t'as super réussi. Une grosse relation avec Dieu, en plus, et t'as immensément réussi. Bush *junior* a tout réussi. Ailleurs, c'est beaucoup plus compliqué. Comment définir le bonheur ? Une vie de merde est-elle encore une vie ? Autant de questions métaphysiques insolvables. Et indissolubles dans l'alcool. Des chercheurs belges ont fait une étude très éclairante. Ils ont demandé à des gens dans un groupe cible de choisir entre les deux situations hypothétiques suivantes, en prétextant qu'ils venaient de gagner un gros lot dans un concours un peu obscur : recevoir une rente de cinquante mille dollars par année et vivre dans un quartier où les voisins font en moyenne vingt-cinq mille, ou recevoir cent mille dollars par année et vivre dans un quartier où les voisins font deux cent cinquante mille. Logiquement, ils auraient dû choisir l'option B, avec un plus gros revenu annuel, dans un quartier mieux nanti. La majorité a choisi l'option A. Les gens préfèrent toujours être un *king* parmi des deux de pique plutôt qu'un deux de pique entouré de *kings*. Qu'est-ce que le bonheur ? Un humoriste a répondu : « Le bonheur, c'est d'avoir fait cent dollars de plus que ton beau-frère à la fin de l'année. » Je ne savais évidemment pas ce qu'en pensait Margaux. Elle ne semblait pas avoir envie de parler de ces choses-là. Alors que c'est l'essentiel, au fond. Pourquoi elle et pas moi ? Il paraît que le discours sur la simplicité volontaire cache une mentalité de pauvre.

On m'a dit ça, une fois, alors que je tentais de convaincre mon interlocuteur qu'il y avait sans doute des mérites à vouloir diminuer son train de vie, se contenter de plaisirs simples, etc. Je cherchais à me convaincre moi-même, en me disant que les moines zen ont sans doute raison. Le gars avec qui je discutais faisait tourner une dernière gorgée de Gruau-Larose dans un verre à dégustation. Il a respiré les essences, en transe, et puis il a dit : « De toute façon, c'est bien connu, la simplicité volontaire, c'est un discours de pauvre qui cache une mentalité de pauvres. » Ça m'a soufflé. Le credo des sociétés riches du XXIe siècle pourrait se résumer à ceci : toujours plus de croissance pour éviter la décroissance. C'est aussi simple comme argument que de se décrotter le nez. C'est comme dire à un fou qui fait du cent soixante-dix kilomètres à l'heure en ligne droite alors qu'une courbe prononcée lui arrive en pleine face : « Monte à deux cents pour mieux négocier ton virage. » Il faut réaccélérer dans la courbe, pas avant… Je vis dans une société qui ne veut plus voir de courbes. Alors, tout le monde veut dépasser tout le monde sur l'*Autobahn* du bonheur. On appelle ça la mondialisation. Il n'y aura plus jamais de grand krach dévastateur. On contrôle tous les paramètres, maintenant, pour que la Bourse *rebondisse*. Comme sur l'Aston Martin de Margaux. Elle pouvait faire du cent trente en plein centre-ville (je regardais le compteur quand elle accélérait : elle a bien fait une pointe à cent trente, pendant cinq ou six secondes, dans la rue Sherbrooke) : elle ne pouvait pas avoir d'accident – c'est techniquement impossible, à bord d'une Aston Martin. Des dizaines de polytechniciens avaient planché là-dessus pendant des années. Ils avaient tout calculé, vérifié, soupesé. La voiture était paramétrée pour une conduite *comme sur une bulle*. Je ne pouvais pas mourir dans une Aston Martin. Même si on glissait sur une flaque d'huile et qu'on se ramassait dans le camion-citerne qui se dirigeait dans l'autre sens, je n'aurais pas une seule égratignure. Le modèle venait avec trente-deux coussins gonflables en série. Tu pouvais aussi avoir, en option, le dispositif qui *shoote* un gaz post-traumatique dans l'habitacle. Au moindre impact, tu oubliais tout. T'avais même pas eu l'accident que c'était déjà oublié. Le truc n'était pas au point. Ils ne l'offrent plus, depuis. Mais je reviens au concept de bonheur : comment pouvais-je calculer mon taux de bonheur à côté d'une fille mariée qui possédait ce que je ne pourrais jamais gagner en dix vies ? La question me paraissait importante. Je pouvais toujours me consoler en me disant qu'elle n'était pas plus heureuse que moi, qu'il ne faut pas confondre plaisirs et bonheur, etc. Ça n'enlève pas la douleur. Ce n'est qu'un baume temporaire ; de la glace sur une plaie vive. Je pouvais aussi me dire qu'elle ne comprenait pas plus le sens de la vie que moi, ce qu'elle faisait sur la terre, etc. Ça ne changeait rien à l'équation. Jésus était complètement dans le champ, sur ce point. N'empê-che, il a embobiné des milliards d'adeptes à travers les siècles. Il a inventé un gaz post-traumatique très efficace : « Les pauvres seront les premiers au paradis.» L'attente, la patience, la revan-che de l'Indien... Le seul hic, c'est que la richesse des autres est un trauma quotidien. C'est même pire aujourd'hui : on l'a en pleine face, dès qu'on ouvre les oreilles ou les yeux. J'entends Madonna : je me dis tout de suite qu'elle est multimillionnaire. Je vois Julia Roberts, Brad Pitt ou Justin Timberlake à la télé : pareil. Noemi Campbell sur une pub d'abribus : *idem*. En plus, il paraît que c'est une emmerdeuse de la pire espèce. Même pas besoin des stars comme exemples : je suis à pied et je vois un mec à bord d'un Hummer (un produit pourtant tout à fait *overrated*) – il est potentiellement plus heureux que moi. D'autant plus que l'image qu'il projette me pousse à penser que je ne peux pas me payer un Hummer – je suis donc forcément un nul. À l'époque de Louis XIV, c'était beaucoup moins compliqué : chacun avait sa place dans l'univers ; Dieu en avait décidé ainsi. Maintenant, je suis le seul maître de mon inaptitude à faire du fric. Ce ne peut être qu'une tare congénitale, ou un dysfonctionnement chronique de mon cerveau gauche. Je suis incapable d'intégrer le concept de croissance ! Un raté sur toute la ligne. Les adeptes de la réincarnation se consolent en se disant qu'ils ont déjà été Napoléon, Sarah Bernhardt ou Amundsen. Ça n'empêche pas de vivre, mais au moins ils peuvent sentir la gloire du passé couler dans le sang du présent. Il paraît que c'est assez efficace. J'en ai croisé un, une fois, au Salon du livre de Lille. Seul à son stand. Un *poster* avec des signes cabalistiques et des figures de gens connus servait de présentoir. Le mec était l'auteur d'un livre intitulé : *Mise sur tes anciennes vies*. Il m'a dit avoir été, entre autres, Cléopâtre, Robespierre et Eddy Merckx, ce qui était un peu problématique pour ce dernier puisqu'il n'était pas mort, à l'époque. En tout cas, il avait l'air *top shape*, le réincarnationiste. Un concentré de bonheur. Il venait de tout perdre à la Bourse, et pourtant ça ne lui faisait rien : il se rappelait quand il était Robespierre, stoïque dans l'adversité ; Merckx au milieu d'une côte énorme. Un ersatz de Dieu, au fond. Tout est dans la relation à quelque chose d'autre, que cette chose soit tangible ou non. Nous avons besoin de relations, c'est tout. Avec des petits humains, avec un dieu quelconque, avec le passé. Je ne suis pas sûr que la société au sein de laquelle j'évolue offre cela, cependant. A-t-on vraiment une relation avec sa télé ? avec sa console de jeux vidéo ? *Chatter* avec un Turc sur la pose que prend la petite Nippone dans *Dead or Alive Extreme 2* quand elle est sur sa motomarine, est-ce de la relation ? Je ne sais plus très bien. Les plus aptes, aujourd'hui, sont sans doute ceux qui peuvent se dire en se regardant dans le miroir le matin : «J'accrois ma richesse, et donc celle de la société.» Tout le reste est devenu secondaire : la culture, la communauté, la famille (malgré les sondages), l'éducation (humaniste)... Ça ne tient plus vraiment la route, face au capitalisme et à l'hyperconsommation. Pas au Québec, en tout cas. Tout est en train de voler en mille morceaux. Aux États-Unis, au moins, ils ont encore des valeurs fondamentales : travail, justice, nation, enfants... Je sais, ça fait complètement *ringard*, comme disent les Français. Mais au pays du grand fleuve majestueux et des milliers de lacs, quelles sont les valeurs véhiculées? La retraite anticipée et un système de santé universel. Une belle euthanasie nationale.

~

J'étais donc à bord d'une Aston Martin Vanquish S avec une fille prénommée Margaux. Je me sentais vraiment nul. J'avais l'impression que la vie n'avait vraiment plus que ça à offrir, en Occident : un matérialisme béat. Heureux ceux qui participent à la croissance! Heureux les producteurs de richesse matérielle! Je sais bien : sans richesse il n'y a plus rien. L'Occident aura au moins vécu, l'espace de deux décennies, la possibilité d'un bonheur égalitaire dans l'avènement tangible d'une richesse pour tous. On vit encore sur ces deux décennies mythiques que furent les années 1950 et 1960. Après la guerre, avant la crise du pétrole. Une reconstruction de tous les possibles, alors qu'existait vraiment un espoir sans bornes. En fait, c'était plutôt une grosse balloune hallucinatoire dans la fabuleuse histoire universelle des humains sur la Terre. Une anomalie dans le processus économique continu. Le résultat de deux guerres mondiales rapprochées. C'est tout. La troisième s'en vient. Elle ramènera peut-être un semblant d'équilibre, à son tour. Le temps que la nature humaine reprenne le dessus. Et qu'elle répande les germes d'un nouveau chaos.

~

J'aurais dû me sentir bien, avec cette femme superbe à mes côtés, en route pour une soirée de sexe dans un *penthouse* de luxe. J'avais un doute, pourtant. Une goutte de mélancolie lancinante sur le front, comme dans la torture chinoise. Il y avait quelque chose qui clochait dans ma tête, visiblement. N'importe quel homme mentalement stable aurait été aussi excité qu'un babouin, s'il avait été à ma place. Où était le problème? Je me posais toutes ces questions alors que nous pénétrions dans le garage de l'immeuble. Il y avait des caméras partout. Le gardien a salué gentiment Margaux, avec un air un peu suspicieux, quand même. Il me prenait peut-être pour un braqueur. J'observais les voitures alors qu'on se dirigeait vers le box de stationnement : rien en bas de soixante-quinze mille dollars. Il y avait même une Porsche Carrera GT, sept cent cinquante mille dollars, prix de base à l'époque. «Tu connais le propriétaire de ce petit joujou? – Oui. C'est le fils d'un cheik des Émirats. Il vient à Montréal deux semaines par année, dans le temps du Grand Prix. Sinon, il prête son *penthouse* à de vagues cousins, des fois. Il le loue aussi à des studios de production. Il est richissime. On a l'air de *petits enfants des pauvres*, à côté de lui! – Heureux de l'apprendre... Imagine-toi comment je me sens! – Mais c'est rien, tout ça! C'est du vent... – J'peux en mettre un peu dans un bocal, de ton vent? – Arrête. Tu vas gâcher ma soirée si tu continues. – *Ta* soirée? – Notre soirée. Pardon.» On a marché jusqu'à l'ascenseur. J'aurais peut-être dû la baiser pendant qu'on montait, l'envoyer promener rendus en haut, puis redescendre tout de suite au rez-de-chaussée, m'enfuir. J'étais curieux de voir son petit appart, quand même. Elle a sorti son *gizmo*. Il contenait une puce qui permettait de débloquer l'accès au dernier étage. Ça fait moins mystérieux et romantique qu'une clé, un *gizmo*. Je m'imagine mal dire à une fille : tu me laisses ton *gizmo* ? Es-tu prête à me donner le *gizmo* de ton cœur ? Il y avait trois portes dans le couloir ; trois *penthouses* en tout, j'imagine. Je l'ai suivie jusqu'à la porte du fond, à droite. Margaux s'est retournée et m'a envoyé un sourire coquin, avec l'index qui lui effleurait la bouche. « Chut ! Je m'assure qu'il n'y a personne, quand même ! – Qui pourrait être là ? – Je ne sais pas. J'ai plein d'amis qui ont un *pass*. – Mais qu'est-ce qu'ils viendraient faire ici ? – Mais tais-toi donc ! » Elle m'a fait signe de rester là, bien sagement. Au bout d'une minute, elle est revenue me prendre par la main, en riant. C'était tout noir. Je pouvais distinguer des amphores immenses, un miroir baroque, des bouquets de fleurs. Elle a passé ses mains dans mon dos et m'a embrassé vigoureusement. Sa langue fouillait ma bouche. Elle portait Joy comme parfum, définitivement. Qu'est-ce que c'est bon, un premier baiser. Surtout imbibé d'alcool. J'ai caressé son dos et j'ai enfoncé mes mains dans son slip en lui prenant les fesses, bien fermes, puis en la collant contre moi. Elle devait bien sentir ma queue. J'étais super bandé. Tout allait bien. Elle s'est retirée, brusquement, en me disant : « On prendrait pas un autre verre, avant ? – C'était bien parti, là. Allez ! – Non. J'ai besoin d'un autre verre. » Elle a tapé des mains et tout s'est illuminé dans la pièce. Immense. Plancher en bois exotique, foncé, murs crème fraîche. Des toiles d'artistes très chargées, avec des couleurs criardes. Quelques meubles antiques. Je n'y connaissais rien. Des miroirs à dorures. D'immenses bouquets de fleurs un peu partout. Des trucs très légers, tulipes, jonquilles, glaïeuls. Un équilibre parfait. Un appart de magazine, comme je m'y attendais. Un espace de jeu pour décorateur de riches. « Wow ! Écœurant ! Ils en font pour les vraies gens ? – Très drôle. Fais comme chez toi. J'en ai pour deux minutes. – Non non, je te suis aux cuisines. » C'était plus grand que le deuxième étage au complet chez ma grand-mère, sa cuisine. Inox et marbre blanc.

Tout était en double : deux fours au gaz, huit brûleurs, deux frigos Subzero, deux lave-vaisselle, deux machines à cappuccino, quatre éviers... «Vous recevez beaucoup ? – Pas tellement. On préfère allez au restaurant. Pourquoi ? – Oh rien. Je me disais que vous aviez l'air d'aimer faire à manger, avec tout cet attirail de grand chef. – C'est chiant cuisiner, à la longue. J'aime bien l'allure, par contre. Ça fait joyeux, festif. – Une cuisine de cent mille dollars qui ne sert à rien, je trouve ça plutôt triste, moi. – Un peu plus que cent mille. Mais on s'en fout, j'te dis. On n'a pas le choix, c'est tout ! – Pas le choix ? – On a plein de connaissances qui doivent voir notre *standing*. Tu veux que je te fasse un dessin ? – J'ai lu un papier là-dessus écrit par un anthropologue. Il s'est penché sur le phénomène des cuisines gigantesques aux États-Unis, avec tout en double comme chez toi. Alors que les Américains ne cuisinent plus ! Le concept même de repas en famille est en train de disparaître ! C'est un phénomène de compensation, à ce qu'il paraît. Et de déculpabilisation. – N'importe quoi ! Les gens ont l'argent pour se le permettre, point ! – Ça me paraît un peu simpliste comme argument. – Vous êtes toujours en train de vous casser la tête, vous, les intellectuels, avec le comportement des riches. Comme si ce qu'on dépensait en supposées frivolités pouvait nécessairement servir aux pauvres ! Ça fait tourner l'économie, tout ce qu'on claque comme argent ! – Mais tu n'as même pas besoin de deux frigos et de deux fours ! – Et les gens de la classe moyenne, tu penses qu'ils ont besoin de quatre télés ? d'un tracteur à dix vitesses pour tondre le gazon ? de toutes ces conneries qu'ils achètent au Dollarama ? – Tu compares des bananes avec des oranges. – C'est exactement le même phénomène. Si tu avais de l'argent, tu ne ferais pas comme moi ? – Je ne sais pas. – Tu le distribuerais aux gens sur le BS, peut-être ? Bon, on change de conversation avant que ça tourne au vinaigre. Qu'est-ce que j'te sers ? – Un bon scotch. – J'ai un Laphroaig trente ans. Mais tu préfères peut-être un Saint-Léger, histoire de rester en accord avec tes principes ? – Je n'ai pas de principes, Margaux. J'essaye de comprendre les choses, c'est tout.» Elle était vraiment fâchée. Ses yeux ont tourné du bleu au vert. Elle avait les joues rouges. «Donne-moi un peu de ton Laphroaig, ça va m'aider! Si tu enlevais ton pantalon, ça m'aiderait encore plus... – Enfin quelques mots sensés!» Elle a rentré son ventre et baissé son pantalon, lentement, en me regardant droit dans les yeux. Elle avait vraiment une peau de rêve. Elle portait une petite culotte blanche, style joueuse de tennis. C'est bien plus sexy qu'un dessous chic. Je me suis approché pour l'embrasser. «Pas tout de suite! J'ai une petite surprise pour toi. – Quand tu veux! – Allons boire au salon, avant. J'aimerais que tu me parles de Proust. – Ah non, pitié!» Je ne comprenais pas qu'une fille comme elle puisse s'intéresser à ça. Je l'ai suivie en admirant son cul, légèrement relevé, avec un arc parfait entre les cuisses, et le petit rebondi que j'aime tant, accentué par la couture du slip. «Ne viens pas me dire que tu as besoin de Proust dans ta vie! – Mais tu n'as que des préjugés depuis le début de la soirée! – Bon. OK. Qu'est-ce qui t'attire, chez Proust?» Elle s'est assise en tailleur, sans gêne, dans un fauteuil en cuir havane. Je me suis installé en face, sur le bord de l'accoudoir, pour être plus haut qu'elle. Je distinguais bien ses lèvres à travers le coton. Elle se rasait la chatte, c'était sûr. «Je ne sais pas! Je ne l'ai jamais lu! Son rapport au sexe, par exemple... – Son rapport au sexe? – Oui. Il en parle sûrement dans son œuvre, non? J'ai entendu dire qu'il aimait torturer les rats... – Mais ce n'est pas dans le roman, ça! – Il avait un petit côté sado, non?» Je commençais à comprendre où elle voulait en venir. «Oui. On peut dire ça. Il y a une scène avec Charlus en train de se faire fouetter. On pense que Proust fréquentait un bordel pour homosexuels, par ailleurs. Il aurait donné des meubles de la famille au propriétaire des lieux. Il aimait bien tout ce qui touchait à la profanation. Des mères, surtout. – Intéressant. Très intéressant! Rien d'autre? – Non. Le truc des rats, ce n'est qu'un ouï-dire. Personnellement, je ne pense pas que Proust ait été un grand amateur de sexe. La masturbation lui suffisait. – Tu veux que je me masturbe ? – Je n'ai pas dit ça. Je parle de Proust. – Continue ! Ça m'excite ! – Qu'est-ce qui t'excite au juste ? Moi, le sexe de Proust, ou moi parlant du sexe de Proust ? – Les trois. Allez ! Donne-moi d'autres détails croustillants ! – Mais je n'en ai pas ! – Invente !» Elle se frottait doucement la cuisse, dans le creux de l'aine, et passait un doigt sous sa culotte de temps en temps. J'ai décidé de jouer le jeu, en inventant n'importe quoi, juste pour voir sa réaction. «Bon. Très bien. Il paraît qu'il aimait beaucoup, aussi, qu'on lui enfonce des madeleines tout partout. – Je ne te crois pas. Sois un peu plus convaincant ! – Mais je ne sais pas, moi ! Tiens : il suçait des asperges avec Joyce. – Mmmm, ça devait être bien, ça. Pendant qu'il le prenait par en arrière ? – Mais oui. Ils se fouettaient les couilles avec, aussi. – Les p'tits salauds ! Quoi d'autre ?» Elle se passait maintenant deux doigts, tout en buvant une grande gorgée de scotch. Je n'en pouvais plus. Je voulais lui sauter dessus, mais je sentais que ce n'était pas encore le moment. J'ai donc poussé le délire jusqu'au bout. «Il paraît, aussi, que Céleste, sa gouvernante, décapitait des poules devant lui, dans sa chambre, pendant que Reynaldo Hahn jouait du violon. – Mais c'est excellent, ça ! Viens !» Bingo ! Elle s'est levée brusquement. «On fait ça debout ? – Non. Suis-moi. On va dans une autre pièce.»

~

Je l'ai suivie, sur le qui-vive. En même temps, j'étais pompé ; j'avais vraiment envie de baiser. Elle a ouvert une double porte. Petite tape des mains, pour allumer les lumières. Je suis resté figé, incapable de dire quoi que ce soit : il y avait des objets sadomaso sur les quatre murs. Tout un attirail plein de piquants et de cuir et de lanières et de boules en acier. Chaque machin avait sûrement un nom, mais je n'y connaissais rien. Pour tout dire, ça me dégoûtait profondément, et j'ai tout de suite su que la soirée était ratée. Au milieu de la pièce trônait une cage en fer, comme un sarcophage ajouré, avec des bandelettes de métal rouillé. J'ai regardé Margaux avec un air déconfit, légèrement effrayé. Elle a bien vu ma stupéfaction. «Qu'en penses-tu? – Euh... T'es sérieuse, là? – Ça fait toujours peur, la première fois. Laisse-toi aller : je te promets le plus grand orgasme de ta vie! – Ça ne me branche pas du tout, Margaux. J'ai même envie de vomir. – Allez, détends-toi! Je vais y aller tout doux!» Elle a refermé les portes de la pièce; j'ai entendu un cliquetis étrange. En moins de deux elle avait changé l'éclairage, très feutré tout d'un coup, avec de fausses flammes un peu partout. «Je te laisse choisir : je fais la maîtresse ou l'esclave? – Tu ne fais rien du tout. Je pense que je vais partir, ça vaut mieux. – Regarde-moi me changer, au moins...» J'ai voulu ouvrir la porte : c'était verrouillé. Mon cœur a fait trois tours. «C'est quoi cette connerie! – Il y a un loquet automatique. Impossible de l'ouvrir. On est enfermés ici pendant une heure et demie. Ça augmente l'excitation!» Je n'aimais pas du tout son sourire. Elle avait l'air très concentrée, en même temps. Je me suis souvenu d'un clip que j'avais téléchargé par erreur sur mon ordi. Il s'agissait d'un film pour initiés sur le rituel de la suspension par crochets insérés dans la chair. On y voyait de jeunes femmes à la tête rasée qui se laissaient transpercer la peau à divers endroits. Elles étaient ensuite accrochées à des systèmes de chaînes et de poulies, et on les faisait planer à deux mètres du sol. Il était impossible de deviner leur état d'esprit. Elles ne semblaient pas jouir, en tout cas. Ça provenait des Pays-Bas. J'avais tout de suite mis le document à la poubelle, horrifié. Je ne voyais aucun appareillage du genre dans la pièce où j'étais, mais je me suis mis à paranoïer quand même. Il pouvait y avoir des trappes secrètes, des outils cachés. Margaux était à poil. Je ne voyais aucune marque sur son corps; ça m'a rassuré un peu. Elle a commencé à enfiler des machins en latex. Elle me regardait avec un drôle d'air, très dur, et en même temps très fébrile. Heureusement, j'avais encore mes vêtements. Je ne sais pas comment j'aurais réagi si elle m'avait entraîné là tout nu. Elle avait l'air ridicule. Complètement ridicule. L'ensemble qu'elle enfilait était trop petit. Ça lui faisait des bourrelets. «Arrête, Margaux. Ça ne marchera pas. – Fais ce que tu veux de moi! Parle-moi encore de Proust!» Elle insistait tellement que j'ai fait semblant de céder. «OK. *Fine!* Va dans la cage. Tu me diras quoi faire.» Elle marchait lentement, et langoureusement, bien sûr. Comme *Catwoman.* C'était consternant. «Tu vas m'enfermer et cadenasser la porte. – Très bien!» En plein ce que je voulais. Je me suis exécuté, et j'ai mis la clé dans une de mes poches. Puis je suis allé m'asseoir dans un coin, par terre. «Qu'est-ce que tu fais? – Rien. Je ne ferai rien. On va attendre, pendant une heure et demie, c'est tout. – Mais viens donc! J'exige une torture! – Non. – Fais un homme de toi et viens me faire saigner, ordure!» Elle brassait la cage comme une folle. Elle donnait des coups de pied, frappait avec ses poings. J'avais l'impression d'être avec le fantôme de la Corriveau. Un cauchemar en direct. «Tu peux faire ce que tu veux dans cette pièce, Margaux, mais pas avec moi. – Bon, très bien. On arrête tout. Viens m'ouvrir. – Non. – Comment ça, non? – J'aimerais que tu réfléchisses un peu. – Tu disjonctes, là? – Pas du tout. – Va te faire foutre, Raphaël. – Justement, ça ne me tente plus du tout. – T'as des problèmes sexuels? – Tu me demandes vraiment ça? À moi! – Bon. Si tu penses qu'on va jouer au psychanalyste ici, j'aime mieux te dire que t'es dans le champ.» Elle a croisé les bras et s'est appuyée sur un des côtés de la cage. Sa mâchoire allait exploser, tellement elle la serrait fort. «J'm'en câlisse, Margaux, de tes pulsions sadomaso! T'as juste pas le droit de m'enfermer dans cette pièce de merde et de m'imposer tes lubies. – D'accord. J'ai compris. Tu veux des excuses, en plus? – Oui. – Pas question. – Ça va être long, une heure et demie làdedans... – Je peux y rester des heures. – Quand on te fait toutes sortes de trucs dégoûtants, oui. – Ta gueule, avec ta morale à deux sous! – Mais avoue donc, au moins, que tu aurais pu m'en parler! me demander mon avis, non? – Ça m'enlève l'excitation.

Maintenant tu te la fermes. On n'a plus rien à se dire.» On est restés comme ça, en silence, un bon dix minutes. Inutile de dire à quel point l'ambiance était lourde. Avec tous ces objets de torture, en plus. Elle s'est mise à pleurer. «Ça ne va pas? – Tu ne vois pas à quel point c'est humiliant, là? – Et ça ne l'est pas quand tu jouis, je suppose? – Eh bien non, figure-toi! – Tu vas être raisonnable, si je t'ouvre? – Mais qu'est-ce que tu penses que je vais te faire? Je ne suis pas Hannibal, *for Christ's sake*! Tu regardes trop de films, Raphaël. – OK. Mais tu te rhabilles.» J'ai débarré le cadenas et elle a poussé la porte de la cage violemment. Elle voulait me tuer. «Tourne-toi! – Comme tu veux.» Elle a remis ses fringues en moins de deux. «Maintenant tu sors d'ici. Je ne veux plus jamais te revoir. – Ce serait plutôt à moi de dire ça!» Elle s'est dirigée vers une console, au fond de la salle. En appuyant sur un bouton, elle a désengagé le dispositif de fermeture automatique des portes. «Tu m'as menti, en plus, ma tabarnak! – Sors! Sors, sors! *Get the fuck out!*» Elle voulait me frapper. Je me suis protégé avec l'avant-bras. Elle m'a crié toutes sortes de bêtises, genre «minable», «diminué», «*moron*», etc. Je lui ai dit qu'elle me faisait pitié, au fond. Elle a *slammé* la porte d'entrée tellement fort qu'un des deux voisins de palier est sorti. Il était en robe de chambre à grosses rayures rouge et or. Il ressemblait vaguement à Pacino. On s'est regardés, méfiants. Son pitbull n'arrêtait pas de japper. L'ascenseur est arrivé, enfin. En sortant de l'immeuble, j'ai regardé ma montre. Il était vingt-deux heures treize, exactement. Je m'en souviens très bien.

～

J'avais besoin d'un drink. J'ai pris Crescent jusqu'à Sainte-Catherine. Je suis allé au Newtown, le bar de Villeneuve. Un endroit froid, m'as-tu-vu. Le comptoir du bar, carré, remplit presque toute la pièce. Les gens s'observent, d'un bout à l'autre, avec les *barmaids* au milieu. J'ai pris deux Suffering Bastard. Ça convenait parfaitement. J'avais foiré. Mais aurais-je pu faire autrement? C'est compliqué, le désir, finalement. Plein de gens se cherchent. On multiplie les circonstances favorables. Les particules se croisent. Parfois la chimie opère, mais sans suite. Les possibilités de fusion sont rarissimes. La plupart des hommes ne pensent pas ainsi, à ce qu'on dit. Pourvu qu'ils aient leur dose de sexe, avec n'importe quelle femme un tant soit peu désirable. Et encore. J'ai vu un reportage une fois, à la télé, sur les consommateurs de putes. Un des hommes interviewés avait été filmé dans la pénombre pour qu'on ne puisse l'identifier. À entendre sa voix, il n'était plus très jeune. La vie l'avait *magané*. Pour lui, c'était simple : il *fourrait* n'importe quoi. C'étaient ses mots. La journaliste lui a demandé : «Même celles qui sont laides?» L'homme n'a pas hésité une seconde : «Pourvu qu'a fourre bien. J'lui mets un sac de papier s'a' tête, c'est tout.» Je devais avoir seize ans quand j'ai vu ça. J'étais sidéré. Ce qu'il disait n'avait aucun sens. J'ai compris beaucoup de choses en lisant Fanti, par la suite. Pour l'heure, j'étais seul et piteux au Newtown. J'avais l'impression que ma vie n'était plus qu'une suite d'occasions ratées, déliquescentes. Toutes ces femmes à portée de main, et si peu de réelles possibilités *saines*. Je suis rentré chez moi vers minuit; je travaillais le lendemain.

～

Pour le petit déjeuner, je tenais à voir Simone. Je voulais lui parler de mon expérience de la veille. Être chouchouté par quelqu'un qui m'aime. Elle écoutait les infos du matin à la télé. Les personnes âgées sont celles qui passent le plus de temps devant le petit écran. Cinquante-cinq heures par semaine en moyenne. Les gens faisaient quoi, avant? Avant la radio, avant le téléphone? L'être humain était-il plus contemplatif alors? On peut en douter. Abruti par des journées de douze, quatorze heures de travail, sept jours par semaine, il n'avait guère le temps de penser à *s'occuper l'esprit*. Seuls les riches et les demi-fous, genre artistes, pouvaient se payer ce luxe. De ce point de vue, le XXe siècle avait permis à des millions de gens d'accéder à la culture, peu importe ce qu'on entend par ce mot. La culture... Disons, pour faire vite : tout ce qui est inutile à la survie de l'espèce mais qui est devenu essentiel à l'équilibre mental, à force de s'y frotter. Selon cette définition, Picasso pouvait côtoyer le gosseux de canards en bois ; Bach pouvait servir d'amuse-gueule à un *best of* de Céline Dion, les joueuses de harpe créer de nouvelles musiques du monde avec des *freaks* du tam-tam et des illuminés du chant guttural inuit. L'important, c'était que des communautés d'esprit puissent se former autour de certains dénominateurs communs, relayés par les multinationales du divertissement et leurs agences de pub. Mais le XXIe siècle battra tous les records d'éclectisme. Je pourrais, dans une autre vie, aimer les films d'art et d'essai japonais, les romans de Mary Higgins Clark, les tounes des Black Eyed Peas, les jeux vidéo des SIM'S, et jouer du ruine-babines dans un band ethno-pop traditionnel tout en demeurant mentalement stable. J'aurais des amis partout et nulle part à la fois. Je serais radicalement seul mais toujours prêt à établir de nouvelles connexions protohumaines. Je pourrais, aussi, être sadomaso tout en appliquant les principes du feng shui. Ce serait mon choix, et il vaudrait bien tous les autres. À l'époque de Margaux, je n'étais pas prêt à tant d'ouverture cosmique, cependant. Aujourd'hui non plus, d'ailleurs.

〜

Simone avait de plus en plus mal aux genoux. Elle marchait en claudiquant, tellement son arthrite la faisait souffrir. J'aurais voulu la soulager, la dorloter, mais je ne savais pas trop comment.

«Besoin d'un bon massage, maminou d'amour?» Elle ne m'avait pas entendu descendre. Elle était au comptoir, et dans la lune. Elle a sursauté. «Mon doux Jésus! Raphaël, ne me fais plus jamais ça!» Elle s'est remise à tartiner ses toasts avec du beurre d'érable. Le *nec plus ultra* de la p'tite déjitude. Elle avait les cheveux défaits, clairsemés, très fins, ma Simone. On lui voyait tout le fond de la tête. J'ai hérité de ça. C'est chiant, des cheveux fins et clairsemés. Rien à faire avec ça. Elle cachait ce petit défaut génétique avec une belle perruque blonde, qu'elle mettait de moins en moins souvent, à l'époque. Elle s'est installée en face de moi, à table. Toujours les mêmes yeux bleu délavé, fatigués. Un regard sensible, intelligent, mais défait aussi, irrémédiablement atteint par les injustices de la vie. Elle avait plein de frères, tous dans la construction, mais une seule sœur, Bernadette, qui était devenue beaucoup plus riche qu'elle. Simone avait récupéré, pendant des années, tout ce dont l'autre n'avait plus besoin. Bernadette partait en voyage au moins quatre fois par année, vers des destinations exotiques. Simone n'a jamais pris de vacances de sa vie. Mon grand-père ne voulait rien savoir. Ils n'avaient pas vraiment ce genre d'argent, de toute façon. Elle vivait donc un peu recluse, avec un homme extravagant, dépensier, amateur de femmes. Elle passait ses journées à faire le ménage, à préparer à manger, à torcher ses enfants. Il lui restait juste un peu de temps pour la lecture. Une vie normale pour tant de femmes de sa génération. Mais elle n'avait jamais accepté le fait que sa sœur, qui était aussi, malheureusement, son amie, s'en soit mieux sortie simplement parce que le beau-frère avait réussi dans le commerce de détail. Il avait trois magasins de meubles, des immeubles à revenus, des placements en Bourse. Ils s'étaient fait construire une somptueuse maison à Pointe-Claire, qui donnait directement sur le fleuve. Ils avaient acheté, en plus, un condo en Floride, la Mecque des Québécois, dans le temps. Bref, Simone était devenue verte de jalousie. Et ce truc l'avait rongée pendant des années, des décennies. Bernadette était morte depuis longtemps. Un cancer des os. Implacable. Et ma grand-mère n'avait plus eu d'os à ronger, si je peux me permettre cette association psychanalysante de bas étage. Elle était devenue plus sereine, quand même. Mais le plus con, c'est que son arthrite avait commencé à l'embêter à la même époque, justement. Bonjour Freud. Ce matin-là, donc, j'ai voulu lui parler de Margaux. Je ne savais pas si c'était une bonne idée. On n'avait jamais parlé de sexualité, Simone et moi. Elle était beaucoup plus ouverte qu'avant aux conversations taboues. J'en avais eu la preuve avec le suicide. Mais question sexe, elle ne rigolait pas du tout. Ma mère m'a même raconté, à quelques reprises, comment elle avait eu la honte de sa vie, vers l'âge de vingt-deux ans, quand elle avait voulu prendre la voiture de grand-papa pour une petite soirée avec des copines et que Simone lui avait dit devant ses amies : « Je ne veux pas de cochonneries avec des garçons dans l'auto de la famille, Françoise! Elle a été bénite à Sainte-Anne, cette voiture-là! » Ma mère ne s'en était jamais vraiment remise. Elle lui en avait toujours gardé rancune. Et dire que Simone se foutait de l'Église, depuis. Comme à peu près tous les Québécois, d'ailleurs. Nos temples du catholicisme sont tous transformés en condos, au profit des nantis. Alors que c'est tout le peuple qui s'est saigné pour l'érection de ces monuments à la gloire de Dieu. Une autre injustice. Une de plus. Qu'est-ce que je disais? Ah oui : j'avais besoin de m'épancher. D'un autre côté, je trouvais les jeunes totalement ridicules avec leur manque de respect et leur absence de considération pour les personnes âgées. J'imaginais bien les conversations dans les familles de colons pas de classe, du genre : « Hey! toé, grand-maman, c'tait-tu bon l'sexe avec ton mari, dans l'temps? » Je ne voulais pas nécessairement que Simone s'épanche sur sa vie privée. J'avais juste besoin d'un peu de réconfort. « Grand-maman chérie, il m'est arrivé une drôle d'histoire, hier soir… » Elle m'a écouté distraitement, en mangeant une *toast*. « Quoi donc, mon trésor?

– J'avais rendez-vous avec une fille richissime. Je l'ai rencontrée dans un bar. Elle voulait me revoir. Elle m'a emmené chez elle…

Je pensais que ça allait marcher. Que ça pouvait marcher. Pas que je veuille reformer un couple... Mais je me suis dit que ce serait chouette de sortir avec quelqu'un comme elle quelque temps. – Alors? Tu t'étais trompé sur son compte? – Oui. Complètement. Elle est mariée. Elle cherchait juste un *fuck friend.* – Qu'est-ce que c'est laid, cette expression! – Elle m'a enfermé avec elle dans une pièce. Elle voulait qu'on se la joue sadomaso...» Simone ne me regardait plus. Elle a commencé à prendre des miettes dans son assiette avec le bout de son index. Elle les portait à sa bouche, machinalement. Elle m'a dit : «Une fille de riches. Une pervertie. Pas pour toi, ça.» Je m'attendais à ce genre de réaction. «Ça m'a un peu secoué, tu sais. J'ai cru, un moment, qu'elle allait me torturer. Que j'étais tombé dans le panneau d'une *serial killer.* – Eh bien! tu pourras mettre ça dans ton roman! C'est déjà ça de gagné, mon canard.» J'étais un peu ébranlé. «Je te parle d'une fille sautée de la capine, et tu me parles de roman!» Elle a bien pris son temps avant de me répondre. «Voilà ce que je pense, Raphaël : tu devrais te concentrer sur l'écriture, plutôt que de courir la galipote. C'est tout. Verse-moi un peu de café, tu veux bien? Comment ça se passe, à ta revue? – Bien. Je ne sais pas. Comment veux-tu que je te dise ce que j'en pense après seulement une journée? – On te paye combien, finalement? – Très peu. Mais je m'en fous. – Tu dis une grosse bêtise. Tant qu'à travailler, tu devrais viser au-dessus de cent mille par année, rien de moins! – Avec un doctorat en lettres, c'est impossible. – Alors, lâche tout ça et écris! Je crois en toi, moi! Un jour, tu seras reconnu! – Là, c'est toi qui dis des bêtises. C'est un domaine fini, la littérature. Il vaudrait mieux que je ponde des scénarios pour des jeux vidéo, tant qu'à y être! – Mais qui se souviendra de ça dans vingt ans? – Personne. *So what?* – Tu m'épuises. Va travailler pour ta grande dame à dix dollars l'heure. Il est presque neuf heures.» Ce n'était qu'à cinq minutes à pied, mais j'allais effectivement être en retard.

~

J'ai couru doucement. Ça sentait le vomi dans Duluth. Les émanations incontrôlables d'un reliquat de jeudi soir bien arrosé. J'avais un peu de mal moi-même à encaisser mes Suffering Bastard du Newtown. Je me suis pris un café à emporter chez Soupesoup. Celui de Simone était toujours trop faible à mon goût. Soupesoup servait du Illi, suave et corsé, sans amertume, légèrement parfumé, avec des notes de cacao et de poivre. En plein ce qu'il me fallait. Le local de *Parallaxe* baignait dans la douce lumière d'un matin de septembre. Véronika était déjà à son poste, en train de parler avec un galeriste qui n'avait pas l'air très content de sa dernière publicité dans la revue. Elle a pris sa voix charmante et faussement désolée en disant : « Oui, bien sûr. Nous comprenons très bien votre déception. Nous ne savons pas ce qui a pu se passer. L'imprimeur nous avait promis que ça sortirait bien, mais... » Visiblement, la personne à l'autre bout du fil l'avait coupée dans son élan. « Oui, oui, je sais : c'est inacceptable. » Elle s'est tournée vers moi, en levant les yeux au ciel, puis a fait une grimace à son combiné. Elle a ensuite serré les poings en lançant un gros « fuck ! » sourd, libérateur, avant de reprendre la conversation, avec un sourire de majorette, le petit doigt en l'air. « Oui oui, je suis toujours là, monsieur Richler ! » Une politesse de survie. Le client est toujours roi, même dans le domaine de la culture. Je voulais passer cette deuxième journée à décortiquer les prévisions budgétaires, et éventuellement le plan de communication, s'il y en avait un. Dorothée, la graphiste, était là aussi, dans un *rush* pas possible. Le prochain numéro devait aller à l'imprimerie dans une semaine, et le montage en était encore à l'état embryonnaire. Je me suis senti las, tout d'un coup. Tout ça me rappelait mon passage à une autre revue, au début de ma maîtrise. Ça s'appelait *Sparadrap*. Un journal étudiant d'assez bonne tenue. Ils avaient trouvé un slogan accrocheur : « Penser le changement, ou changer le pansement ? » Un peu facile, mais bon. J'en coordonnais la production. J'avais fait valoir cette expérience lors de mon entrevue à *Parallaxe*, évidemment. C'était loin, quand même. Très nébuleux. Comme tout ce qu'on fait quand on a vingt-deux, vingt-trois ans. Ça m'est revenu tout d'un coup, en voyant Dorothée travailler : tant d'heures et tant d'angoisses pour un objet aussi évanescent. Moins évanescent que le magazine *Elle*, certes. Mais, au fond, le travail et l'objet sont similaires : il faut produire dans l'urgence un machin qui puisse véhiculer les tendances de l'heure. Que ce soit en littérature, dans le domaine de la mode ou en art contemporain. Chaque numéro de revue, sur lequel tant de gens se fendent en quatre, six fois, dix fois ou cinquante-deux fois par année, passerait inexorablement à la trappe de l'oubli. Sur un horizon de deux ou trois ans, les nunéros de *Parallaxe* avaient le meilleur taux de survie. Après ce laps de temps, c'était kif-kif. Seuls quelques rats de bibliothèque ressortiraient des boules à mites, dans vingt ans, dans trente ans, quelques articles représentatifs. Représentatifs de quoi, au juste ? De ce que ces chercheurs voudront alors prouver. Ma putain de mélancolie refaisait surface. Ce n'était pas bon signe. Les prévisions budgétaires, que je scrutai du mieux que je pus, aggravèrent mon cas. C'était complètement surréaliste comme scénario financier. Je ne comprenais pas que le comptable puisse accepter ça. Encore moins les membres du CA. Micheline est arrivée en trombe vers onze heures vingt. Elle avait l'air joyeuse. Elle est tout de suite venue vers moi et s'est mise à me parler tout bas : « J'ai pensé qu'on pourrait aller au restaurant. J'aimerais qu'on discute de l'avenir de la revue. J'ai réservé chez Laloux. Est-ce que ça te va ? – Très bien ! Quand ? – Là ! Dans trente minutes ! » Je pouvais difficilement refuser, même si je me sentais un peu mal à l'aise d'être ainsi privilégié. C'était plutôt sympa de sa part, quand même. Je me suis dit qu'elle devait faire ça avec chaque nouvel employé. Je n'ai pas très bien travaillé dans la demi-heure qui me restait. Micheline passait ses coups de téléphone dans la pièce juste à côté. Elle parlait très fort. Des volutes de rire énorme emplissaient tout le local de temps en temps. Je la regardais du coin de l'œil. Elle faisait beaucoup de gestes avec les mains, et chacune de ses mimiques semblait exagérée, comme dans un opéra de quatre sous. J'ai cru comprendre, au troisième appel, qu'elle parlait à Robert Lepage. Ou à Rober Racine, ce n'était pas très clair. Mais je me souviens qu'elle a dit un truc du genre : «Robert, tu comprends? On ne peut pas laisser passer ça. Avec ton poids médiatique, il faut que tu fasses quelque chose!» Il était vaguement question d'une annonce du ministre de la Culture. Micheline était prête à monter au front. Derrière Robert. Elle est sortie de son bureau après trente minutes, comme prévu. «Bon, on y va?» Ce n'était pas vraiment une question. Elle a salué les autres, nonchalamment. «*Bye* tout le monde! Dorothée, on se voit mardi, OK?» L'instant d'après, nous étions déjà dans l'escalier.

∼

Laloux est un des plus beaux restaurants de Montréal. Genre bistro chic parisien, avec des banquettes bien rembourrées, de grands miroirs, des tons crème et vert antique, de belles nappes en pur coton, etc. La cuisine y était très bonne, à l'époque, mais sans que ce soit à se rouler par terre. Trop classique. Il paraît que ç'a changé depuis. C'était un des endroits préférés de Robert De Niro quand il était en ville. Il aime beaucoup Montréal. Je me suis dit, avant d'entrer : «Qui sait? Il est peut-être là ce midi!» Eh bien! il y était. Vrai comme je vous l'dis. Dans le fond, avec une *top model* noire. J'ai failli m'évanouir. J'avais Raging Bull dans le champ de mire. Vito Corleone à quarante pieds de moi. Travis Bickle, bordel! Michael, dans *Voyage au bout de l'enfer*! Noodles, tabarnak! James Conway en personne! Probablement le plus grand acteur de tous les temps, avec Brando et Pacino. Devant Pacino, même. Micheline ne l'avait pas remarqué. J'osais à peine le regarder. Je suis devenu tout moite, et je me suis tout de suite demandé où on allait nous installer. Je ne voulais pas être près de lui ; c'était trop intimidant. Moi qui n'aurais même pas sourcillé si j'avais eu un Grantécrivain à côté de moi... Là, j'étais sous le choc. Je respirais à peine – et je me sentais tout petit, tout petit. Avec le recul, je ne peux m'empêcher de penser que c'était totalement absurde comme réaction. Qu'avait-il de plus que les autres, De Niro ? Presque rien. Et pourtant l'essentiel : un immense talent d'acteur et une aura médiatique sans cesse relayée par l'industrie hollywoodienne. Combinez les deux, et vous avez un demi-dieu. Les seuls à bénéficier du même statut, en dehors des acteurs de sa trempe, sont les *rockstars*. Aucun écrivain ne peut rivaliser avec eux. On est loin de Voltaire. Le monde a changé. Les idoles aussi. Tout au long du repas, je me suis demandé si je devais aller le voir pour un autographe. J'avais l'air d'un vrai con. Micheline a joué la femme blasée : « Ah oui, tiens. Bof ! il y a toujours des célébrités, ici. Je n'aime pas trop ses films. – Il a joué dans six longs métrages de mon top dix ! – Mais va le voir, alors ! – Non. Ça me gêne. Plus tard, peut-être... » On nous a donné une table de biais à la sienne, quatre rangées devant lui. Je le voyais bien. De temps en temps, il faisait sa face de gangster aux yeux plissés qui dodeline de la tête et qui fait la moue. Était-ce une mimique naturelle ou le fruit d'une contamination par ses différents rôles de mafieux ? Il se tapait une *top model* vraiment canon, en tout cas. Il paraît qu'il est champion pour les divorces. Micheline voulait me parler de son bébé, sa revue. Ça m'a ramené à ma dure réalité : j'étais coordonnateur, à vingt-huit mille dollars par année, dans une revue d'art qui prenait l'eau de toute part, alors que mon idole au cinéma était à quelques pas de moi, au sommet de la gloire et d'une belle petite fortune, avec une femme de rêve à ses côtés. Je me sentais aussi frais qu'une merde. Je ne suis pas allé le voir. J'avais peur que Micheline me prenne pour un groupie fini. Je pensais, alors, qu'elle devait cracher sur tout ce qui se rapprochait, de près ou de loin, de l'idolâtrie. Qu'est-ce que je pouvais être candide. Tous ces gens, issus de la nouvelle critique, qui pensent être au-dessus du fétichisme, de l'adulation, parce qu'ils l'analysent chez les autres. Ce sont les pires. Ils crachent sur tout ce qui bouge, sauf sur leurs propres idoles. De la bondieuserie qui se drape dans le Savoir. J'avais pris un foie gras poêlé – tant qu'à faire. Je n'avais même pas faim. J'ai pensé à la pauvre bête qu'on avait gavée. C'était la première fois que ça m'arrivait. J'ai soudain eu envie de devenir végétarien. Micheline m'exposait son plan quinquennal. Elle voulait faire passer les abonnements de mille à quatre mille en deux ans, rien de moins. Puis on s'attaquerait à la distribution en kiosque. Elle voulait étendre le marché à l'Asie. Puisque la revue comportait une bonne partie d'articles en anglais, ça pouvait marcher. J'ai émis quelques doutes. J'ai appris par la suite qu'elle ne supportait pas les rabat-joie. La lune de miel a été de courte durée. J'ai voulu savoir ce qu'elle comptait faire pour résorber l'ensemble du déficit. Cent quinze mille dollars, ce n'était pas rien, pour un organisme comme celui-là. Elle m'a répondu *tout de go*, la paume de sa main droite ouverte devant moi : « Mais le gouvernement va éponger ça ! Comme d'habitude ! Il ne peut pas laisser tomber une revue aussi prestigieuse ! Ce serait *la cata* ! » Elle a avalé un bout de biscotte. Elle me *scrounchait* ça en pleine face, les yeux exorbités. Au début, je me suis demandé si elle était sérieuse, convaincue ou tout simplement cynique. Réponse : les trois à la fois. Je ne sais pas ce qui m'a pris, c'est sorti tout seul : « On pourrait demander à De Niro, ce serait plus simple ! Un p'tit cent mille pour lui, c'est comme un dix pour moi ! » Je riais tout seul. « C'est sérieux, là, Raphaël. Je ne te paye pas pour dire des niaiseries. » Elle me payait ? Non, c'était l'État qui me payait. Ma décision était prise, même si je n'allais le faire que trois semaines plus tard : quitter cet emploi à la con. La revue ne pouvait que *crasher*. À la fin du repas, De Niro m'a regardé. Il m'avait remarqué ! Je n'étais plus un tout nu. J'avais le goût de dire à Micheline : « *You're talkin' to me ?* » avec un air suprêmement baveux. Je l'ai remerciée d'avoir payé l'addition. Elle m'a quitté devant le restaurant. Elle devait passer à son agence de voyages pour son prochain séjour à Tokyo. Je me suis traîné jusqu'au local de la revue. Montréal vibrait, et j'avais la nette impression de ne pas faire partie de cette vibration.

Chapitre 8 – Les grandes figures du passé

Personne ne détient une quelconque vérité universelle sur quoi que ce soit.

Juan Valdez

J'ai dépensé ce qui me restait d'argent dans un billet d'avion pour la France, avec atterrissage à Nice. Micheline était en tabarnak quand je lui ai annoncé ma démission. Elle était au Japon. J'ai reçu un fax rempli de bêtises, écrit à la main. Je l'ai encadré, avec cette inscription au-dessus, plaquée or : «Plus jamais».

~

Simone m'en voulait un peu d'être parti comme ça, sur un coup de tête. Elle m'a dit qu'elle allait se sentir seule. Mais qu'est-ce j'allais faire à La Croix Valmer? avec ma mère? «Tu fuis tes responsabilités! Tu n'écriras donc jamais!» La vérité, c'est que je comptais bien demander un peu d'argent à mes parents. Un prêt à long terme. Je voulais aussi avoir leur opinion sur tout ce qui m'était arrivé depuis ma rupture avec Eva. C'était suicidaire, évidemment. J'allais m'exposer à leur jugement. Un vieux réflexe de l'enfance. Je souhaitais surtout, secrètement, évaluer la possibilité de m'installer là-bas. Dans un mas abandonné. Un truc résolument romantique. Écrire dans une ruine, y jouer mon va-tout. Plus rien ne me retenait au Québec, à part ma grand-mère. Elle avait des amies ; elle pouvait continuer sa vie. Max, Greg et Alex pouvaient très bien se passer de moi. On ne se voyait presque pas, de toute façon. Je voulais tenter autre chose, profiter de ma liberté. Une vie de célibataire, dans une ville comme Montréal, ça ne tient pas la route. On vit six mois par année enfermés, avec des gueules pas possibles. Et puis, surtout, les femmes y sont absolument inapprochables. À tel point que lorsqu'il y en a une qui se laisse draguer, tu deviens complètement paranoïaque : « Elle est peut-être nympho ? Elle a besoin d'un pourvoyeur ? Elle n'a pas lu *Le Deuxième Sexe* ? » Mon épisode Margaux m'avait passablement refroidi, aussi. La masturbation me suffisait. On peut vivre des mois, des années comme ça. L'être humain s'adapte à n'importe quoi. Sauf à l'enfermement, comme je l'ai déjà dit. Il paraît que les prisonniers deviennent fous quand ils voient le pied d'une femme. Un pied nu dans une chaussure ajourée. Ils implosent. C'est assez inhumain, leur faire ça. Je ne sais pas pourquoi j'en parle. C'est peut-être à cause de mon propre rapport aux femmes, à l'époque. J'avais l'impression d'être comme ces prisonniers : tout près du bonheur, mais sans possibilité de l'atteindre, intérieurement défait, incapable d'atteindre l'autre sexe, pourtant si désirable, gorgé de vie.

～

Je suis arrivé dans le sud de la France début octobre. On pouvait encore se baigner. La Croix Valmer est un village à flanc de colline, tout près de Saint-Tropez, Cogolin, Gassin, Ramatuelle et Grimaud. Juste pour vous faire rêver un peu. On descend le long des vignobles et des pinèdes jusqu'à la mer. Ça sent la gomme de pins mêlée aux embruns, aux effluves de mimosas, si près de l'odeur du miel. Probablement ce qui se rapproche le plus du nirvana. C'est encore un coin de paradis, La Croix Valmer, pas trop défiguré par le béton et les promoteurs sans scrupules. Mes parents s'y étaient installés deux ans après mon arrivée à Rimouski, aux frais de la reine. C'était leur projet de retraite, et ils l'ont suivi à la lettre. Je n'avais pas encore eu l'occasion d'aller les voir. Comme Eva ne s'entendait pas bien avec eux, il n'en avait jamais été question. J'avais glané quelques informations sur le site officiel du village. J'avais même imprimé les pages, entre deux tentatives d'écriture. Ça aide, parfois, de s'pogner le beigne en parcourant gentiment la Toile. Ça relance la machine à mots, idéalement. Dans mon cas, ça ne faisait qu'empirer mon blocage chronique. Les Croisiens semblaient s'adresser directement à moi :

C'est au bout du sud de la France qu'existe en Provence une terre dotée d'une nature généreuse et élégante… vous êtes à La Croix Valmer! Ce jeune village provençal s'épanouit au cœur de la presqu'île de Saint-Tropez dans un vallon protégé des vents… Venez, vous êtes déjà les bienvenus!

Merci, c'est trop gentil. Bon bon bon. Je suis tout de suite allé voir la traduction anglaise, histoire de rigoler un peu. Je relis en zozotant :

At ze heart of ze Bay of Saint-Tropez

It is in ze very South of France, in Provence, where exists a land with a generous and original nature called La Croix Valmer. Zis "young" Pravencal [sic!] village is in ze heart of the Saint Tropez Peninsula : a natural domain of 300 ha, a Côtes de Provence AOC vineyard, kilometres of fine sand bitches [sic!]… Zis village and its hilly landscape slowly descending to ze Mediterranean Sea will seduce you. Welcome in La Croix Valmer!

Très moyen comme traduction. En anglais, ils insistaient sur le vin et les plages. Tout pour attirer le touriste. C'est rigolo, par ailleurs, ces distorsions d'une langue à l'autre. J'ai gardé, aussi, un court texte touristique en anglais sur Montréal, datant de 2001. On tombait sur ce texte dans la section *Adventure Travel*, de *Student.com*, avec un lien sur AltaVista :

> *The best way to discover Montreal is by strolling through the different areas of interest : the old city, Mount Royal and downtown, to name a fiew. In Old Montreal, you will find the Notre Dame basilica, with its giant pipe organ and intricate interior. It marks the spot where the first European establishment settled in the 1600s. Mount Royal, an extinct volcano from wich the city takes its name, overlooks mansions, parks and the St. Laurent river and is also great for hikes or mountain-bike excursions.*

J'avais tapé « translation-French », toujours pour rigoler. C'était le genre de truc qui m'amusait, à l'époque. Du style « moteur de traduction pas du tout au point ». Et voici ce qui était sorti :

> *Montréal que - la meilleure voie de découvrir Montréal est par la flânerie par les différents centres d'intérêt : la vieille ville, montent royal et le centre ville, pour nommer quelques uns. À vieux Montréal, le basilica de dame de Notre, avec son organe géant de pipe et intérieur complexe. Elle marque la tache où le premier établissement européen arrangé dans le 1600s. Mount-Royal, un volcan éteint dont la ville prend son nom, donne sur des manoirs, des parcs et le fleuve de rue Laurent et est également grand pour des hausses ou des excursions de montagne-vélo.*

De quoi émoustiller quelques Anglaises, surtout « montent royal » et « l'organe géant de pipe ». D'où l'importance d'une bonne traduction. Surtout si c'est pour vendre les mérites d'une destination touristique. Dans le cas des penseurs du XXe siècle, on s'en fout un peu.

L'histoire de La Croix Valmer remonte avant le Christ, vous vous rendez compte ! Mais je ne vous retranscris que la fin du texte, la partie la plus *croquignolette* :

> *La vigne est l'un des symboles de la Provence. Premier vin connu, le Rosé donna ses lettres de noblesse à toute la région. La*

Croix Valmer doit beaucoup à son terroir viticole : un climat tempéré et doux, une terre fertile et sublimement exposée au soleil, enrichie des embruns marins de la Méditerranée si proche...
Vous découvrirez nos domaines et caves, arpenterez notre territoire par des itinéraires fléchés « sur la route du vignoble » et dégusterez nos meilleurs crus classés en AOC Côte de Provence...
buvez avec modération !
Les chiens sont interdits sur nos plages.
La Croix Valmer arbore fièrement depuis plusieurs années le Pavillon Bleu.
Le stationnement est réglementé et payant du 15 juin au 30 septembre. Vous pouvez acheter vos macarons de stationnement à l'office de tourisme.

∽

Je ne savais pas ce que c'était, le Pavillon Bleu. Je m'en foutais éperdument. En revanche, il fallait que je demande à mes parents s'ils avaient bien un macaron de stationnement. Quant à « boire avec modération », c'était hors de question. Ma mère m'avait proposé de venir me chercher à Nice. Mon père ne pouvait pas : il jouait au tennis (bon début de... Oh et puis merde !). Quand je l'ai vue, j'ai eu un choc. Elle avait mis un *legging* à motif léopard, avec une grande chemise d'homme, et portait plein de bijoux en or, comme les Niçoises. En plus, elle s'était mis une tonne de parfum. Était-ce vraiment ma mère ? Oui, puisque son premier mot fut : « Tu aurais pu t'habiller un peu mieux, non ? » Ça m'avait rassuré. Elle avait pris la Mehari, pour « faire joyeux ». C'est comme une voiturette de golf, sauf que ça peut aller sur l'autoroute, avec une vitesse de pointe à cent dix kilomètres à l'heure. En temps normal, ça fait tout de suite ambiance soleil, plages et palmiers. Sauf que cette journée-là, il faisait à peine quinze degrés Celsius. Les vents s'étaient levés subitement et ils nous poussaient sur le côté. Les autres voitures nous dépassaient à cent cinquante. J'avais peur. En plus, il fallait crier pour s'entendre. C'était peut-être mieux ainsi ; je n'avais pas le goût de déballer tout mon truc en arrivant, comme ça. Avec ses cheveux au vent, ma mère était ravissante. Elle avait rajeuni de dix ans, et semblait parfaitement heureuse. Généralement, ça va ensemble. Nous sommes arrivés à La Croix Valmer vers treize heures. Mon père nous attendait pour le déjeuner (à ne pas confondre avec notre dîner, disent tous les guides québécois). La maison était comme sur les photos : coquette, proprette, sans prétention. Avec deux chambres et une petite terrasse sans réelle vue (un petit pan de mer jaune, au loin, entre deux arbres du voisin), dans un développement des années 1980 – c'est tout ce qu'ils avaient pu s'offrir pour six cent milles dollars. Au Québec, ça représentait une belle petite somme. Dans le sud de la France, à vingt minutes de Saint-Tropez, c'était vraiment des *peanuts*. On s'est serrés bien fort, papa et moi. Lui aussi semblait avoir rajeuni. Décidément, leur retraite était un bon plan. Au soleil, protégés des vents, on a pu manger dehors. Saucisson, rosé, poulet cuit du marché, ratatouille, camembert, tartelettes aux fraises. La totale. Je ne me souviens plus très bien de notre conversation, cette après-midi-là. Ils ont surtout parlé de leur nouvelle vie, et j'ai évité de parler de la mienne. Le degré de différence entre les deux était tel qu'il me sembla vain, ce premier jour avec eux, de leur faire de la peine. Je leur avais bien menti, jusque-là. Je ne savais pas si j'allais avoir le courage de leur dire la vérité. Encore moins de les emmerder avec ma demande d'argent. J'ai fait semblant d'être encore prof. Ils m'ont juste demandé comment ça allait avec Eva. Pourquoi elle n'avait pas voulu me suivre, tout de même... J'avais fait jurer à ma grand-mère de ne rien leur dire. Tout ça remontait à quelques mois à peine. Ma vie était un échec sur toute la ligne. La leur était au top. J'avais vécu une enfance de rêve, et j'étais en train de me désintégrer. Ils avaient eu une enfance sans le sou, et s'épanouissaient de plus en plus. Un *clash* générationnel inversé, et sans précédent dans l'histoire de l'humanité.

~

Je mettais tout sur ma carte de crédit. Le cadeau que je leur avais apporté, d'abord : un porto à deux cents dollars. Puis mes sorties dans la région, comme si j'étais en vacances. Heureusement, ils m'avaient prêté la Mehari et se réservaient la Clio. Paradoxalement, les premiers jours furent tout à fait réjouissants. Je me sentais renaître. J'avais l'impression que tout était possible. Je m'étais même juré solennellement, dans le jardin de l'abbaye du Thoronet, de me mettre à l'écriture, de changer ma vision du monde, de vivre pour l'art. Je croyais avoir eu un *moment mystique*. Il faut dire que le site s'y prêtait très bien – même si j'étais entouré de Japonais qui bombardaient les lieux avec leurs appareils photo. On ressentait une grande paix, comme si les moines qui avaient vécu là nous avaient transmis un peu de leur grande sagesse. On se croisait tous avec un sourire angélique : les Allemands, les Italiens, les Suédois, les Brésiliens, les Japonais. Je voulais tous les serrer dans mes bras. Surtout les Brésiliennes. Et les Italiennes. Bon, d'accord, les Suédoises aussi. Il n'y avait que les Américains qui faisaient la gueule, parce qu'on ne leur avait pas dit qu'il n'y avait rien à manger sur place. Je les avais pris en pitié. Je leur pardonnais leur arrogance. Ils attendaient leur bus en suant comme des lutteurs sumos. Ils avaient à peine levé les yeux tout le temps de la visite. J'étais pourtant dans un lieu magique, construit par des cisterciens en pleine Provence. Plus tard, avec le guide, j'ai su que la vie d'un moine, ce n'était pas de tout repos. Qu'est-ce qu'ils en ont bavé, les pauvres ! Dans les périodes de famine, ils mangeaient des racines et des araignées. Ils étaient couverts de pustules. Ça tombait comme des mouches, les moines. D'ailleurs, à la fin du XVIIᵉ siècle, ils n'étaient plus qu'une poignée, complètement dépassés par la tâche. Les tuiles leur tombaient littéralement sur la tête. Prosper Mérimée sauvera l'abbaye du Thoronet de la disparition, quelque quatre-vingts ans plus tard. Aujourd'hui, on écoute des CD de chants de voûtes cisterciennes, pénards. Ils ne sont donc pas morts en vain. Je me suis promené dans l'oliveraie. Visiblement, il n'y avait plus de récoltes. J'ai goûté une olive, en pensant à une histoire pour mon roman. C'était âcre, et ça collait au palais. J'avais le goût d'un pastis. J'ai repris la Mehari jusqu'au port de Saint-Tropez. Il y avait une grosse régate, ce week-end-là. Je voulais m'installer au Gorille et observer la faune. Des bateaux de plusieurs millions de dollars semblaient échoués sur des quais trop petits pour eux. À un moment donné, la poupe d'un des plus gros s'est ouverte comme une coquille Saint-Jacques, et une Porsche *vintage* en est sortie. Mon cœur s'est arrêté de battre : j'avais cru reconnaître Margaux aux côtés d'un jeune bellâtre. Ils sont passés juste devant moi. Ce n'était pas elle. N'empêche, après l'atmosphère de l'abbaye, c'était complètement surréaliste, toute cette ambiance de riches. J'ai commandé ce qu'il y avait de moins cher au menu : des merguez avec une frite. Avec mes trois pastis, l'addition montait à quarante-cinq euros. La même chose, à La Croix Valmer, m'en aurait coûté vingt. Mais le spectacle sur le port valait bien la différence. Ce mot, «différence», sonne bizarre... Derrida, es-tu là? Il y avait plein de belles filles. Pas une seule n'a fait attention à moi. Je devenais invisible. Comme si j'avais le visage de la dépression. Côté climat, les dépressions, on préfère les éviter. Côté humain, c'est pareil. Ce n'était qu'une toute petite dépression. Rien de très sérieux, au départ. Quand même, il me semblait que la vie se résumait à peu de chose : d'un côté, tous ceux qui avaient réussi, de l'autre, tous ceux qui avaient une vie de merde. Au plus creux de ma petite crise, je ne voyais que moi dans la deuxième catégorie.

∼

J'ai tout dit à mes parents alors que nous prenions l'apéro sur la terrasse d'un hôtel au bord de la mer. Le Mistral Plage. Ombragé par de splendides pins maritimes, l'hôtel est ancré au bord d'une jolie plage de sable fin. Dans une ambiance décontractée, tout en profitant du soleil, le restaurant-grill du midi nous invite à la dégustation de sa carte de qualité et de ses plats provençaux. Le Mistral Plage nous accueille dans ses trente-quatre chambres et appartements d'un confort raffiné : télévision satellite, téléphone direct, salle de bains, terrasse ou balcon privé face à la mer. Les propriétaires, Maurice et Michella, étaient devenus des amis de mes parents. Très sympas, à la base. Ils avaient aussi un Relais et Château dans les vignes, tout près. Michella, l'héritière de tout ce beau domaine, était avec nous. Elle avait commandé des tapas et un champagne rosé. Il devait être dix-huit heures, et le soleil couchant chauffait encore doucement la peau. Les clients se faisaient rares à cette période de l'année. Le personnel était joyeux, décontracté. Une bande d'Anglaises dans la trentaine s'éclaboussaient dans la piscine. Elles portaient toutes un maillot une pièce. Des couleurs pas possibles, qui les grossissaient. Ce n'était pas vraiment avec ça qu'elles allaient attirer le regard du barman. Un vieux couple de Parisiens, pas loin de nous, se disputait à propos du domaine à côté. Elle disait qu'il appartenait aux Gallimard. Il la traitait de folle. Mes parents s'étaient complètement faits à leur nouvelle vie et discutaient volontiers des problèmes des riches : chirurgies esthétiques multiples, jardinier alcoolique, week-end en Corse, scandale des truffes chinoises, pureté des diamants canadiens, fournisseur de foie gras véreux, éducation des enfants dans un *college* américain. Michella, encore en maillot hyper sexy, avec un simple paréo vaporeux par-dessus, trouvait que Maurice était dur avec leurs fils. Ils passaient leur année à Stanford et ne dépensaient presque rien. Leur père disait que c'était important *pour le standing*. Il ne leur avait tout de même pas donné une carte de crédit avec marge illimitée pour rien ! Les enfants ne voulaient rien savoir d'un

Hummer, bon... Mais ils pouvaient s'acheter un petit roadster BMW, tout de même ! Michella, de son côté, disait qu'après tout c'était plutôt bon signe : ses petits chéris n'avaient pas besoin d'épater la galerie pour *tenir leur rang.* D'un autre côté, les *Amerlocs* sont bien connus pour ça, et il faut les respecter aussi. La question était épineuse. Ma mère avait tenté de la rassurer en lui disant que Maurice finirait bien par céder un peu. L'important, c'était que leurs enfants soient heureux ! Mon père me jetait un regard, de temps en temps, l'air gêné. Michella s'est tournée vers moi : « Et vous, Raphaël, qu'en pensez-vous ? En tant que *professor*, vous devez bien faire face à ce genre de désagrément sur votre campus ? » Je venais de croquer dans une biscotte avec de la tapenade, et ça descendait mal. J'ai pris une gorgée de champagne, en regardant la mer. Je m'y serais bien enfoncé, pour de bon. Je ne voulais pas insulter mon hôte et vexer mes parents. En plus, ils ne se doutaient vraiment de rien. J'ai dit, en posant mon regard sur elle, très calmement : « Vous savez, chère Michella, notre *college* à Rimouski est, disons, quelques *coches* en dessous, de ce point de vue. Nos étudiants se demandent plutôt s'il doivent s'acheter du *peanut butter* ou du *Cheez Whiz*. Ils ont aussi le choix, il est vrai, entre pain blanc et pain brun. Mais je ne suis plus professeur. Ces questions de *standing* entre étudiants me sont devenues curieusement étrangères... » Ma mère s'est étouffée avec une olive. Mon père est devenu tout rouge : « Comment ça, plus professeur ? » Je ne pouvais plus reculer. J'aurais bien pu dire : « Mais non ! C'est une blague ! Et vous avez tout à fait raison, Michella, de vous préoccuper de ce que pense votre mari au sujet de vos enfants : il est en train de les corrompre jusqu'à la moelle ! Il va en faire des monstres ! C'est justement à cause de ce genre d'attitude que le monde m'apparaît comme une saloperie sans nom ! Mon *favorite writer*, Proust, aimait bien toutes ces nuances dues à l'argent et au nom, mais moi ça me fait vomir ! Je chie sur vos préoccupations à la con ! Vous allez mourir, vous aussi, osti d'péteux de broue ! » Je n'étais pas en assez bon état pour faire ça. Rien que l'idée d'avoir une longue discussion sur le sujet m'ennuyait profondément. «J'ai quitté mon emploi, papa. J'étais malheureux là-dedans… – Mais tu es devenu cinglé? Une retraite en or! – Papa, dans trente ans, il n'y en aura plus de retraite! Le Québec va mal. Ça va nous péter en pleine face! – Oui, bon d'accord, je ne te contredirai pas là-dessus. C'est pour ça qu'on est ici, ta mère et moi! Mais ton avenir! Ta carrière! Dix ans d'études universitaires pour rien! – Bof. C'est une discipline sans avenir. Non, je n'ai plus rien à faire là.» Michella s'est levée, très discrètement, et a fait semblant d'aller voir si on n'avait pas besoin d'elle à la réception. Ma mère n'avait toujours rien dit. Elle avait les mains jointes et rongeait son frein, le regard dans la brume. Je pense qu'elle m'en voulait beaucoup d'avoir révélé ça devant sa nouvelle amie. J'ai voulu la toucher à l'épaule, un peu inquiet. Elle a finalement explosé : «Tu es tombé sur la tête, Raphaël! Tu ne quittes pas un bon emploi comme ça, juste parce que tu penses que tu n'es plus heureux là-dedans! Tu ne grandiras donc jamais!» J'étais écœuré. Toute ma vie, elle m'avait répété le même osti d'mantra : «Sois heureux, sois heureux, sois heureux…» C'était réglé comme du papier à musique. «Maman, c'est quoi la vie, au fond? – Sois heureux! – Maman, c'est cruel une femme, non? – Sois heureux! – Maman, c'est important l'argent? – Sois heureux!» Je n'avais plus eu que ce gong-là dans la tête. Mais ça ne veut rien dire, «sois heureux». C'est l'impératif occidental : le devoir de bonheur. On a écrit des tonnes d'articles et d'essais là-dessus. J'ai tout lu. Mais ça ne changeait rien à mon état. Ça l'aggravait, même. J'avais avalé trop de conneries dans ma vie, toujours à l'affût de la pensée des autres sur la vie bonne, la vie pleine, la vie créatrice, la vie qui est plus que la simple vie, banale, plate, frustrante, de milliards de gens. Qu'est-ce qu'une vie pleine? La réponse à cette question est : il n'y a pas de réponse. Tout ce que je souhaitais, ce soir-là, c'était boire un bon coup, regarder les étoiles et dormir en paix. J'étais devenu inatteignable. Un concentré d'acide dans une balle d'acier trempé, sans la moindre décharge possible. J'avais régressé jusqu'au stade du nourrisson. N'importe quel psychogogo aurait pu diagnostiquer ça. «Tu ne grandiras donc jamais...» La vérité, c'est que j'avais essayé, oui. Et tout ce que je pouvais en dire, à ce moment-là, c'est que ça ne valait vraiment pas la peine. Le monde des adultes m'apparaissait comme une vaste comédie de trous du cul; il fallait vraiment être complètement marteau pour vouloir y tenir un rôle. La seule solution envisageable était de vivre sur le dos de mes parents (après tout, ils vivaient très bien) et de me fondre dans la nature provençale en espérant qu'un jour, peut-être, j'aie assez de matériel pour écrire. C'était stupide, cette façon de penser à propos de l'écriture. On a toujours assez de matériel. Rien que dans les cinq premières années de notre vie on a assez de matériel.

~

J'ai répondu à ma mère que je n'avais pas trop envie d'en parler. Que je ne trouvais jamais le moment pour leur dire la vérité, et que c'était sorti tout seul. J'étais désolé. «Mais Eva, elle en pense quoi?» m'a-t-elle demandé. Je n'ai rien dit. Je regardais les bulles dans ma flûte. Elle a deviné. «Tu n'es plus avec elle, c'est ça? – Non. Elle est avec un autre homme. – Je le savais que ça en arriverait là! Je l'ai toujours su. – Maman, s'il te plaît... – Tu gardes la maison, au moins? – Non. Je n'ai plus rien. Je repars à zéro. – Mais c'est insensé!» Elle s'enlevait de la peau autour d'un ongle, se levait brusquement et se rassoyait sur le bord du fauteuil en recommençant sa petite desquamation masochiste. Mon père se grattait les mollets. Il avait l'air ébranlé. En même temps, je pouvais voir une lueur bizarre dans ses yeux. Quelque chose comme un petit grain de douce folie. Un vieux rêve d'homme : quitter le campement, partir à la chasse, s'installer ailleurs. Il m'a dit : «Qu'est-ce que tu comptes faire, maintenant?» Je lui ai répondu que je ne le savais pas. Écrire, sans doute. «En vivant de quoi? –

Justement... J'aurais besoin d'un prêt. Sans intérêt, si possible. Un prêt d'un an... J'ai un livre en tête. Je pourrais retourner à Montréal et rester chez grand-maman, mais j'ai besoin d'un autre environnement. Et je me sens mal de vivre à ses dépens... – Combien ? – Je ne sais pas. De quoi louer une bicoque, et manger à ma faim. Je sais, ça fait *La bohème* pas mal, mais si je travaille je n'écrirai pas. – Combien ? – Quinze mille euros, ça devrait aller. – Tu comptes vivre un an, ici même, avec quinze mille euros ? – Oui. Non. Je m'débrouillerai ! – T'as toujours eu la tête dans les étoiles, Raphaël. J'ai passé trente-cinq ans au Conseil du Trésor. Si j'avais tout foutu en l'air, comme toi en ce moment, tu crois que j'pourrais te prêter de l'argent ? – Mais le monde a changé, papa... À ton époque, c'était valorisé, une carrière comme la tienne ! Surtout par rapport à d'où tu venais ! – Ça veut dire quoi, ça ? – Je m'exprime mal. Tu l'aimais, ton boulot ! T'étais fier de participer à l'essor de ton pays ! – Et toi, tu ne peux pas être fier d'instruire les citoyens de demain ? – Franchement, non. En sciences de la mer ou en architecture, peut-être. Des trucs concrets.» Ma mère en a remis : «Mais comment as-tu pu t'illusionner pendant toutes ces années ! Sur ton domaine d'études, sur ta femme ! – Laisse Eva en dehors de ça, s'il te plaît... – C'est vraiment une garce, celle-là. Je me suis toujours méfiée de son côté pute. – Maman... N'en rajoute pas. Ça ne vaut pas la peine.» Elle a bu une gorgée de champagne du bout des lèvres, le menton en l'air. «Pour ce qui est des lettres, la réponse est simple : j'ai étudié ce que j'aimais. C'est tout ! Résultat ? Le milieu m'a fait perdre ma passion. Enfin, c'est peut-être moi le problème, aussi. Mais je ne veux pas vous emmerder avec ça. Je vais bien, ne vous inquiétez pas. Je ne pense pas au suicide. Du moins, pas encore ! – On ne rit pas avec ces choses-là, Raphaël.» J'avais oublié qu'une des tantes de mon père s'était suicidée lorsqu'il était jeune. C'est lui qui l'avait trouvée, pendue entre deux pans de sa bibliothèque, dans le couloir. Elle était très cultivée. On avait retrouvé, près de son lit, *La Tentation d'exister*, de Cioran. Il aurait mieux valu qu'elle lise du Pagnol. Je n'ai rien contre Pagnol. J'ai pleuré, à la fin de *Manon des sources*. C'était l'époque où l'on savait encore raconter des histoires, sans se poser de questions. Sur la vérité du récit, les leurres du langage, etc. Maintenant on est prêt à tuer pour défendre cette position critique. Ou en étais-je ? Ah oui : à l'hôtel au bord de la mer et à ma demande d'argent. Mon père a posé ses conditions : il voulait voir l'avancement de mon manuscrit chaque semaine. J'ai dit non : ce serait chaque mois. Il voulait que je loge chez eux. Il n'en était pas question. Il souhaitait que je mange avec eux, le soir. Là, j'ai dit oui : ma mère est la déesse des fourneaux. Elle fait une tarte à la rhubarbe et à la meringue à s'éclater les papilles. Il fallait trouver une solution pour le logement, qui serait aussi mon lieu d'écriture. Michella était revenue juste à ce moment-là. Avec une deuxième bouteille de champagne. Elle s'était dit, sans doute, qu'un peu de bulles supplémentaires ne nous ferait pas de tort. Ma mère a eu une idée. « Dis, Michella, tu n'aurais pas une chambre de bonne disponible ici ou au château ? Surtout à ce temps-ci de l'année... » Elle l'avait vue venir gros comme une patate, celle-là. « Mais non ! Tout est pris ! Comme nous fermons le château à la fin du mois, les employés sont relogés au Mistral. Pourquoi donc ? – Oh rien. Ce n'est pas grave. » Certains Français de *bonne famille* sont très chiches, côté dépannage entre amis. Tu leur demandes un service en ayant déjà le sentiment de déranger, et ils te pètent au nez avec un grand sourire louis-quatorzien. Le plus fort, c'est qu'ils arrivent même à te faire croire que c'est toi le salaud ! Et ils votent généralement socialiste. Il y eut un grand moment de silence. Michella me regardait comme si j'étais un phénomène de cirque. Genre transsexuel-trapéziste. Je me suis levé. « Bon, je crois que je vais rentrer et vous laisser terminer l'apéro sans moi. Je vais marcher, en coupant à travers champs. » Ils ne m'ont pas retenu. Mon père a juste dit : « On va trouver une solution. »

~

Le soleil se couchait sur les vignes. Elles avaient viré à l'ocre. J'en avais pour une bonne demi-heure à remonter la colline. Mes pieds s'enfonçaient légèrement dans la terre. J'adore ce temps de l'année, quand tout semble suspendu. L'air, le soir, se gorge d'humidité. Les fermiers font brûler des tas de feuilles, ici et là. La fumée s'accroche aux arbres. On ne refuse pas un bon pull. Un livre nous attend, oublié sous la couette. On s'endort au bout de deux pages, en pensant à sa jeunesse quand, au réveil, on allait rejoindre papa et maman dans le lit. On riait pour un rien.

~

Ma mère m'a appelé pour me dire de ne pas les attendre : Maurice était revenu plus tôt que prévu d'Italie et il les avait invités à manger sur la plage. Un petit pique-nique improvisé, avec caviar et bougies. Je voulais peut-être me joindre à eux ? redescendre avec la Mehari ? Non, non. « Amusez-vous bien », ai-je dit. Je me suis ouvert un pot de rillettes. À la télé, on repassait *Rabbi Jacob*. Enfant, j'étais crampé de rire. Mais une comédie, quand on la regarde seul, c'est vraiment pas drôle. Le lendemain après-midi, mon père avait trouvé une combine. Il était devenu l'ami, au printemps, d'un vieux Lillois qui vivait dans le Sud depuis près de quinze ans. Il n'allait pas très bien, ces derniers temps, et ne pouvait pas s'occuper de son bateau en bois, à Port-Grimaud. Il avait accepté que j'y habite à condition de l'entretenir. Mais dès qu'il irait mieux, j'allais devoir trouver autre chose. Ça me paraissait fantastique. Je réalisais enfin un vieux rêve : vivre sur un bateau. En plus, l'idée d'astiquer les ponts, de vernir les bois, de réparer les petits dommages causés par les intempéries, me paraissait vraiment réconfortante : ce serait une belle distraction, entre deux moments d'écriture. Et puis Port-Grimaud est un village lacustre, bien protégé de la houle. Tout était en place pour une fulgurance métaphysique, un jet d'écriture continu.

∼

Après deux jours j'angoissais tellement que j'ai demandé à mes parents de venir me chercher. Je n'avais pas écrit une seule ligne. Je suffoquais dans ce truc! C'était en fait un vieux voilier qui suintait de partout. À l'intérieur, je ne pouvais jamais être debout. Et puis ça sentait le crisse. Son emplacement, au quai, était juste à côté du réservoir de *pump-out*. L'enfer.

∼

Mes parents avaient l'air inquiets. Mon père s'est montré pragmatique, comme toujours. « Il te faut un peu plus de stabilité, Raphaël. Trouve-toi un petit boulot pas trop prenant, rencontre des gens, fais-toi de nouveaux amis... Et écris une ou deux heures par jour. Ce serait déjà ça! » Il avait raison. Mais je ne voulais plus me faire avoir comme à *Parallaxe*. Il fallait que je trouve un emploi qui ne prend pas la tête. J'ai cherché. Ça n'existe pas. Quant aux amis, ça n'avait plus beaucoup d'importance. On vieillit, puis on se rend compte que les autres sont rattrapés par leurs nœuds, leurs défaites, leurs déceptions – comme nous. Ça devrait nous rapprocher. Et pourtant, on s'éloigne. La fatigue nous prend. Il faudrait ramer à contre-courant, regagner la rive. La plupart des gens se laissent dériver, pendant que les jeunes font la fête, là-bas, sur la terre ferme. Bientôt, on se retrouve seul dans le noir. L'eau est froide. On veut faire des signes, ouvrir la bouche, crier au secours, mais aucun son ne sort. De toute façon, personne ne t'entend : les jeunes sont ivres de bruit, de sensations fortes, et les adultes sont perdus dans leurs frustrations, leurs regrets. Passé quarante ans, on sent que la mort peut nous prendre quand elle veut. Chez certains, cette idée est tout simplement inadmissible. Elle leur donne l'impulsion nécessaire pour se jeter à l'eau, nager jusqu'au bord et reprendre leur place au banquet. Ils veulent rester dans le coup. Créer des liens. Se donner du temps. Se sentir vivre. Ils ont le regard triomphant. C'est insupportable.

~

J'ai passé les deux semaines suivantes en position du fœtus, dans la chambre d'ami. Mes parents étaient invités partout. Ils recevaient, aussi. Le contraste entre leur vie et la mienne était de plus en plus frappant. Je n'allais même pas dire bonjour aux invités. Je sentais que j'allais devenir un *hikikomori*, comme ces jeunes Japonais qui s'enferment chez leurs parents pendant des années, dans une décrépitude sans nom. Il doit y avoir une certaine jouissance, j'imagine, à vivre ainsi en parasitant ceux qui t'ont donné la vie. Un message de haine sans équivoque : vous auriez dû y penser deux fois avant de vous laisser aller à vos saloperies! J'en voulais un peu aux miens d'avoir une vie si pleine, si riche. Alors que la planète était en train d'exploser. Alors que j'étais moi-même dans l'antichambre du néant. Je pensais souvent aux découvertes de Silvio Fanti. À tout ce qu'il avait exposé dans *L'Homme en micropsychanalyse*, son plus grand livre. Je l'avais rencontré, une seule fois, dans son appartement parisien. C'était à l'époque de mes études doctorales. Ma directrice de thèse, Nicole Boyer, était psychanalyste, et elle m'avait intéressé aux théories de Silvio. Il y avait des parallèles évidents à faire avec la vision proustienne de l'être humain. Elle avait elle-même fait sa psychanalyse avec Fanti. J'avais dévoré les livres du maître, et je voulais absolument le rencontrer. Il ressemblait à un bouddha : énorme, le crâne rasé, avec des lobes d'oreilles démesurés, un sourire énigmatique. L'appartement était immense, très lumineux. Il m'avait invité au restaurant. Un petit italien, dans son quartier. On avait marché jusque-là, et comme il se déplaçait lentement, ça nous avait pris des heures. Il était arrivé au restaurant en sueur. Il se laissait appeler Maestro, à la rigolade. Un serveur lui avait passé une immense bavette qui lui couvrait tout le torse. C'est comme ça qu'il mangeait ses pâtes. On avait parlé de tout et de rien. Il s'était beaucoup intéressé à ma famille. Je lui avais demandé si je pouvais faire mon analyse avec lui. Il était débordé. Nous avions remis le projet à plus tard. Et puis mon envie s'est évaporée.

∿

Au bout de trois semaines de léguminosite aiguë chez mes parents, j'ai fait le rêve suivant : je suis chez un artiste. Il ressemble à Riopelle. Je suis mal à l'aise parce qu'il veut être seul et que je ne pars pas. Il me fait sortir pour quelque chose. Soleil splendide. En même temps, la cour est inondée. Il réussit à sortir sa voiture. Je dis : « Il y a vingt ans, les gens restaient pris ! Aujourd'hui, nous savons quoi faire. » Je veux en profiter, pendant qu'il est parti, pour visiter la maison. Mais dès que je suis à l'intérieur, je l'entends monter l'escalier de derrière. Il est en haut et me regarde avec un petit sourire en coin. Il y a un long tableau au mur. Il me dit que c'est une reprise de faillite. Il connaît la peintre. Elle a signé côté droit, en bas, et côté gauche il y a une inscription, en rouge : « Vivre ici ». Au début du rêve, la toile représente trois femmes en maillot deux pièces blanc. Elles sont opulentes et entourent un homme à demi couché. Il y en a une dont on distingue bien le ventre et la longue courbe du dos. Je me passe cette réflexion : on dirait du Ingres, mais pour une affiche de *James Bond* : *You only live twice*. L'artiste redescend. Je me sens lourd et fatigué. Je vois de tout petits pingouins s'envoler de l'œuvre et aller patauger dans de grands bols d'eau à l'autre bout de la pièce. Il y en a un qui revient vers moi, mouillé. Il tente de se blottir sous mon bras.

J'entends soudain de la musique sortir du tableau. Je me lève et constate que la toile est en fait un immense haut-parleur mural en mousse. Je recule pour mieux écouter. Le soleil me fait mal aux yeux. Mon hôte s'excuse et va secouer le haut-parleur pour faire partir la peinture. Le tableau est très laid, maintenant, et lacéré.

~

Je ne sais pas pourquoi, mais j'étais convaincu qu'il s'agissait de Fanti, et qu'il n'allait pas bien, qu'il était très malade. Je n'ai jamais rien compris aux pingouins, par contre. Le plus étonnant, c'est que ce rêve m'a sorti de ma léthargie. Je n'avais pas le numéro de téléphone de Silvio sur moi, et j'ai pris une chance : je suis allé m'acheter un aller-retour Marseille-Paris en TGV. Il fallait absolument que je le revoie. J'ai pu me trouver un exemplaire de *L'Homme en micropsychanalyse* dans une librairie de livres usagés près de la gare. Un coup de bol, je me suis dit. J'en ai relu de longs passages dans le train, qui filait à plus de trois cents kilomètres à l'heure, par une journée radieuse, fraîche, immortelle. J'ai bien tenté d'observer le paysage, mais je ne voyais, de temps en temps, que des images stroboscopiques de ce qui ressemblait à des vaches sur fond vert pesticide. Décidément, la France, en train, perdait un peu de son charme. J'ai maudit les ingénieurs, ces comprimeurs d'espace-temps. J'avais pris l'Eurotunnel, une fois. Je m'attendais à une révélation, petite et toute relative, bien sûr, mais à une révélation quand même. Je m'étais imaginé que plonger ainsi sous la mer, dans un wagon, ce serait un peu comme à l'aquaparc de mon enfance, quand le faux tronc d'arbre dans lequel nous prenions place arrivait follement en bas de la glissade d'eau. Je levais les bras au ciel, comme tout le monde. Mon père était avec moi. On criait. Ma mère nous attendait à la sortie avec un sourire éclatant. J'étais trempé. Le soleil était bon. Mais là, sous la Manche, ç'avait été on ne peut plus sinistre. Il n'y avait rien à voir. On ne ressentait rien. Et j'étais arrivé en Angleterre sous une pluie lourde, sans même avoir pu humer la douce odeur iodée de la mer. L'*hovercraft*, c'était nettement mieux. Les progrès technologiques sont inversement proportionnels à l'intensité du contact que nous avons avec la nature. Et l'augmentation du flux de travail, partout sur la planète, réduit d'autant les possibilités d'évasion intérieures. Tout va plus vite, et mieux, mais vers quoi?

∼

Comme le rappelle Fanti dans son livre, si nous arrivions à enlever le vide des atomes dont nous sommes faits, la totalité des êtres humains entrerait facilement dans une balle de ping-pong. Nous sommes constitués, en grande partie, de vide. D'après la micropsychanalyse, c'est en fait le vide qui nous constitue. Nous ne voulons tellement pas le savoir que nous faisons tout pour ignorer ce simple fait. C'est que le vide est angoissant. Et nous passons notre vie à le fuir, dans des essais quelconques, généralement pour la vie, mais aussi pour la mort. Pourvu que nous ne nous retrouvions pas face à notre propre vide. Tuer, faire l'amour, agresser verbalement, partir en guerre, créer, détruire, reconstruire, torturer, voyager, faire du sport, grossir, maigrir, se divertir, inventer une religion, tout est bon pour pallier le rien. N'importe quoi plutôt que rien. Les trois activités cardinales de l'homme sont, toujours d'après la micropsychanalyse, le sommeil-rêve, la sexualité et l'agressivité. Nous devons évidemment manger pour ne pas dépérir. Aujourd'hui, pourtant, nous avons tous les moyens techniques nécessaires pour créer une pilule ou un concentré liquide qu'il nous suffirait d'avaler trois fois par jour pour rester en vie – et en forme. Mais nous abolirions ainsi une merveilleuse façon de passer le temps, d'éviter l'ennui. En dehors de la recherche de nourriture, donc, l'être humain passe son temps à dormir et à rêver, ainsi qu'à perpétuer ses essais agressifs et sexuels. Pour la survie de l'espèce. Et pour sa destruction. Ceci n'est pas une conception du monde : c'est un ensemble de faits, masqués par la morale, la religion et les prouesses étincelantes de l'*homo habilis*. Notre quête d'inventivité et de représentation de nous-mêmes est si forte, et si brillante, qu'il arrive même aux moins religieux d'entre nous, aux plus nihilistes, de croire que nos réussites ne peuvent être dues au simple hasard – que nous sommes atteints d'une certaine grâce, d'un destin particulier, qui nous distingue des autres êtres vivants. Voilà pourquoi, chaque fois qu'éclate un massacre, chaque fois que nous creusons la sexualité humaine, chaque fois que nous mesurons notre potentiel de destruction et d'autodestruction, nous avons l'air si étonnés.

~

Silvio Fanti a été l'un des premiers psychanalystes et scientifiques – doctorat en obstétrique, doctorat en psychiatrie – à vouloir réconcilier les sciences pures et les sciences humaines. Il a passé sa vie à voyager et à observer l'Homme, partout sur la planète. Il a voulu comprendre l'inconscient en se basant sur les découvertes des sciences «dures» (opposées aux sciences «molles», comme la crème glacée) : chimie, biologie, microbiologie, physique quantique, astrophysique, médecine, psychiatrie. Pendant que Lacan faisait prout-prout avec sa *lalangue* dans les nuages, Fanti creusait des sillons dans le terreau fertile des sciences exactes. *L'Homme en micropsychanalyse* est un livre passionnant. Troublant, aussi. Après avoir lu cet ouvrage, on ne se demande plus jamais pourquoi l'être humain fait la guerre. Et pourquoi il recommence, chaque fois, ses essais pour la vie. Contrairement à l'idée reçue, la guerre humaine commence dès la conception. Ce qui est vu comme un acte d'amour – deux adultes qui s'accouplent dans le but de procréer – est en fait le début d'un nouveau combat très agressif. Agressivité de l'acte sexuel lui-même, d'abord. Nous ne sommes pas chez Harlequin : la grande majorité des pénétrations, pour les quelque trois virgule cinq milliards de femmes que compte maintenant la Terre, ne se passent pas très bien. Généralement, elles se passent même plutôt mal. Guerre entre spermatozoïdes, ensuite. Un seul, sur des millions, arrivera au bout de ses peines. Tous les autres meurent. C'est un peu comme dans les sports populaires (foot, golf, hockey, basket) : qui fera entrer la baballe ? Le baseball est-il une exception ? Mais non, au contraire, c'est l'éjaculation totale, le coup de circuit orgasmique, et quatre points G en un pour le grand chelem. Mais c'est une autre histoire, qui est pourtant la même. Mais revenons à notre spermatozoïde chanceux. Que fait-il ? Il force la barrière de l'ovule, qui consent à moitié. C'est après que la boucherie commence, lorsque l'œuf atteint la cavité vaginale. Il doit s'accrocher, sinon il est évacué – et il meurt. D'ailleurs, c'est ce qui arrive neuf fois sur dix. La maman le recueille donc gentiment en son sein ? Pas du tout. L'œuf bouffe la paroi vaginale, pour s'incruster. L'organisme de la mère perçoit d'abord cet acte comme une intrusion. Une intrusion à combattre. Le futur embryon est alors soumis à un bombardement chimique visant à le tuer. Après quelques essais de survie de part et d'autre, la mère et son embryon en arrivent à un compromis, qu'on pourrait résumer ainsi : ne me bouffe pas trop, et je ferai pareil. Pour Fanti, la naissance est une délivrance, et non pas un traumatisme. «Enfin, je sors de cet enfer vivant. J'allais m'autobroyer!» Mais les réjouissances sont de courte durée. La mère ne veut pas toujours de son rejeton – je ne parle même pas du père. Elle a le *blues* post-partum. Son regard est dur et vide pendant l'allaitement. Observez bien les photos de femmes qui donnent le sein, ou même le biberon : elles ont l'air passablement stressées, généralement. Le nourrisson la tête encore. Il ne cessera donc jamais. Contrairement à une douce croyance très gentillette, donner le sein est, pour une majorité de femmes, un vrai calvaire. Contrairement à ce que l'on s'imagine aussi, parents et nourrissons se livrent une guerre quotidienne : cris, fatigue, stress, rejets, étreintes étouffantes, manque de sommeil, refus de manger... Je ne connais pas une seule mère qui n'ait pas eu envie, au moins une fois dans les premiers mois, voire les deux premières années après la naissance de son enfant, de lancer le bébé contre un mur. Ou de l'étouffer sous l'oreiller. Ou de le noyer dans le bain. Ou de lui péter une cafetière sur la tête. Mais ce n'est pas grave : l'enfant ne se souviendra plus de tout ça. Pardon ? Mais si, mais si. De manière inconsciente, peut-être. Mais il s'en souviendra. Enfin, mentionnons, pour les Occidentaux nantis, que l'enfance et l'adolescence sont aussi, dans plusieurs parties du globe, une suite d'agressions verbales et physiques, de viols, d'humiliations, de travaux forcés et d'abrutissement sans nom. Mais nous n'avons même pas à aller si loin : ça se passe dans une garderie ou une maison près de chez vous. Mettez huit bambins de trois ans ensemble dans une même pièce pendant toute une journée, avec quelques jouets et deux adultes : la guerre éclate aux cinq minutes. Observez des adolescents en train de se moquer d'un vilain petit canard, en train d'humilier celui ou celle que tout le monde prend pour un extraterrestre – non, même pas, puisqu'un extraterrestre, c'est intéressant. Celui ou celle que tout le monde prend pour un déchet. Regardez bien le comportement de votre gentil fiston, de votre tendre fille, dans ces moments-là. Vous ne voyez pas son beau noyau dur d'agressivité ? Nous sommes tous des intégristes, chacun à notre façon, parce que nous possédons tous, sans exception, un potentiel agressif de destruction massive. Le vrai miracle, c'est que l'être humain ne désespère jamais. Il possède des ressources inépuisables de combativité, surtout face à d'autres représentants de son espèce.

～

J'ai souligné quelques passages de L'*Homme en micro-psychanalyse*, dans le train, en mangeant un jambon-beurre.

À chaque seconde, plus de cinq mille hommes éjaculent ensemble. Pendant que j'écrivais cette phrase, cent mille hommes ont déjà éjaculé. En même temps. Une éjaculation pesant environ cinq grammes, plus de deux mille tonnes de sperme sont émises toutes les vingt-quatre heures. Un train de sperme de plus de deux cents wagons de dix tonnes, c'est-à-dire d'à peu près trois kilomètres. Jour après jour.

Une éjaculation contenant trois cents millions de spermatozoïdes, trois ou quatre éjaculations suffiraient à féconder les femmes de notre planète. Quelques éjaculations de plus peupleraient le cosmos. En une seule fois.

Les femmes et les hommes sont avant tout d'indifférents distributeurs d'ovules et de spermatozoïdes. Même s'ils font semblant de s'affairer à mille choses et quelles que soient leurs capacités inconscientes de déformation ou de sublimation, ils n'existent et se perpétuent qu'au petit bonheur de leurs fortuites extériorisations sexuelles.

Tant qu'on parle d'instinct de procréation ou de reproduction, on fait de la sexualité une activité étroitement soumise à un déterminisme. Et l'on passe à côté de la réalité qui est que notre vie se joue au hasard d'un aveugle jaillissement sexuel.

L'amour est l'essai de ne pas être seul.

Il faudra bien qu'on se mette ça dans le crâne, un jour. J'allais vers Silvio Fanti, cette journée-là, comme on va chez le médecin quand on sait, intimement, que tout est fini. « Seigneur, dites seulement une parole et je serai guéri. » J'attendais un petit miracle. Une révélation. Mieux : une illumination. Un nouveau traitement révolutionnaire. Quelque chose qui donne envie de s'essayer, encore un peu, à la vie. Plutôt que de se laisser mourir à petit feu, seul comme une charogne, jusqu'à ce que le soleil, la pluie et les bactéries aient raison de votre enveloppe corporelle.

~

Je suis arrivé en gare de Lyon, à Paris, vers dix-sept heures. Je pouvais être chez Silvio pour l'apéro. C'était parfait. Je me suis arrêté chez un marchand de vin et j'ai trouvé un Barolo très bien coté. Carte de crédit. Aucun problème : la vie n'est elle-même, après tout, qu'un emprunt sur la mort. J'ai filé dans un taxi. J'étais chez lui à dix-huit heures quinze. Au bout de sept sonneries, il a répondu : «Qui est-ce? – Silvio, c'est Raphaël. Raphaël Laliberté. Vous vous souvenez? – Mais bien sûr, Raphaël. Je t'ouvre.» Sa voix était terne, fatiguée. J'ai eu un choc en le voyant. Il tenait à peine sur ses jambes, et il devait avoir perdu au moins trente kilos. Il n'avait plus du tout l'air d'un bouddha. Il m'a embrassé en me demandant ce qui lui valait ma visite. Je lui ai dit la vérité – en partie : j'avais fait un rêve, qui m'avait fait penser à lui. Comme j'étais en visite chez mes parents, dans le Var, j'ai eu envie de le revoir, tout simplement. Je n'avais pas son numéro de téléphone. J'ai pris la première place disponible sur le TGV. Mais je le dérangeais peut-être? Je savais bien que ça ne se faisait pas, d'arriver comme ça chez les gens, surtout en France! Je pouvais revenir un autre jour, coucher à l'hôtel. «Mais non, mais non. Entre, cher ami. Tu as vu Nicole dernièrement? – Non. Elle passe huit mois par année en Italie. Vous la voyez plus souvent que moi, je crois. – C'est vrai. Où avais-je la tête?» Ses yeux étaient un peu tristes, et très cernés. Il respirait très fort. «Vous allez bien, Silvio? – Mais oui, mais oui. Viens t'asseoir au salon. Qu'est-ce que tu m'apportes, là? – Un petit Barolo. – Excellent. Va me chercher un tire-bouchon sur la desserte, là-bas. Avec deux verres. On va se le boire.» Il s'est affalé dans un gros fauteuil beige. Il avait le même teint que le tissu, lui qui était d'un naturel rougeaud, comme un bon paysan. Il n'avait rien de l'intellectuel typique, maigre, emprunté, à la fois sec et vaseux, toujours prêt à discourir, à montrer sa virtuosité dans le maniement des mots. Silvio avait plutôt l'air d'un éleveur de chevaux de trait, genre gros boulonnais. Il paraît que partout où il passait dans les pays de l'Asie du Sud-Est, on l'arrêtait en rigolant, en levant le pouce, en lui tapant sur l'épaule. On voulait le toucher : il représentait la sagesse et l'opulence, et ça portait chance. Là, devant moi, il n'était plus qu'un homme ordinaire, épuisé par son combat contre l'artériosclérose. J'avais l'impression qu'il pouvait s'effondrer d'un moment à l'autre, s'étaler sur le flanc, expirer son dernier souffle. Je me suis demandé si le vin n'était pas une mauvaise idée. Et puis je me suis dit que tant qu'à mourir, je préférais, quant à moi, que ce soit en buvant un bon rouge. Mais j'étais encore très secoué. Je savais qu'avec lui je pouvais aborder la question de front. « Vous n'allez pas bien du tout, Silvio. Vous voyez un médecin ? – Non. Je ne veux plus les voir. Ils n'apportent que des mauvaises nouvelles. Tu remplis bien mon verre. Là, comme ça. – Quel genre de nouvelles ? – Eh bien, vois-tu, Raphaël, le genre de nouvelles qui me font bien rire. Ils pensent que je devrais tout arrêter : mes séances, la bonne nourriture, l'alcool, la cigarette... Tout. Ils sont complètement *zinzin*. J'ai soixante-douze ans. Si j'arrête tout, je n'ai plus rien. Je ne suis plus rien. C'est une vie, ça ? Pour combien d'années de plus ? Cinq, sept ? C'est de la rigolade, non ? Il est très bon, ton vin. – Vous travaillez toujours quatorze heures par jour ? – J'ai diminué un peu, quand même. La fatigue… Je ne fais plus que trois séances quotidiennes. – À trois heures chacune, ça fait quand même neuf heures, ça. – Il y a tant de souffrance, mon cher ami. Il faut continuer. Mais si tu viens me voir pour une analyse, il est trop tard : je ne prends plus de nouveaux. C'est au-dessus de mes forces. – Je ne viens pas pour ça. Mon désir s'est évanoui. Comme tous les autres, d'ailleurs. J'ai senti le besoin de vous revoir. C'est tout. – C'est tout, vraiment ? » Je revoyais enfin son visage de la première fois, avec un regard qui vous passait aux rayons X. Je ne savais plus où me mettre. Je ne comprenais même plus pourquoi j'étais là. Qu'est-ce que j'étais venu chercher, au fait ? Ça m'a tout pris pour lui dire la vérité : « Je ne vais pas très bien, moi non plus.

Physiquement, oui. Mais pour le reste... Je ne sais pas. Je me sens comme une grenouille au fond d'un étang gelé. C'est grave, docteur?» J'ai dit ça en riant, mais il est resté très sérieux. Il a dit : «Mais encore?» Il y a eu un long silence. L'univers s'est replié sur moi comme une crêpe. J'ai fondu en larmes. Ça ne s'arrêtait plus. Il continuait à boire, par grandes gorgées. Et il me regardait. Il n'a pas cessé de me regarder. D'habitude, les gens baissent les yeux quand quelqu'un pleure. Puis ils veulent vous consoler, ou au contraire vous demandent de vous ressaisir. D'une manière ou d'une autre, pleurer est une faiblesse, une faille qu'il faut colmater le plus vite possible. Silvio, lui, ne disait rien. Il attendait la suite, imperturbable. Je hoquetais. Je ne voyais plus très bien la pièce. Comme au fond d'une piscine. Les bruits de la rue étaient sourds, aussi. Quand on a six ans, sept ans, et qu'on se met à pleurer de la même façon, on se dit que la vie est injuste, on veut tuer tout le monde, puis on a honte de soi. Cette suite de sentiments et de mécanismes de survie disparaît à l'âge de raison. Grâce à cette fameuse raison, on ne revit plus ces moments insupportables de tristesse et de colère sans fond. On y perd aussi, par contre, sa volonté de puissance. Après, la vie n'est plus qu'une suite d'accommodements avec le réel. Là, face à Silvio, je venais de revivre un peu de ces moments *préraisonnables*. Il attendait toujours. Dix, quinze minutes ont passé. Rien ne sortait de ma bouche. Je distinguais vaguement un liquide rouge brique dans le verre que je tenais à la main. À quelques reprises, j'ai voulu le porter à mes lèvres. Ça pesait une tonne. Je me souviens que le téléphone a sonné. Silvio n'a pas bougé. Il s'est simplement allumé une clope. J'aurais aimé lui dire : «Bon, je vais y aller. Je vous ai assez importuné. Pardonnez-moi.» Mais je suis resté comme ça, anéanti, incapable de bouger pendant au moins une demi-heure. Puis c'est remonté tout seul, comme d'un puits artésien : «Je n'ai plus rien. Je ne suis plus rien. Je n'ai plus le goût de rien. Je pense que ça ne vaut pas la peine de continuer. Le monde est intransigeant. Je préfère mourir.» Il a pris son temps, s'est allumé une autre cigarette, puis

a dit : « Je ne te crois pas. » J'étais un peu outré. « Si. Je vous jure ! »
Il s'est gratté le crâne. « Tu dis que tu ne désires plus rien. Quand
je t'ai vu, la première fois, tu m'as fait penser à moi, jeune. Trop
sensible, idéaliste, plein de vie, de projets, de désirs, justement.
Qu'est-ce qui s'est passé ? Tu ne veux pas faire une analyse. Mais
que désires-tu vraiment, par-delà ta peur ? Tu es mort de peur,
Raphaël. La vie est beaucoup trop courte pour traîner sa peur, tu
sais. Alors, qu'est-ce que tu voulais, à vingt ans ? » C'était loin.
Tellement loin. Sous des couches géologiques que je pouvais
compter en millions d'années. Avant la vie adulte. Quand je
croyais que tout était possible, en effet. « Que voulais-tu, hein ?
Fondamentalement, simplement ? » Oui, ça me revenait, mais je
pouvais à peine croire que ce que je voulais alors était aussi simple,
limpide, aérien. « Je voulais aimer une femme, écrire, avoir un
enfant, éventuellement. » Je me suis remis à pleurer de plus belle.
J'avais l'air vraiment con. Une loque sentimentaliste indécrottable.
Avec la gorge nouée, les jambes en guimauve et tout. Il a dit :
« Voilà. Est-ce si compliqué ? – Non. Oui. Je ne sais plus. – Ça te
paraît inatteignable ? – Vu comme ça, non. – Alors essaie. » Il a
fermé les yeux. Il respirait de plus en plus fort. Je ne voulais plus
de silence entre nous ; ça me rendait vraiment *dring dring paw
paw*, tout ce silence. J'avais une question à lui poser à propos de
l'un de ses livres : *Après avoir...* Une sorte d'autobiographie
anthropologique. À la fin, il parle de l'Ange-Matière. Ça m'avait
toujours paru énigmatique, et je ne lui en avais jamais fait part.
« Vous entendez quoi, Silvio, par Ange-Matière ? » Il est revenu de
très très loin, en ouvrant les yeux à demi seulement. « Que dis-
tu ? – L'Ange-Matière, c'est quoi ? » Il a souri en se débarbouillant
le visage de la main gauche. « Ce dont nous sommes faits. Ce
dont l'univers est fait, et qui est à quatre-vingt-seize pour cent
invisible, ou sombre. – Le vide ? – Le vide et le plein. – C'est la
même chose, non ? – Tu m'as vraiment lu, oui ou non ? – Je comprends tout ça, Silvio, mais ça demeure un peu étrange. – Alors
fais une micropsychanalyse. Ou bien écris. Et puis surtout, arrête

de te poser trop de questions. Ça transforme le cerveau en *gelato*. L'important, c'est d'observer. Et d'agir... Maintenant, tu m'excuseras, mais j'ai une dernière séance de vingt à vingt-trois heures. Tu peux rester jusqu'à dix-neuf heures quarante-cinq, si tu veux, mais je vais essayer de faire un somme. – Vous ne mangez pas? – Après.» Il s'est levé, est venu m'embrasser, puis s'est dirigé vers sa chambre. Je n'ai pu m'empêcher de lui dire, alors : «Silvio, vous allez vivre encore longtemps, non?» Il ne s'est même pas retourné. Il a simplement dit, d'un ton sans appel : «Je ne crois pas, non. Adieu, cher ami. Et sois à la hauteur.» Je suis resté seul dans le salon. Il devait être dix-neuf heures quinze environ. L'appartement était sombre, maintenant. L'air, dehors, s'était passablement rafraîchi. Paris ne me disait rien. J'ai repris le train de vingt-deux heures.

~

Je devais passer au guichet d'information pour une question de validation automatique qui n'avait pas fonctionné. L'employé avait le teint livide. Il a regardé mon ticket avec curiosité et perplexité, comme s'il s'agissait d'un fruit exotique inconnu. «Vous avez bien de la chance, vous, d'aller dans le Var. – Bof. Vous n'avez rien à m'envier, vous savez. Je ne sais même pas ce que je vais y foutre.» Visiblement, je l'avais insulté. «Je travaille, moi, monsieur! Je dois gagner ma vie. Je ne peux pas m'évader dans le Sud, comme ça, juste pour le plaisir. Alors vos petits états d'âme, vous savez...» Il a fait un geste de «pelletage par-dessus l'épaule» très réussi. Les Français sont vraiment de bons comédiens. Sauf dans les films, où ils continuent, la plupart du temps, à «faire du théâtre». C'est vrai que derrière sa vitre, là, il n'avait pas de quoi se péter les bretelles. J'étais peut-être plus chanceux que lui, finalement.

~

J'ai trouvé mon wagon au bout de vingt minutes. Je me suis assis en face d'une brune suave, dans la vingtaine, que regardait sans cesse son voisin de gauche, mais l'air de rien, comme s'il lisait vraiment son magazine de «tarlais» sur les sports extrêmes. Elle avait, il est vrai, des seins magnifiques qui pointaient sous son jersey de laine grenat. Elle semblait déterminée, sûre d'elle, bien cloîtrée dans l'ambiance rap qui s'échappait des écouteurs de son lecteur MP3. Le son devait être très fort, car j'entendais tout. Du Eminem totalement indigeste. Elle tira un magazine de son faux sac Hermès et changea légèrement de position, de manière à mettre en évidence ses longues jambes de la LegAcademy (ça n'existe pas encore? Ça viendra, ça viendra). Elle fit un mouvement brusque et ample de la tête, de manière à bien dégager sa nuque, et prit un air très concentré pour lire son *Marie-Claire* «spécial Beauté». Le voisin ne se gênait même plus pour la regarder, laissant sa revue ouverte sur ses genoux. La double page montrait un homme musclé, au sourire extatique, s'apprêtant à faire un saut de *bungee* en kayak. On pouvait lire, en gros caractères : «Il cabriole dans les canyons», titre aussi stupide que la discipline sportive en question. Mais était-ce vraiment une discipline? Les hommes sont prêts à inventer n'importe quoi pour se casser la gueule. Ils font passer ça pour du sport. Certains font même fortune en commercialisant des engins débilement mortels, comme des skis à chenilles pour gazon, ou du *street luge*, pour descendre, sur le dos et à trois centimètres du sol, des côtes immenses entre des dix-huit roues conduits par des camionneurs fous furieux. L'avantage, dans le cas du *street luge*, c'est que lorsque tu te fais écraser, ou bien quand tu rentres dans un garde-fou, tu es déjà en position couchée. C'est pratique pour les ambulanciers. Le mec a demandé quelque chose à la brune. Elle n'avait pas l'air très contente de devoir interrompre la lecture de son article sur les nouvelles crèmes anti-âge à base de molécules issues de la nanotechnologie. Il a reposé sa question : «Êtes-vous top modèle?» J'étais hyper gêné. Je ne supporte pas la grosse drague sale. Je me demande toujours comment on peut être aussi peu subtil. La fille s'est mise à rire gentiment. «Non, pas du tout. Vous trouvez que j'ai l'air d'un top? – Ah mais j'étais sûr. Vous avez une beauté unique. Absolument unique.» C'est le sésame de toutes les femmes. Il avait sorti son artillerie lourde, ce con. Genre panzer de la Deuxième Guerre mondiale. Et ça marchait toujours. «Vous devriez monter un *book*.» Elle a rappliqué aussi sec, en envoyant Eminem au fond de son sac : «Vous êtes photographe? – Oui. Vous voyez cette photo, c'est moi qui l'ai prise. – Ah. Mais vous êtes spécialisé dans les sports extrêmes... – Non, non. Pas seulement. Je suis très versatile. J'ai déjà fait des trucs pour *Paris Match, Marianne*... *Marie-Claire*, aussi. C'est ce que vous lisez, là, non? – C'est mon magazine préféré. – Tenez. Vous voyez cette fille? C'est mon copain qui l'a prise. – Wow! Et vous travaillez où? – J'ai un studio dans le quatorzième, en face du parc Montsouris. – J'adore ce coin de Paris! Vous seriez prêt à me monter un *book*, vous? – Absolument.» Il venait de la hameçonner, ce prétentieux même pas beau. C'était plutôt pêche au harpon, son truc. Je n'en revenais pas. En plus, il lui mentait carrément en pleine face. Et cette fille se laissait remballer, comme ça, sans la moindre expression de méfiance. J'étais vraiment foutu : je n'arriverais jamais à séduire une Française. Encore fallait-il aimer une fille, vraiment. Il paraît que ça ne se calcule pas, l'amour, que c'est imprévisible, foudroyant, etc. Avec Eva, j'avais cru à toutes ces foutaises. J'étais sûr que c'était la bonne. L'âme sœur. Pffft! Je n'entendais plus les deux ploucs hormonaux-dépendants, en face de moi. Leur petit jeu me déprimait tellement que je me suis réfugié dans le sommeil.

~

J'ai encore rêvé. C'était peut-être bon signe. Dans mon rêve, je me réveille, justement. Il fait très sombre dans le wagon bondé.

Je me dis aussitôt que j'ai dû rater l'entrée du tunnel sous la Manche. Le train semble arrêté. Les vitres reflètent l'intérieur du compartiment, glauque, et je me rends compte qu'il n'y a plus personne. L'instant d'après, j'aperçois un homme, seul, au fond à gauche. Il me fixe sans broncher. Je me dirige vers lui. C'est Proust. Il porte une redingote et un chapeau noir sans forme. Son regard est un peu fou, maintenant, comme sur la fameuse photo prise à Évian, en 1905, probablement peu de temps après la mort de sa mère. Il me dit : « Quelle magnifique journée, n'est-ce pas ? » Cela m'étonne un peu, puisque nous sommes sous l'eau. Je regarde dehors : on avance lentement sur une digue baignée de lumière. Tout autour, une mer aux reflets blonds, aux vagues mousseuses comme de la bière. Je me retourne vers lui. Il n'a plus sa moustache. Il paraît beaucoup plus jeune. Je lui dis, le plus simplement du monde : « Vous écrivez toujours ? » Il pleure, maintenant. Il dit : « Maman pense que ce n'est pas bon pour moi. » Je m'assois à côté de lui. Nos jambes se touchent. Il a un grain de beauté tout près de l'œil. Je ne l'avais jamais remarqué. Je passe mon bras derrière son dos, en me collant un peu plus, et je lui dis : « Mais il faut essayer, Marcel ! » On rit. Puis il n'est plus là. Eva est à sa place. Son regard est très dur. J'ai honte d'avoir ri comme ça. Elle étudie en prenant des notes. Je peux lire, sur la couverture : Roland Barthes. *Le Plaisir du sexe.* J'aimerais bien rigoler un peu avec elle, lui dire que ce n'est pas le bon titre, qu'elle ne cherche pas dans le bon domaine. Je me retiens. Je me lève et je vais dehors. Sur le palier de notre maison, à Rimouski. Des oies blanches passent. La lumière est aveuglante. Je me sens bien.

～

J'ai émergé un peu avant Marseille. Monsieur Testostérone ronflait. Un filet de bave coulait sur son menton. Miss LegAcademy s'était remise à son *Marie-Claire*, les traits tirés, probablement empêchée de dormir par son voisin. Ç'a été plus fort que moi : je lui ai demandé si elle croyait vraiment tout ce que l'autre lui avait dit, là, en la draguant. « Non. Pas vraiment. Mais ça fait du bien! Et vous, vous êtes mannequin?» J'ai esquissé un sourire, du genre : «OK. C'est la nouvelle façon d'aborder les gens?» Je n'avais aucune envie de jouer à ce petit jeu. J'ai répondu par la bande : «Ma mère m'a toujours dit que j'avais de belles mains. – Faites voir, un peu. Pas mal... c'est vrai. Un peu trop féminines, quand même. On n'irait pas se prendre un café au bar? – Très bonne idée.» Elle m'a raconté un peu sa vie. Elle travaillait dans un magasin de chaussures à Cavalaire. Elle revenait d'un petit séjour chez une copine à Paris. Plus jeune, elle rêvait de devenir actrice, ou de jouer dans un *girls band*. Elle chantait plutôt bien, d'après ses amies. Attirée par le soleil, elle s'est retrouvée à Cavalaire un peu par hasard. Un jour, alors qu'elle achetait des *pompes*, le gérant lui a demandé si elle ne poserait pas pour une pub du magasin dans le journal local. Le mec lui avait dit qu'elle avait des jambes sublimes. Depuis, elle travaillait là. Le *shooting* n'a jamais eu lieu, évidemment. Elle s'est pointée à quelques agences de mannequins, les jours de recrutement général. Sans succès. Elle donnerait tout pour devenir célèbre. Vivre une autre vie. Une vie de star. Je ne pouvais rien lui offrir de tout ça. Je lui plaisais bien quand même, apparemment. On a baisé dans les toilettes. Elle sentait le girofle et le lait aux amandes. Ses jambes étaient interminables. Sa peau très douce. J'ai mis du temps à jouir ; la mécanique était rouillée. J'avais chaud. Elle a pris ma retenue pour de la virilité. Elle semblait très satisfaite. Je lui ai demandé son prénom : Aglaée. On s'est quittés sans se dire un mot, et j'ai changé de place dans le compartiment. Un vieux *Canard enchaîné* traînait sur la banquette. J'ai tout lu, sans me souvenir de rien. Je revivais peut-être.

Chapitre 9 – L'Ange-Matière

On ne peut refaire ce qu'on aime qu'en le renonçant.

Marcel Proust

En revenant à La Croix Valmer, j'ai erré pendant deux autres bonnes semaines. Je jouais au tennis avec mon père, sans grande conviction. L'après-midi, j'allais parfois au village. Je regardais les vieux discuter autour du cochonnet. Je sirotais gentiment mon pastis, puis je rentrais chez mes parents. Je ne me mêlais toujours pas plus à leurs amis. J'ai beaucoup regardé la télé, je crois. Et puis un jour, je suis allé à Saint-Tropez. Le jour du marché. Je me suis étonné moi-même, puisque je déteste les foules. Mais il y avait beaucoup moins de monde à cette période-là de l'année. Il faisait encore bon, pourtant. Quelques antiquaires attendaient d'éventuels clients. Les marchands de fringues avaient la mine boudeuse. J'ai traîné le pas entre les fromagers, les bouchers, les boulangers, les maraîchers... Ils offraient tous «les meilleurs produits de France». J'ai acheté du miel, sans trop savoir pourquoi. Et puis j'ai bifurqué vers les allées commerçantes, avec l'envie soudaine de faire plaisir à ma mère en lui offrant un truc pour la cuisine. J'étais déjà allé dans un magasin spécialisé avec elle, trois semaines plus tôt : Aux ustensiles de Fanny. Elle avait tenu dans ses mains un machin pour faire de bonnes pâtes fraîches, avec différents moules et tout. Mais elle trouvait ça un peu cher et l'avait reposé ; à regret, car c'était le dernier. Je pouvais bien lui payer ça. Quand je suis entré dans la boutique, une grande blonde avait pris l'objet en question. Elle l'avait soulevé, à bout de bras, et s'était penchée un peu pour regarder en dessous. Je la voyais de dos. Je ne comprenais pas très bien ce qu'elle cherchait à faire. J'espérais simplement qu'elle le repose au plus vite ; qu'elle passe à autre chose. Dans mon souvenir, c'était assez lourd comme ustensile. En inox de première qualité. J'étais un peu étonné de voir une jeune femme aussi gracile manipuler ce truc avec autant d'aisance. Elle devait être sportive. Ça se voyait d'ailleurs à son look : chaussures de jogging, pantalon en coton souple, évasé au pied, parka pour la voile. Tout ça se mariait parfaitement, dans les tons vanille. Genre chic décontracté. Elle s'était fait un chignon. Je vous ai déjà dit que j'adore les chignons ? Je me suis planté derrière elle, à quelques centimètres seulement. J'espérais l'intimider. Mais quand on veut obtenir à tout prix la marchandise d'un consommateur ennemi, c'est sans doute la pire chose à faire. Il se replie d'instinct sur ce qu'il possède et ne lâche plus le morceau jusqu'à ce qu'il l'ait confié à la caissière. Elle a dû sentir ma présence, car elle s'est retournée brusquement. Et là j'ai reçu un tsunami de phéromones dans la poitrine. Mon cœur a fait cinq tours sur lui-même. Je sais, ça fait con de dire ça. Trop cliché. Mais quoi ? C'est la pure vérité. Le médecin me l'a confirmé : mon cœur a bien fait cinq tours, cette journée-là. Sur lui-même. Mon toubib a mesuré la chose avec des gadgets électroniques très coûteux. Mes artères étaient toutes nouées autour du muscle cardiaque. Impossible à démêler. Il paraît que ça finit par se désentortiller tout seul, après quelques années de vie de couple. J'ai vu une championne de natation l'autre jour à la télé. Elle est dans l'eau, elle vient de gagner et elle salue la caméra de la main avec un gros « love » indélébile inscrit dans la paume.

C'était pour son amoureux. Ça résiste au chlore et au savon, sans doute. Mais la peau finit par absorber la substance. À la longue, ça s'efface. Tout s'efface, ou devient difforme. Vous observerez des tatouages de jeunesse sur de vieux croulants : ils ne ressemblent plus à rien. Je ne me ferai jamais tatouer le nom de mon amoureuse. C'est toujours trop fleur bleue, l'amour. Mais, au fond, j'emmerde tous les sentimento-déficients, les ratatinés du plexus solaire, les mollusques antiromantiques sucés de leur substance céleste. Où en étais-je ? Ah oui ! Cate. Elle s'appelait Cate. Elle s'appelle toujours Cate, d'ailleurs. Je ne l'ai pas su tout de suite, évidemment. Elle ne s'attendait pas à voir quelqu'un dans son dos qui soit si près d'elle. Elle a sursauté en plaquant l'objet sur son ventre. Puis s'est excusée, en français, avec un léger accent. Elle a eu un rire nerveux. J'ai tout de suite enchaîné, très à l'aise dans les circonstances : « Mais c'est moi qui vous demande pardon. C'est que l'ustensile que vous tenez là m'intéresse. » Si nous avions été dans *The Matrix*, on aurait certainement pu voir tout un tas de 0 et de 1 former des supernovæ intergalactiques entre nos deux corps. Ça n'a aucun sens, ce que je dis ? C'est normal. Elle a dit : « Vous me voulez ? Euh... pardon... Vous le voulez ? *This... thing ?* » Je n'avais jamais vu des yeux comme ça. Je l'ai déjà dit à propos de Jade, je le sais. Mais là, c'était dix fois mieux. Cent fois mieux. Des yeux qu'on préfère qu'ils se ferment, tellement c'est plein de lasers transperceurs d'âme. Des yeux qui soulèvent des montagnes, font entrer des volcans en éruption, des... bon, ça va, vous avez compris. Des yeux bleu champ de lavande infini. Des yeux bleu Mers du Sud de l'Est du Nord de l'Ouest du Centre. Des yeux bleus déboussoleurs tous azimuts. J'ai enchaîné en anglais : « *It's for my mother. – Oh... I was going to buy it for my father... It's his birthday. – She's dying... – Really ? OK, you win. – In fact, she's fine. Hopeless thing to say...* – Vous n'êtes pas Français, n'est-ce pas ? – Québécois. Mais je tente de me guérir. Et vous ? – Américaine. Mais ma mère était Française. – Elle est morte ? – J'ai bien employé l'imparfait, oui. – Que faites-vous à

Saint-Tropez? – Je suis en voyage avec mon père. Sur son voilier.
Nous partons dans quelques jours pour la Grèce. Et vous? – En
voyage avec moi-même, mais chez mes parents, qui habitent La
Croix Valmer. – Et vous cherchez quoi, dans ce voyage avec vous-
même? – Quelqu'un comme vous. – Comme moi? C'est-à-dire?
– Euh... Belle à en mourir. Ça vous va? – C'est tout? – Avec qui
je peux envisager la possibilité d'une improbable, mais néan-
moins souhaitable vie à deux, puis à trois, puis à quatre... – Échan-
giste? – Pas vraiment, non. Je parlais d'enfants. – Nous pourrions
peut-être commencer par un pot? – Je ne dirais pas non. – Alors,
qui le prend, cet engin lourd et inutile? – Je vous le laisse. Je vais
en commander un autre au comptoir. – Dans ce cas, c'est moi qui
vous invite. Sur notre voilier. Vous n'avez pas peur des vieux ours
républicains grincheux? – Grincheux, non. Républicain, un peu,
tout de même. – Vous verrez, il se soigne, lui aussi. Demain soir,
ça vous va? – Quelle heure? – Dix-sept heures, pour qu'on puisse
profiter des derniers rayons du soleil. Il s'appelle Hemingway. –
Qui ça? – Notre bateau. – Ah! Très bien.» Elle m'a simplement
regardé très vite, en sortant, avec un sourire dévastateur. Je n'ai pas
dormi de la nuit.

~

Le lendemain, j'ai passé la journée dans le hamac en pensant
à ce que j'allais bien pouvoir dire à cette fille. C'est fou, n'empêche,
à quel point on est défini par son travail. On est quoi, sans ce que
l'on produit? Il est toujours possible de tartiner sa culture, oui.
Parler des nuances du vide et du plein dans la peinture chinoise,
par exemple. Ou de la musique baroque espagnole. Mais cela ne
dure qu'un temps. Ce ne peut être ce qui nous définit. Prenons
quelqu'un qui ne fait rien. Strictement rien. Il ne rapporte pas
d'argent, ne fait pas à manger, n'a pas de hobby, ne s'intéresse pas
à l'art. Cette personne veut juste vivre. Écouter les oiseaux.

Contempler la cascade dans sa cour. Dormir. Il ne sait pas tenir une conversation. Ne fait rien de ses mains. Est-ce toujours quelqu'un? Peut-il espérer vivre en couple? Mais qui voudrait d'une telle loque? Et pour quoi faire? Bon : admettons qu'il sache très bien faire l'amour. Une femme le gardera-t-elle pour cette seule raison? Cette *personne* devrait peut-être songer à la voie monastique. Mais c'est chiant, la voie monastique. Il faut participer aux corvées. Se lever tôt. Faire semblant de prier dix fois par jour… Donc, je répète ma question : un être humain qui ne fait rien est-il encore *humain*? Si l'on en juge par la cote des SDF dans nos sociétés : non. Je ne voulais pas devenir SDF. Certains le deviennent par choix, d'autres par le fruit de certaines circonstances difficiles (pour le dire avec des gants blancs). Je voulais juste la paix. Pas comme Alexandre le bienheureux, incarné par Philippe Noiret au cinéma, avec son chien – trop heureux pour rien. La paix pour écrire, n'importe quoi, et pour aimer une femme et des enfants. N'est-ce pas incroyable de constater que cette chose si simple soit la plus compliquée à réaliser pleinement? Bon, oui, Silvio m'avait ouvert les yeux. N'empêche, je ne pouvais me faire à cette idée d'agressivité permanente s'essayant à des bulles de survie à la surface du vide cosmique. En revanche, ne rien faire, c'est très difficile. Et puis, on doit bien réagir à son environnement, toujours plus ou moins hostile. Une expérience de Laborit m'est revenue en mémoire. Resnais l'expose dans *Mon oncle d'Amérique*, un film *didactique*. Une expérience commentée par Henri Laborit lui-même : mettez un rat (blanc, c'est plus mignon) dans une cage, avec une séparation au milieu et une petite ouverture pour passer d'une section à l'autre. Le plancher sur lequel se trouve le rat est relié à des fils électriques et envoie une décharge quand l'expérimentateur (la bave aux lèvres) actionne un bouton. Une petite sonnerie très stressante retentit cinq secondes avant que le malade mental (un sous-fifre de laboratoire, genre étudiant au doctorat) appuie sur ledit bouton. Au début, le rat reçoit la décharge en plein dans les couilles. Puis une légère fumée se dégage du cerveau. Mais le rat est résistant – certains diront résilient –, et il lui reste encore un peu de matière grise intacte. Les coups suivants, dès que la sonnette de la mort se fait entendre, son cerveau lui recommande fortement de passer de l'autre côté via la petite ouverture, là où le plancher n'est pas méchant. Résultat, l'animal vit très bien : il a la possibilité de fuir le terrain hostile. Un des livres les plus célèbres de Laborit s'intitule *Éloge de la fuite* – je suis pour. Deuxième étape de l'expérience (qui en comporte trois) : on ferme la petite ouverture. Que de jouissances en perspective ! La sonnette retentit, le cerveau du rat exige la fuite, mais là, il est couillonné ! Une, deux, trois, quatre, cinq secondes et bang !, cent-dix volts dans les mollets ! (Mais est-ce bien cent-dix volts ? Peut-être moins, peut-être plus.) Là, le rat, il capote. Chaque coup de sonnette fait augmenter son angoisse. Il ne peut rien faire, sinon tourner sur lui-même, gratter les parois, émettre des sons étranges. Les observations scientifiques montrent, de manière indubitable, un dépérissement accéléré de la pauvre bête. À cause de l'angoisse liée à l'impossibilité de faire quoi que ce soit pour échapper à son sort (vous comprenez ?). Le rat perd son poil, ses ongles, la vue... Une sorte de cancer foudroyant le bouffe de l'intérieur – alors qu'il ne reçoit qu'une petite décharge de rien de temps en temps, vous vous rendez compte ! Pas de quoi le tuer, en tout cas. Troisième étape, que je résume en quelques mots, et qui dit tout sur la condition humaine : on ajoute un deuxième rat dans la même section que le premier, en gardant la petite ouverture bien fermée ; on fait sonner le machin, qui annonce que l'enfer, c'est pour dans cinq secondes. Que se passe-t-il alors ? Les deux rats se battent entre eux comme des fous pour pallier l'angoisse. Tout naturellement. Puis ils reçoivent tous les deux une belle décharge. Repos léger, et on repart la sonnette : ils se battent comme... comme quoi ? Comme des humains, tiens ! Reçoivent une décharge... Tout ça des dizaines de fois. Résultat : les deux rats se portent très bien ! Aucun signe de détérioration. Beau poil, belle dent, bon œil. Se battre les maintient en santé ! On peut extrapoler un brin et affirmer, avec preuves scientifiques à l'appui, que la vie se résume à ceci : fuir ou projeter son agressivité sur le voisin, pourvu qu'on échappe à l'angoisse, sinon on en crève, mais de l'intérieur. La grande majorité des humains préfèrent se battre. Pour n'importe quoi. Et surtout contre son prochain. Mais pourquoi est-ce que je parle de tout ça ? Il faut vraiment que je me fasse soigner. Ah oui ! Cette journée-là, donc, seul dans mon hamac, quelques heures avant de voir Cate sans savoir qu'elle s'appelait Cate, je me sentais comme le rat de Laborit. Juste avant la décharge. Avec l'idée d'une possible ouverture. Vers quoi ? Je ne le savais pas. Mais une ouverture. Comme l'écriture ne semblait pas vouloir me donner cette ouverture, comme le travail n'y était pas arrivé, comme je sentais que la psychanalyse ne me la donnerait pas, j'espérais qu'une femme y parvienne. Cate. Juste avant la décharge électrique. Si ça ne marchait pas, cette fois, je ne pourrais plus endurer l'angoisse de l'attente, et du vide, très longtemps. Je ne voulais pas finir ma vie seul devant un tube cathodique, comme des millions de gens. Cette fuite-là ne m'intéressait pas.

～

Arrivé au port, je me mis à chercher un voilier modeste, capable de prendre la mer. Je ne voyais rien qui portât le nom «Hemingway». Il y avait bien un monsieur d'un certain âge, renfrogné, sur un voilier de trente-neuf pieds qui arborait le drapeau américain. Mais le bateau s'appelait le «Hey-Ray IV». C'était vraiment très laid comme nom. Je ne voyais aucune Cate sur aucun pont. Il n'y avait plus beaucoup de navires de plaisance, pourtant, à cette époque de l'année. Je ne cherchais pas du tout le bon type de voilier, en fait. Le Hemingway était un Swan 112 RS, de cent douze pieds donc, un des meilleurs voiliers du monde, fabriqué en Finlande, un truc de légende. Je me suis approché

tranquillement, tout ému. Il était impeccable. Ça devait bien
valoir dans les un million d'euros, ou plus. J'ai lancé un « hello ! »
timide ; je n'osais pas monter dans le cockpit. Cate a émergé tout
d'un coup. Elle était tout simplement resplendissante. J'ai sorti
ma grosse drague pseudospirituelle : « Excusez-moi, mais, passant
devant ce magnifique Swan parfaitement entretenu, je me suis
dit qu'il ne pouvait abriter qu'une perle rare, et je vois que je ne
me suis pas trompé. – Arrêtez tout de suite votre baratin, cher
monsieur. Il n'est pas à vendre. – Peut-on le louer, avec son skip-
peur ? – Je ne pense pas, non. Mais j'avoue que votre charme me
trouble, et me ferait presque céder si... – Oui ? – Si je connaissais
au moins votre prénom ! – Raphaël. – Joli ! Comme dans la chanson
de Carla Bruni. – Oui, bon. Mauvais souvenir… – Mais à qui ai-je
l'honneur, au fait ? – Cate. – Je dois vous dire, Cate, que rarement
aussi belle femme foula le pont d'un Swan. – Bon. On arrête et
on se tutoie ? – Je ne demande pas mieux. Sérieusement, ce
voilier est un petit bijou. – Mon père le dorlote bien plus que sa
propre fille. On se fait la bise ? » Elle portait une robe brune avec
des motifs à fleurs bleu topaze et des espadrilles à semelles de
paille avec des lacets montants à la cheville. Ses cheveux descen-
daient jusqu'à la courbe de son dos. Ses yeux étaient à peine
maquillés. Aucun rouge à lèvres, juste un baume lustré. Elle avait
des rougeurs dans le cou, sur la poitrine. Les pupilles dilatées. Je
ne sais pas ce qui m'a pris : j'ai posé ma main droite sur sa chute
de reins, et j'ai collé cette inconnue contre moi en lui donnant un
baiser près de l'oreille. Elle portait Rive Gauche, de Saint-Laurent.
Rose, mousse et vétiver. Nos visages se touchaient quasiment.
Elle m'a foudroyé d'un sourire. Le genre de sourire dont on ne
se remet jamais. « Je te fais visiter, si tu veux ? – Volontiers. – Papa
sort de la douche. Ne fais pas trop attention à son petit numéro. »
Je n'ai pas compris ce qu'elle voulait dire. J'avais déjà vu des
photos de l'intérieur d'un Swan comme celui-là dans un magazine. Ça ne m'avait pas beaucoup impressionné – rien à voir avec
le design italien. Mais là, j'entrais dans un bateau entièrement

redécoré, avec du bois très pâle, du lin, des comptoirs en liège vernis, des coussins crème, une lumière douce. J'ai émis un long sifflement. « Qui a repris la déco ? – C'est moi. Je n'aimais pas beaucoup l'intérieur d'origine. – Avec raison. – Tu connais bien les bateaux ? – Sur papier. Dans mes rêves... Et ton père, il a fait fortune dans quoi, au juste ? – Nous ne sommes pas très riches, tu sais. – Tout est relatif. Juste pour entretenir ce machin, ça doit coûter dans les soixante-quinze mille dollars par année. – Un peu moins. C'est tout ce qu'il a. C'est sa maison. Il a tout vendu à la mort de maman. Il a décidé de parcourir le monde. À cinquante-huit ans. – Et toi, tu as quel âge ? – Mais on ne demande pas ça à une femme ! – Sauf si on est en train de tomber amoureux d'elle... – N'importe quoi ! – Alors ? – J'ai trente ans. Et toi ? – J'ai l'âge des cavernes. – *Meaning what ?* – Je ne sais pas. Un âge revenu de tout, ou presque, sans être vieux. L'âge des grands mélancoliques. – J'aime bien les mélancoliques. – C'est que tu n'as jamais vécu avec l'un d'eux, alors. – J'ai grandi avec mon père, tout de même. – Ah ! Alors on va bien s'entendre, lui et moi. » Pendant que je disais ça, il est apparu. En robe de bain noire grande ouverte et boxers. Des boxers avec un imprimé d'une toile de Picasso. On voyait très bien son zob boursoufler le tissu. Un truc énorme. Il avait un peu de ventre, aussi. Il ressemblait vaguement à Jack Nicholson. « *Hi there ? I'm Bill.* – Raphaël. – *Pleased to meet you, Raphaël.* Cate m'a prévenu de votre visite un peu tard. Je vous prie d'excuser mon *look*. – *No problem, Bill.* Je vous remercie de m'accueillir ainsi sur votre superbe bateau. – *You like her ? – Very much. She's just amazing. Quite performant, too. – I meant my daughter...* – Heu... Nous venons de nous rencontrer. Mais je peux vous dire que j'ai rarement vu une femme aussi jolie. Intelligente, en plus, ça se voit tout de suite. – *OK, cut the crap. You'll have to marry her.* Et si vous lui faites de la peine, je vous tue et je vous arrache vos petites couilles de bâtard avec mes dents. » Je me suis mis à rire. Cate me regardait, un peu gênée. « Je t'avais prévenu... – Oh ! mais j'adore ce genre d'humour,

vraiment! Vous aimez Hemingway, Bill? – *He's the greatest.* Vous
lisez un peu, j'espère...» Je me retrouvais, une fois de plus, devant
ma petite réalité merdique. Pourquoi étais-je allé sur ce terrain-
là? Je ne voulais plus me défiler, et en même temps je craignais le
pire. Un républicain, ça ne rigole pas avec la vertu du travail, de
l'effort récompensé, etc. «J'étais professeur de lettres. J'ai tout
quitté le printemps dernier. – *Really?* Wow! Alors, vous connaissez bien Hemingway? – Un peu. Je n'ai pas tout lu. J'aime beaucoup *Paris est une fête*, même si c'est posthume, et ses nouvelles.
– Une en particulier? – *C'est aujourd'hui vendredi.* – Excellent! Je
vous sers à boire? – Un Manhattan, si possible. – Vous me plaisez
de plus en plus. Et toi, Cate? – Un kir royal, s'il te plaît. – Tu me
fais ouvrir un champagne juste pour ça, c'est chaque fois la
même chose. – Alors laisse tomber! – Mais non, tu sais bien.
Assoyez-vous tous les deux, je vais me changer et puis je vous
sers. Et pas de cochonneries sur mon bateau!» Cate s'est assise à
côté de moi. Nos bras se sont touchés. J'avais des papillons partout.
Elle était bronzée, radieuse. Je ne voyais plus qu'elle. Ses longues
jambes fines, son décolleté, le petit pli à la naissance de sa bouche,
sur sa joue, chaque fois qu'elle souriait. La question me brûlait
les lèvres : «Alors, tu es en congé prolongé, toi aussi? – Oui et
non. J'ai perdu mon copain dans un accident de ski, il y a trois
ans. – Excuse-moi. Je ne voulais pas... – Non, non, ça va, je t'assure. Nous ne nous aimions plus vraiment, mais ç'a été tout un
choc. J'avais ma boutique de bijoux, alors. Je crée des trucs, avec
du bois, de l'or et des perles, essentiellement. Mais je ne trouvais
plus aucun sens à la vente. Et puis les hommes autour de moi, des
amis pourtant, ont commencé à me faire des avances. Leurs femmes ont changé de comportement, aussi. Passé les premiers
mois, elles sont devenues méfiantes. Toutes mes relations ont péri-
clité. Je me morfondais. J'ai vendu mon *business*, j'ai quitté San
Francisco. Ma vie n'était plus là. Je suis allée rejoindre mes
parents, qui vivaient alors aux Sand Banks, en Caroline du Nord.
Mon père y possédait des maisons de vacances, qu'il faisait

construire et qu'il louait à l'année, ensuite. Et puis il y a deux ans, maintenant, ma mère est morte subitement. Un arrêt cardiaque. Ce n'est pas aussi rare qu'on pense chez les femmes. Elle n'avait que cinquante-cinq ans. Mon père ne supportait plus sa vie là-bas. Il a vendu toutes les propriétés, pour se faire un capital, et voilà : il a acheté le Swan il y a un an, environ, à Majorque. Il a toujours aimé la mer. Il voulait que je le suive, qu'on passe le plus de temps possible ensemble. J'ai fait la Corse, la Sardaigne, tout le tour de l'Italie avec lui. Il voulait voir les régates de Saint-Tropez. Nous sommes ici depuis un mois. Et dans quelques jours, comme je te disais, nous partons pour les Cyclades.» Je me suis senti vraiment tout con, avec mes petits malheurs à la noix. Ses traits s'étaient tendus. J'ai voulu lui caresser la joue, la réconforter, sans trop savoir comment, mais Bill est réapparu, en jeans et pull-over. «*Don't touch her, not yet! – Very sorry. Cate was telling me about all you've been through... – Ya. Well... Life goes on, Raphaël. And Cate should do the same. – Daddy, please!* – Elle est en train de passer à côté de la vie. Ça me fend le cœur, vous ne pouvez pas savoir. Mais on est bien tous les deux, n'est-ce pas ma chérie ? Et vous Raphaël, vous faites quoi, maintenant que vous n'êtes plus professeur ?» Voilà, le boomerang me revenait en pleine gueule. J'ai été franc : «Je veux écrire. Des romans. Et je cherche toujours, par ailleurs, la femme de ma vie ! – Bien. Très bien.» Je n'ai pas osé regarder Cate sur le coup. Cela aurait paru franchement ridicule. Mais au fond, je savais qu'elle pouvait être celle-là, justement. Les astres s'alignaient enfin. C'est ce que je me suis dit intérieurement : «Les astres s'alignent enfin.» On a bu notre apéro. Bill avait acheté des huîtres. Puis il nous a fait une omelette aux truffes, façon Georges Blanc dans son livre *La Nature dans l'assiette*. Un petit bijou pour les yeux et pour le palais. On n'a pas arrêté de se reluquer, Cate et moi. J'avais le cœur en compote. En même temps, je sentais que cet organe pompait un liquide étrange, roboratif, dans les vaisseaux flasques, usés, de mon corps. On est allés danser en laissant Bill à son bas armagnac. Juste avant qu'on sorte du bateau, il m'a dit, un peu éméché : « Je connais ma fille. Tu lui plais. Et je t'aime bien. Je sens ces choses-là tout de suite, moi. Mais ressaisis-toi, et propose-lui un vrai projet de vie. Si tu lui brises le cœur je te flingue pour de vrai. Allez, *have fun*. Et qu'elle ne rentre pas trop tard. »

~

Le fond de l'air était froid, maintenant. Cate avait même mis un manteau de pluie doublé. On a erré dans les rues de Saint-Tropez, à la recherche d'une boîte sympa. On s'est retrouvés dans un truc sous des voûtes, avec un band qui jouait de la musique gitane. On a dansé un peu, mais tout croche. C'est générale-ment ce qui arrive entre deux êtres qui se découvrent, qui éprouvent vraiment quelque chose l'un pour l'autre. Deux aimants, mais qui se font face du mauvais côté, qui se cherchent maladroitement. Je n'osais pas la toucher. J'avais peur d'aller trop loin, trop vite. C'est elle qui m'a proposé d'aller à l'hôtel, carré-ment. J'ai failli dire non, comme une vieille fille. Elle ne voulait pas laisser passer le moment. On ne se reverrait peut-être pas. J'ai dit : « OK. » Elle m'a pris la main, et puis je l'ai suivie, jusqu'au bout, tout en douceur. Comme un long câlin extatique. Elle avait dû remarquer un hôtel pas loin. Je ne sais plus. Tout le reste est flou. Sauf son corps. Je ne voyais plus qu'elle, parfaite. Longs baisers. Robe qui tombe. Chair de poule. Alchimie. Fusion. Fusées.

~

Et puis on a parlé toute la nuit. On a fait des projets. Je pouvais aller les rejoindre en Grèce, si ça me disait. Passer une semaine ou deux avec eux. Ça me paraissait merveilleux. Je l'ai laissée au bateau vers cinq heures. Quand je suis arrivé chez mes parents, ma mère était déjà debout. Ce n'était pas normal. Elle a juste dit, les yeux pleins d'eau : «Ta grand-mère est dans le coma.» L'espace s'est déchiré. Explications. Je n'entendais plus rien. La mer, au loin, semblait gelée.

~

J'ai laissé mes parents organiser le retour à Montréal et je suis tout de suite retourné voir Cate. J'ai pleuré comme une fontaine. Ce n'était pas très élégant. J'ai eu besoin d'elle, spontanément. En même temps, nous nous connaissions à peine. Et puis je me suis refermé comme une huître. Elle m'a demandé si j'avais toujours l'intention d'aller la rejoindre en Grèce. Je ne savais pas. Je ne savais plus rien. Je lui ai laissé mon numéro de portable au Québec. Bill m'a dit : «*Pray for her. It's the only thing you can do for your grand-mother.*» J'ai failli l'envoyer chier. Et puis je me suis dit qu'il valait mieux respecter l'intention. J'ai serré Cate longuement. J'aurais voulu lui dire : «Je t'aime», mais il était beaucoup trop tôt, dans ce qui n'était même pas encore une relation. Et puis j'étais beaucoup trop meurtri. Par mon passé. Par ce qui venait d'arriver à Simone. Les étoiles n'étaient peut-être pas si bien alignées que ça, finalement.

~

Surdose de médicament : c'est tout ce qu'on avait pu comprendre, si loin d'elle, des médecins, de Montréal. Nous avons pris le premier avion disponible, mon père, ma mère et moi. Il n'y avait plus de vol direct depuis Nice. Ç'a été deux jours d'enfer, jusqu'à l'atterrissage à Dorval. Nous sommes allés directement à l'hôpital. L'état de Simone était stable, mais grave. Elle n'en avait peut-être pas pour longtemps. On nous a expliqué que le pharmacien avait mal transcrit la prescription. Ma grand-mère avait cru comprendre qu'elle devait prendre trois pilules par jour, afin de soulager son arthrite, alors que la dose requise correspondait à un comprimé aux trois jours. Ce n'était pas très clair, sur la bouteille. Il y avait matière à poursuite. Après un jour, elle s'était plainte à ses amies de brûlures d'estomac très vives. Au bout du deuxième jour, tout son système digestif était perforé d'ulcères, de la bouche jusqu'à l'anus. Elle a souffert le martyre. Le temps d'appeler l'ambulance, une hémorragie interne massive s'est produite. Les ambulanciers l'ont retrouvée inconsciente, baignant dans son sang. Ils avaient réussi à la maintenir en vie, jusque-là. Mais «en vie» était un bien grand mot. Quand je l'ai vue pour la première fois à l'hôpital, ça m'a tout pris pour m'approcher d'elle, pour lui prendre la main : elle avait le regard fou, les cheveux en bataille, et des tubes partout. Elle avait l'air d'une mouche aux yeux énormes, prise dans des fils d'araignée. Je ne savais plus très bien à qui j'avais affaire. Une enveloppe charnelle envahie par un organisme étranger, au sang froid, un truc reptilien. Sa langue sortait toute seule, des fois. Ses yeux faisaient la roue. Pouvait-elle vraiment redevenir ma grand-mère? «Simone» ne correspondait plus à rien. Un prénom vidé de sa substance. Quelqu'un d'encore à peine vivant. Des spasmes d'essais juste avant la mort. Ma mère a fondu en larmes. Mon père l'a prise dans ses bras en disant : «Françoise, Françoise! Allons, sois forte!» Mais être fort pour quoi? Pour ne plus pleurer? Pour accepter le fait, sans doute, que notre vie n'est qu'une conscience passagère, un miracle chaque fois avorté sur des poussées neutres de matière. J'étais tétanisé. Il paraît que leur parler peut aider, parfois. Leur dire qu'on est là, qu'on souhaite qu'ils reviennent. Eva avait-elle fait ça, lors de mon coma? Moi, ça me foutait les boules. Je ne voulais pas que ma Simone d'amour, ma maminou, me revienne comme ça. Plutôt la mort. La fin des illusions.

~

Le médecin traitant nous a dit qu'elle pouvait partir le lendemain comme dans un an. Les chances de survie étaient d'environ une sur cent. Son cerveau était trop atteint. Elle était maintenue artificiellement. Je traduis, évidemment. La décision nous revenait pour la débrancher. Pendant les jours qui ont suivi, j'ai à peine dormi. Nous couchions au *cottage*. Je pouvais rester pendant des heures devant une photo d'elle et moi, prise sur sa terrasse, avec un retardateur. Ma mère ne voulait pas débrancher sa propre mère. Mon père disait que c'était la seule solution. Qu'on ne pouvait pas la laisser souffrir ainsi. «Mais elle ne souffre pas, le médecin nous l'a dit!» Nous nagions dans l'irrationnel. Tout ça parce que la médecine avait fait des progrès. Il y a à peine cinquante ans, ma grand-mère serait morte au bout de son sang, tout simplement. La douleur, pour nous, aurait été vive, mais de courte durée. Maintenant, la douleur est sans fin. On prolonge, on prolonge. Et puis, au bout du compte, ça ne change presque rien. On se dit que si un être cher survit à une maladie grave, à un coma, on va tout faire pour profiter de lui, pleinement, chaque jour. Mais ceux qui survivent à ce genre de chose changent. Ils ne voient plus la vie de la même façon. Souvent, ils plaquent tout, y compris les êtres chers. Il y a des dommages collatéraux. Ça devient compliqué à gérer. Pourtant, à la base, la vie, la mort, c'est très simple. L'être humain a le don de tout compliquer. Tout sauf le vide.

~

Je ne supportais plus l'attente. Je guettais non pas un, mais deux signes du destin : un miracle pour Simone, un appel de Cate. Je tournais en rond dans ma cage. Cinq secondes interminables avant le choc électrique. Aucune ouverture. La mort lente, une implosion d'étoile naine. Je ne supportais plus le cinéma, non plus. Et je n'arrivais plus à lire quoi que ce soit. Nous allions voir ma grand-mère tous les jours, et nous en ressortions meurtris, chaque fois. Puis je me promenais au centre-ville, seul. Un jour, je suis entré au Musée d'art contemporain. À la recherche de je ne sais quoi. Les œuvres ne me disaient rien, évidemment. Que des boudins formalistes. Jusqu'à ce que j'arrive dans une pièce consacrée à l'œuvre de Jim Campbell. L'exposition portait sur ses *Memory Works*, une série de photos, de bandes-son, de films et d'objets transformés par les nouvelles technologies. Les «enregistrements électroniques» retravaillaient des souvenirs collectifs ou individuels, comme la Bible, un discours de Martin Luther King, un film d'Hitchcock, ou encore une photo de la mère et une autre du père de l'artiste. «*Photo of my Mother & Portrait of My Father*» m'a bouleversé. La photographie de la mère est lentement altérée par un brouillage de l'image au rythme de la respiration de l'artiste, enregistrée pendant une heure. Le portrait du père apparaît et disparaît quant à lui au rythme des battements de cœur de Jim Campbell, enregistrés sur une période de huit heures, alors qu'il dormait. La respiration et le battement de cœur, les deux choses qui relient directement le fœtus à des signes de vie maternelle. À des signes de vie tout court. Et puis cette fragilité du temps et de l'espace qui nous relient pourtant à nos parents, à leur souvenir. J'ai lu la notice qui accompagnait les œuvres, dans la langue de l'artiste : «*These works explore the characteristic of hiddenness common to both human and computer memory. Memories are hidden and have to be transformed to be represented.*» Les souvenirs doivent être transformés afin d'être re-présentés. Les histoires de notre histoire. «Je suis né de telle mère et de tel père, à tel endroit.» OK. «Bébé, il paraît que j'étais toujours souriant.» Ah bon? «Ma mère vient d'une famille normale.» Vraiment? «Souvenir : ma petite sœur pleure toujours pour avoir l'attention de mes parents.» Mais encore? «Maman ne m'aimait pas vraiment.» En voilà une bonne... Inspiration : j'ai cinq ans. Ils sont où, papa-maman? Expiration : là, tout près de moi, tout va bien. Battement de cœur : seize ans, amoureux fou d'une fille qui ne m'aime pas vraiment. L'univers est chaud. Battement de cœur : vingt-cinq ans, et je dois gagner ma vie. Inspiration : j'ai trente-deux ans, ils vieillissent, grand-maman va mourir. Expiration : j'ai cinquante ans, je me sens vieux, l'univers est tiède. Battement de cœur : ils sont où, papa-maman ? Toujours là, tout va bien. Battement de cœur : ils sont morts, l'univers est froid. Inspiration : j'ai quatre-vingts ans, je n'ai rien vu passer. Expiration : dernier souffle. Fin du visionnement.

~

Je suis resté là, planté devant cette œuvre, pendant plus de trois heures. S'il est vrai que les souvenirs doivent être recréés pour avoir du sens, pour donner un sens à notre vie, je pense qu'on peut tout aussi bien affirmer qu'ils ne recréent, en nous, qu'une conscience d'outre-tombe, un semblant d'existence. Ils meublent maladroitement nos bonheurs ou nos malheurs immédiats. Il suffit de nous revoir, filmés, encore enfants, avec nos parents, alors âgés du même âge que nous aujourd'hui : on a peine à croire qu'on a pu vivre cet instant-là, à ce moment-là ; on a surtout peine à croire que nos parents ont pu avoir cet âge-là, et qu'ils ressentaient ce que nous ressentons nous-mêmes aujourd'hui, à savoir la fuite du temps, la fragilité du bonheur, l'inconstance des relations humaines, l'impermanence de tout, en tous lieux, en tout temps. Ma grand-mère est morte pendant que j'étais au musée, mon regard perdu dans la photographie d'une mère inconnue, à la fois nette et embuée, doublement embuée par mes larmes.

~

Elle a été enterrée au cimetière Côte-des-Neiges, à côté de grand-papa. Une neige mouillée tombait sur nous, recouvrait la terre, le cercueil. J'ai salué des tas de gens que je ne connaissais pas. Le discours du prêtre était d'une insignifiance absolue. Je l'aurais bien poussé dans la fosse, à la place de Simone. Je serais reparti avec ma maminou. Je l'aurais enterrée au soleil, sous un olivier, quelque part en Provence, elle qui n'a jamais voyagé. Je serais allé la voir chaque semaine. Elle m'appellerait encore son trésor, à travers le murmure du vent dans les arbres.

~

Nous approchions de Noël, et Cate ne m'avait toujours pas appelé. Montréal me paraissait d'une tristesse sans nom. Le mont Royal avait l'air tout ratatiné. Le fleuve charriait des eaux noires. Mes parents étaient repartis à La Croix Valmer. Ils voulaient fêter le Nouvel An entre amis. J'avais hérité du *cottage* de la rue Hôtel-de-Ville, comme Simone me l'avait promis. Ma mère s'en était un peu offusquée. Elle m'a dit, chez le notaire : «Bon, eh bien, le voilà, ton petit nid pour l'écriture.» Je passais des journées entières calé dans un fauteuil, le cellulaire ouvert dans une main, un verre de scotch dans l'autre. Il y avait un four au gaz dans la cuisine. Je suis passé à deux doigts de tout faire péter. Les sœurs grises, en face, auraient eu le feu d'artifice de leur vie. Max m'a appelé le 22 décembre. Il ne voulait pas passer les Fêtes en famille. «Une petite virée à Las Vegas, ça te dirait?» J'ai tout de suite pensé à *Leaving Las Vegas*, avec Nicolas Cage et Elisabeth Shue. Je me suis dit que je pouvais très bien en finir comme ça, moi aussi, mais pas dans un *delirium tremens*. Une surdose de comprimés ferait très bien l'affaire. Et puis dans l'avion Max m'a engueulé. Il fallait que je retrouve Cate. Avec les coordonnées du bateau, ça ne devait pas être bien compliqué. Elle ne pensait même plus à moi, c'était évident. Ma vie n'avait été qu'une suite de déliaisons. J'allais bientôt couler. Les frontières du monde avaient pourtant été abolies; on pouvait maintenant refaire sa vie n'importe où, dans n'importe quel port. Je n'en voyais pas vraiment l'intérêt. Fuir ou combattre ? Aucune de ces réponses.

~

Max regrettait de m'avoir invité tous frais payés ; je n'étais visiblement pas d'humeur à faire la fête. À *claquer du fric.* Les passants s'émerveillaient devant le faux Colisée, les faux canaux de Venise, le faux Empire State Building. Les gens, partout autour de moi, parlaient sans cesse du spectacle de Céline Dion, des prouesses du Cirque du Soleil. Le Québec avait réussi. Dans une ville de rêve. Un rêve à faire pleurer tous les dieux de toutes les religions. Je suis resté à ma chambre d'hôtel, la plupart du temps. Je ne supportais plus l'allégresse consumériste. Max a rencontré une Suédoise qui vivait à Boston pour ses études. Elle avait quinze ans de moins que lui. Il en est tombé amoureux. Ils se sont mariés dans un *drive-in* du *Strip.* Ils sont séparés depuis. Je ne l'ai pas revu. Je suis retourné à Montréal sans lui. J'enfilais les bouteilles de Saint-Léger. Je regardais, de temps en temps, des reportages sur les plantes. J'étais tellement perdu que j'ai même cherché à appeler Eva pour lui parler de la mort de Simone. Je n'ai jamais réussi à la joindre. Et puis le 31 décembre, vers quatorze heures, j'ai reçu un appel. Un numéro de téléphone avec plein de chiffres étranges. J'ai laissé sonner plusieurs coups. Ça ne pouvait être qu'elle, Cate. J'ai finalement appuyé sur le petit bouton vert fluo, le seul truc qui me retenait encore un peu à la vie. « Oui ? – Raphaël ? C'est Cate. Je te dérange ? – J'attends ton appel depuis un mois. – Je suis désolée. Je me suis posé plein de questions. J'avais peur. Comment va ta grand-mère ? – Elle est morte. Il y a trois semaines. – *I'm so sorry...* Tu fais quoi, là ? – Rien. J'attends que tu me parles. – Je suis enceinte. » La terre s'est arrêtée de tourner. Les fleuves ont ralenti leur débit. Le gyrophare de la Place-Ville-Marie a éclairé la pièce en me transperçant la rétine. Il n'y avait plus rien. Juste une voix perdue sur la Méditerranée. «Pardon? – Je suis enceinte, Raphaël. Ça ne peut être que de toi. Je ne veux pas me faire avorter. Mais j'ai peur. J'aimerais dire au père de cet enfant à naître qu'il doit faire partie de notre vie. Mais j'ai peur.» Je n'ai pas trop hésité. Je n'avais plus peur, moi. Les étoiles ne se réalignent qu'une fois dans une vie. La plupart des gens ratent le rendez-vous. Pour moi, il n'en était pas question. J'ai simplement dit : «On s'installe où?» Elle a répondu : «Où tu veux.»

Épilogue

Je vis en Provence, dans l'arrière-pays. Avec Cate et Jules, deux ans. Notre cantine, c'est le bistro Chez Simone. Vrai comme je vous le dis. La cuisine y est sublime. Nous habitons dans un village de quatre cents habitants, loin du tumulte, loin du monde. Nous faisons pousser nos tomates, comme la serveuse automate. Non, en fait : je ne me sens plus comme un automate, justement. J'ai l'impression de vraiment vivre chaque instant pleinement. Les journées coulent très lentement. Nous nous contentons de peu. J'observe les escargots ; leurs traînées de voie lactée. Je m'imprègne de ce qui m'entoure, simplement, sans flafla, sans méditation, sans les résidus consternants de la pensée *New Age*. Cate donne des cours d'anglais aux enfants du coin. Jules apprend le principe de réalité. Il est précoce. Il pète souvent des crises pas possibles. Surtout la nuit, évidemment. Mais nous avons plein de temps à lui consacrer. Aucun stress. Je ne travaille pas. Je retape notre mas de Schtroumpfs ; j'entretiens le terrain. Les week-ends, nous prenons la voiture et nous nous rendons à la mer. L'autre jour, Jules a trébuché sur une vieille boîte de biscuits chinois à moitié enfouie dans le sable. Je la garde sur ma table de travail, encore fermée. On ne sait jamais ce qui peut en sortir comme histoire. Ah! et puis, oui : j'écris. Même s'il paraît qu'un écrivain, c'est un mort en sursis. Mais je ne m'en fais plus comme avant. Je noircis des pages. Tranquillement. Je me réapproprie la langue québécoise. Ma langue. Ici, en France, tous les mots comptent triple ; ils ont un Scrabble virtuel dans la tête. C'est crispant, à la longue, cette inlassable recherche du mot juste. Lorsqu'on me fait le coup, au magasin, à la poste, à la banque, au *pressing*, n'importe où, et qu'on me balance un : « Monsieur veut dire *ceci*, Monsieur parle de *cela* », je n'ai plus *la honte*, comme au temps de mes études. Maintenant je leur réponds : « Oui, c'est bien cela, c'est exactement *cela* », tout bonnement, avec mon plus beau sourire – et je *retiens* le mot, pour toujours. Je nage entre deux cultures, entre deux rapports au langage, pourtant unis par une même langue. Ça me paraît naturel. Dans *l'ordre des choses*. J'ai trouvé un équilibre, sur cette planète de fous. J'ai du mal à y croire. Je pense encore que la vie pourrait tout me reprendre. Dans ces moments-là, je regarde une photo de nous trois prise dans notre jardin. Cate, Jules et moi. Unis. Et puis j'inspire à fond, en écoutant mon cœur battre. L'image reste très nette. Alors je ferme les yeux. Et je me coule dans l'instant. Le vide. Infini.

Marquis imprimeur inc.

Québec, Canada
2008